GEOGUIDE

Shopping
à Londres

Antoine Besse
Karim Bourtel
Virginia Rigot-Muller
Isabelle Vatan
Laurent Vaultier

**Ont également collaboré
à cet ouvrage**
Arwa Haider, Philip Harriss,
Lisa Ritchie

Voyagez à la carte

Fashion addict ou chineur averti ? Envie de vous relooker ou accro à la *British touch* ? Besoin d'un *take away* ou à la recherche d'un pub cosy ? GEOGuide a sélectionné pour vous les adresses qui font bouger la ville. Choisissez ce qui vous ressemble... et goûtez pleinement à la *London attitude* !

AU GRÉ DE VOS ENVIES

AU FIL DE NOS ITINÉRAIRES

SHOPPING À LONDRES

GEO**PRATIQUE**

GEO**ADRESSES**

Mode d'emploi

★ Incontournable touristique
☺ Coup de cœur de l'auteur

▶ GEO**INDEX**

▶ GEO**CARTO**

GÉOPRATIQUE

Tower Bridge, le romantisme hissé au rang de paysage.

INFORMATIONS
UTILES DE A À Z

ALLER À LONDRES EN AVION

Dotée de cinq aéroports internationaux, la métropole britannique est l'un des principaux carrefours aériens d'Europe. Ainsi, quelque 40 vols quotidiens relient Londres et Paris, soit sur cette ligne parmi les plus fréquentées du ciel, un départ toutes les 20 minutes !

de France

Air France En réservant au moins 21 jours avant le départ et en passant la nuit de samedi à dimanche sur place, vous pouvez trouver un vol direct Paris-Londres AR à moins de 120€. Le voyage dure entre 1h05 et 1h25. Avec plus de 30 vols répartis entre Roissy et Orly, vous devriez facilement obtenir un horaire à votre convenance. Arrivée à Heathrow ou au City Airport. *www.airfrance.com France 49, av. de l'Opéra 75002 Paris Tél. info. 36 54 www.airfrance.fr Belgique Gare du Midi Rue de France 1060 Bruxelles Tél. info. 070 22 24 66 Suisse 2, rue du Mont-Blanc 1201 Genève Tél. info. (022) 827 87 87 www.airfrance.ch Canada 2000, rue Mansfield 10e étage Montréal et Aéroport International de Toronto-Pearson Terminal 3 Toronto Tél. info. 1 800 667 2747 www.airfrance.ca*

British Airways Propose des vols directs vers Londres au départ de nombreuses grandes villes, dont environ 10 vols quotidiens au départ de Paris-Charles-de-Gaulle (entre 7h50 et 21h45). Prévoir autour de 120€ l'AR pour un billet ni échangeable, ni remboursable. Également des vols au départ d'Ajaccio, Bastia, Bordeaux, Grenoble, Lyon, Marseille, Montpellier, Nantes, Nice ou Toulouse. *www.ba.com www.britishairways.com France Tél. info. 0825 825 400*

Easyjet La compagnie qui s'est fait connaître en cassant les prix pour Londres n'est plus si concurrentielle et ses tarifs sont comparables à ceux des compagnies classiques si l'on s'y prend tard. Pour Paris-Londres (Luton), comptez de 70 à 150€ l'AR en réservant plus d'un mois d'avance. Départs également possibles de Bastia, Biarritz, Bordeaux, Grenoble, La Rochelle, Lyon, Marseille, Montpellier, Mulhouse, Nantes, Nice ou Toulouse. *www.easyjet.com France Tél. info. 0899 65 00 11*

Ryanair Assure des liaisons *low cost* entre Londres et Paris (Beauvais) mais aussi d'autres villes plus inattendues : Angoulême, Bergerac, Biarritz, Brest, Carcassonne, Dinard, La Rochelle, Limoges, Lyon, Nantes, Nîmes, Marseille, Montpellier, Pau, Perpignan, Poitiers, Toulon, Tours ou Rodez. *www.ryanair.com France Tél. info. 0892 232 375*

de Belgique

SN Brussels Airlines Au départ de Bruxelles-Zaventem, vous trouverez des vols à des prix très attractifs. Comptez 100-150€ l'AR pour Gatwick et Heathrow. Une dizaine de vols quotidiens d'1h, de 6h à 20h30. *www.brusselsairlines.com Belgique Aéroport Bruxelles-National 1930 Zaventem Tél. info. 07 035 11 11 France Aéroport Roissy-Charles-de-Gaulle Terminal 2B Tél. info. 0892 640 030 Suisse Tél. info. 09 00 22 00 30*

British Airways Vols directs vers Londres (Heathrow et Gatwick) au départ de Bruxelles. AS à partir de 79€. *www.ba.com www.britishairways.com Belgique Tél. info. 02 717 32 17*

BMI (British Midland) Vols directs vers Londres (Heathrow) de Bruxelles.

Accès

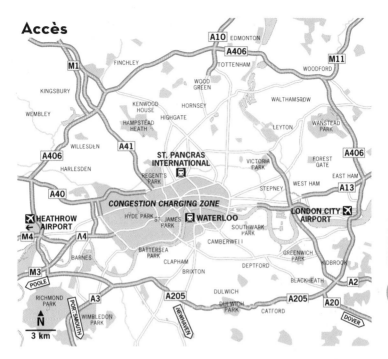

AS à partir de 65€. *www.flybmi.com Belgique Tél. info.* 02 713 12 84

Ryanair Dessert Londres (Stansted) au départ de Bruxelles (Charleroi). AR à partir de 50€. *www.ryanair. com*

VLM Airlines Liaisons Bruxelles-Londres (City) : 4 vols/j. en sem., 1 vol le dim. et Anvers-Londres (City) : 6 vols/j. du lun. au ven., 1 vol le sam. et 2 vols le dim. AR à partir de 146€. *www.flyvlm.com Belgique Comptoir aéroport, hall départ Tél. info.* 03287 80 80

de Suisse

Swiss International Airlines Avec des possibilités de vols à environ 200CHF (soit près de 127€), Swiss Airlines reste attractive par ses prix et son

service. Quatre vols quotidiens au départ de Genève pour London City Alrport (1h40 de vol). L'aéroport de Heathrow est desservi au départ de Zurich (même durée de vol) pour un prix légèrement inférieur. *www.swiss. com* **Suisse** *Aéroport, aérodrome 1215 Genève 15 Tél. info.* 0848 700 700 **France** *Aéroport de Roissy-Charles-de-Gaulle Terminal 2B Tél. info.* 0820 04 05 06 **Belgique** *Aéroport Bruxelles-National 1930 Zaventem Tél. info.* 07 815 53 19

British Airways Vols vers Londres au départ de Genève, Zurich, Berne et Bâle. AS à partir de 90CHF. *www. ba.com www.britishairways.com* **Suisse** *Tél. info.* 0848 845 845

Easyjet Liaisons Genève-Londres (Gatwick, Stansted ou Luton), Zurich-Londres (Luton) et Bâle (Luton ou

Stansted). Pour un AR Genève-Londres, comptez moins de 100€, en réservant à l'avance. *www.easyjet.com Suisse Tél. info. 0900 000 195*

Ryanair Vols vers Londres (Stansted) au départ de Bâle env. 100CHF l'AR. *www.ryanair.com Suisse Tél. info. 0900 808 001*

du Canada

Air Canada Air Canada propose des vols directs Montréal-Londres (6h45 de trajet) : comptez env. 805$CA (soit près de 571€) pour un AR en haute saison en réservant plusieurs semaines d'avance ; vols au départ de Toronto pour le même prix. *www.*

connexions aéroports/centre-ville

Navettes	Durée	Fréquence	Prix	Horaires Aéroport/Centre Centre/Aéroport	Arrivée
HEATHROW					
Heathrow Express (train) www.heathrowexpress.com	15min	toutes les 15min	16£	5h-23h45 5h10-23h25	Paddington St. Heathrow
Piccadilly Line (métro) www.tfl.gov.uk	50min-1h	toutes les 10min	4£	5h14-0h22 5h45-0h30	Piccadilly Circus Heathrow
National Express (bus) www.nationalexpress.com	40min-1h	toutes les 30min	4,50£	4h55-21h35 7h-23h30	Victoria Station Heathrow
Taxi www.londontaxicabs.net			45-60£		Londres-centre
GATWICK					
Gatwick Express (train) www.gatwickexpress.com	30min	toutes les 15min	16,90£	4h35-1h35 3h30-0h30	Victoria Station Gatwick
Southern Line (train) www.southernrailway.com	40min	toutes les 15min	10,90£	24h/24	Victoria Station
National Express (bus) www.nationalexpress.com	1h03-1h35	env. toutes les heures	7,30£	5h15-22h15 3h30-23h30	Victoria Station Gatwick
Taxi www.londontaxicabs.net			85£		Londres-centre
STANSTED					
Stansted Express (train) www.stanstedexpress.com	45min	toutes les 15min 4h30-23h25	15,50£	5h30-0h30	Liverpool Station Stansted
Terravision Express (bus) www.lowcostcoach.com	1h15	toutes les 30min	9£	7h15-1h 2h40-23h10	Victoria Station Stansted
Taxi www.londontaxicabs.net			85£		Londres-centre
CITY AIRPORT					
DLR (métro) www.tfl.gov.uk	22min	toutes les 10min	4£	5h30-0h30	Bank Station
Taxi www.londontaxicabs.net			30£		Londres-centre
LUTON AIRPORT					
Train régional www.tfl.gov.uk	50min-1h	toutes les 20min	11£	24h/24	Blackfriars St.
Green Line 757 (bus) www.greenline.co.uk	1h10	toutes les 30min	11£	24h/24	Victoria Station
Taxi www.londontaxicabs.net			80£		Londres-centre

aircanada.com **Canada** Aéroport Pierre-Elliot-Trudeau Montréal 975, bd Roméo-Vachou Nord H4Y 1H1 Dorval Québec Tél. info. 1881 247 2262 **France** Aéroport Roissy-Charles-de-Gaulle Terminal 2A porte 5 BP 31073 Tremblay-en-France 95716 Roissy CDG Cedex Tél. info. 0 825 880 881 **Belgique** Lufthansa 130, rue du Trône 1050 Bruxelles Tél. info. 070 35 30 30 **Suisse** Tél. info. 0848 247 226

British Airways Vols vers Londres au départ de Montréal, Toronto, Vancouver, Calgary, Halifax et Ottawa. Comptez env. 800$CAD pour un AR Montréal-Londres. www.ba.com **Canada** Tél. info. 1 800 AIRWAYS

BMI (British Midland) Liaisons entre l'aéroport d'Heathrow et Montréal, Toronto, Vancouver, Calgary et Ottawa. www.flybmi.com Tél. info 44 (0) 1332 648 181

les aéroports de Londres

Les liaisons avec le centre de la capitale sont régulières et ponctuelles. Vous pouvez aussi choisir les black cabs (taxis), qui peuvent être intéressants si vous voyagez à plusieurs.

Heathrow Airport L'aéroport international le plus actif du monde est à 25km à l'ouest du centre. Tél. info. (0)87 0000 0123 www.heathrowairport.com

London City Airport Le City Airport assure, à 10km du centre, la liaison avec les grandes villes dont Paris (Orly et Roissy). Tél. (0)20 7646 0000 www.londoncityairport.com

Gatwick Airport C'est essentiellement grâce à la clientèle d'Easyjet et de Ryanair que cet aéroport, situé à 40km au sud de Londres, est l'un des plus fréquentés. Tél. (0)87 0000 2468 www.gatwickairport.com

Stansted Airport Si vous voyagez avec Ryanair, il y a de fortes chances pour que vous atterrissiez à cet aéroport établi à 50km au nord-est de la capitale. Tél. (0)87 0000 0303 www.stanstedairport.com

London Luton Airport Situé à 50km au nord de Londres, c'est le troisième aéroport utilisé par les compagnies low cost (Easyjet et Ryanair). www.london-luton.co.uk

mesures de sécurité pour le bagage de cabine

Rappelons que, lorsqu'ils passent aux points de contrôle de sécurité des aéroports européens et canadiens, les voyageurs peuvent avoir en leur possession des produits liquides (gels, substances pâteuses, lotions, contenu des récipients à pression, dentifrice, gel capillaire, boissons, potages, sirops, parfums, mousse à raser, aérosols) à condition que les contenants ne dépassent pas, chacun, 100ml ou 100g et qu'ils soient regroupés dans un sac en plastique transparent à fermeture par pression et glissière, bien scellé, d'une capacité maximale de 1l (environ 20cmx20cm). Les articles ne doivent pas remplir le sac à pleine capacité ni en étirer les parois. Un seul sac est permis par personne. Les aliments pour bébé et le lait, quand les passagers voyagent avec des enfants de deux ans ou moins, de même que les médicaments vendus sur ordonnance et les médicaments essentiels en vente libre ne sont pas soumis à ces restrictions. Nous vous conseillons donc de placer dans vos bagages de soute, avant l'enregistrement, tous les produits liquides dont vous n'aurez pas besoin en cabine.

PRATIQUE

ALLER À LONDRES EN TRAIN

Depuis 1994, le train à grande vitesse **Eurostar** relie le continent à Londres via les 50km du tunnel sous la Manche. Il emprunte, depuis novembre 2007, la nouvelle ligne "Channel Tunnel Rail Link" pour aboutir à la gare St. Pancras International en assurant les liaisons Paris-Londres en 2h15 et Bruxelles-Londres en 1h51. Il est conseillé d'arriver à la gare au moins 40min avant le départ afin d'effectuer les formalités d'embarquement et contrôles de sécurité.

de France

Eurostar De Paris-gare du Nord, avec un départ par heure, vous parvenez au cœur de Londres en 2h15. Offres AR à partir de 77€ ou 100€ (2ᵉ classe, non échangeable, non remboursable, nuit de sam. à dim. sur place), AS semi-flexible 82,50€, AS flexible 207,50€. De Lille (gare Lille-Europe, 1h20 de trajet) et de Calais, plus de cinq AR directs. Du sud de la France, que ce soit de Marseille ou de Bordeaux, gagner Londres implique un changement à Paris ou à Lille. La correspondance à Lille est plus simple puisqu'il ne faut pas changer de gare. Prévoir 6h de trajet de Marseille pour un coût d'environ 145 à 255€ et 6h30 minimum au départ de Bordeaux pour environ 130 à 240€. Enfin, sachez que Bourg-Saint-Maurice est desservi en hiver par l'Eurostar, ainsi qu'Avignon, en été, à raison d'une fois par semaine. *www. eurostar.com www.voyages-sncf.com Tél. info. 36 35/0892 35 35 39*

de Belgique

Eurostar Le TGV dessert Londres directement de la gare du Midi à Bruxelles au moins neuf fois par jour en semaine. Comptez dans les 90€ pour un AR non échangeable ni remboursable et 1h51 de trajet. *www. eurostar.com www.voyages-sncf.com www.b-rail.be Tél. info. 02 528 28 28*

de Suisse

Aucun train ne relie directement Genève à Londres. Le voyage via Paris (gare de Lyon puis gare du Nord) dure 7h et coûte de 154€ (non échangeable, non remboursable) à 580€ (échangeable et remboursable jusqu'au jour du départ). Prix plus élevés au départ de Zurich. Attention, les personnes non-résidentes de l'Union Européenne doivent remplir une carte d'embarquement (disponible aux comptoirs réservés à cet effet ou auprès du personnel Eurostar) avant de s'enregistrer. Cette carte doit être remise à l'Immigration britannique. *www.voyages-sncf. com www.sbb.ch Tél. info. 0900 300 300 Boutique SNCF Rue de Lausanne, 11 Genève*

billets, réductions, pass

La tarification et les réductions appliquées sont spécifiques à l'Eurostar, différant de celles des autres TGV. Vous pourrez bénéficier de réductions selon la nature de votre billet (fixe, semi-flexible, flexible), selon votre âge (enfant, jeune, senior) et si vous voyagez en semaine ou le week-end. La carte "12-25" de la SNCF, par exemple, offre des réductions de 25% sur les meilleurs tarifs. En basse saison, vous pouvez profiter de nombreuses promotions (week-end Paris-Londres à deux, à partir de 77€ ou 100€).

Pass InterRail Les compagnies de chemin de fer de 30 pays d'Europe se sont unies pour proposer 2 pass, permettant de voyager en 1ʳᵉ ou en 2ᵉ classe. Le Global Pass est valable dans l'ensemble des pays (sauf dans le pays d'origine de l'utilisateur), pour une durée de 5 jours à un mois, sans limite de trajets. Pour un pass de 5 jours (utilisable sur une période de 10 jours) en 2e classe, comptez 249€ en plein tarif, 159€ pour les moins de 26 ans. Pour un mois, comptez 599€ en plein tarif, 399€ pour les moins de 26 ans. Le One Country Pass est utilisable dans un seul pays européen, parmi un choix de 28, pour une durée de 3, 4, 6 ou 8 jours consécutifs ou non, sur une période d'un mois. En Grande-Bretagne, pour ce pass en 2e classe, comptez de 125€ à 194€ pour les moins de 26 ans et de 189€ à 299€ pour les adultes, selon la durée d'utilisation. *Rens. www.inter-railnet.com*

OÙ ACHETER SON BILLET ?

Il est toujours plus avantageux d'acheter son AR en France ; le coût de la vie londonienne étant plus élevé, les billets sont donc légèrement majorés. *Rens. www.voyages-sncf.com www.eurostar.com Tél. info. 36 35*

ALLER À LONDRES EN CAR

de France

Eurolines Le voyage en car (départ de Paris, gare de Gallieni, arrivée à Londres, gare de Victoria) vous permet de traverser la Manche (en ferry) à moindres frais avec notamment un AR plus qu'alléchant pour les jeunes à partir de 18€ en basse saison et en semaine (billet échangeable mais non remboursable). Sinon, il faut plutôt compter sur des prix allant de 59 à 70€ l'AR. Quatre départs par jour pour 10h de trajet direct. *Gare routière internationale de Paris-Gallieni 28, av. du Général-de-Gaulle 93541 Bagnolet M^o Gallieni Tél. info. 0892 899 091 www.eurolines.fr*

de Belgique

Eurolines Le billet AR Bruxelles-Londres coûte environ 50 à 75€ (départ gare du Nord). Départs possibles aussi d'Anvers, de Gand, de Louvain, de Liège et de Mons. . *Eurolines Coach Station, CCN Gare du Nord, 1000 Bruxelles Tél. info. 02 274 13 50 www.eurolines.be*

pass

À défaut d'être rapide, se rendre à Londres en car reste avantageux. En plus des ventes "flash" (offres limitées, en basse saison) et des tarifs jeunes (moins de 26 ans), le Pass Eurolines vous permet de voyager à volonté entre 35 villes en Europe, de 279€ (valable 15 jours) à 359€ (30 jours) pour les jeunes de moins de 26 ans et de 329€ à 439€ pour les adultes, en haute saison. *Rens. www.eurolines-pass.com*

ALLER À LONDRES EN VOITURE

La voiture n'est vraiment pas le meilleur moyen de se rendre à Londres. Néanmoins, si vous voulez (ou devez) tenter l'expérience, n'oubliez pas de vous munir des papiers requis : carte grise, assurance de responsabilité civile, permis de conduire et carte d'identité nationale ou passeport. Dans le centre de Londres, la circulation est régulée par la *congestion tax* (péage) qu'il vous faudra acquitter auprès de l'un des nombreux points de ventes agréés (les PayPoints) sur la M25 ou, par avance, sur Internet (*www.tfl.gov.uk/roadusers/congestioncharging*). À 8£ par jour (environ 10€), cette taxe remplit très bien sa mission de dissuasion (cf. GEOPratique, Transports individuels). Il est donc plus sage de laisser votre voiture

PRATIQUE

en dehors du périmètre signalé par un grand "C" rouge et qui comprend le centre de Londres (de Westminster à la City et de Regent's Park au sud de Southbank).

Eurotunnel/Shuttle Traverser les 50km du tunnel sous la Manche (embarqué à bord du fameux Shuttle) ne dure que 35min, mais il faut se présenter à l'embarquement, à Calais, 30min avant le départ. Vous pouvez acheter votre billet sur place et son montant sera déterminé en fonction du véhicule et non du nombre de passagers. Tarif standard pour un AR à n'importe quelle heure et remboursable 418€, tarifs plus avantageux, en réservant par avance par téléphone, selon le jour et l'heure de départ. Le premier prix, pour un modèle (sauf GPL, interdit) n'excédant pas une hauteur de 1,85m, commence à 60€ AS pour un trajet de nuit entre 0h et 8h du matin ; il augmente progressivement en journée. Le voyage peut s'effectuer sans descendre de son véhicule. Deux à trois départs par heure. Une fois arrivé à Folkestone, vous gagnerez rapidement Londres par la M20 puis la M25. *www.euro-tunnel.com Tél. info. 080 0096 9992 (24h/24, depuis l'Angleterre) Tél. info. 0800 800 474 (24h/24, depuis la France) Tél. rés. 0810 630 304*

de France

De Paris, empruntez (par l'A1 ou l'A15) la Francilienne vers le nord afin de prendre l'A16 en direction de Beauvais/Amiens/Calais sur 150km environ jusqu'à la sortie de Coquelles, près de Calais, où se trouve le terminal français du tunnel. Une fois parvenu à Folkestone, gagnez Londres par la M20 puis la M25. De Paris, prévoyez 5h10 de route sans compter les arrêts, du sud de la France, au moins 11h.

de Belgique

De Bruxelles, pour aller à Calais, deux options équivalentes s'offrent à vous : passer par Ostende et Dunkerque en suivant l'A10, l'A18 puis l'A16 jusqu'à Calais ou prendre l'A8 jusqu'à Lille et ensuite l'embranchement pour Dunkerque (A25) pour trouver l'A16 vers Calais et emprunter le tunnel sous la Manche. Prévoyez 4h15 de route jusqu'à Londres.

de Suisse

De Genève, suivre l'A1a (suivez France/Perly). Une fois en France, suivez l'A40 jusqu'à Bourg-en-Bresse et prenez l'A39 en direction de Dijon. À Dijon, empruntez l'A31 puis l'A5 et l'A26 vers

Aller en Angleterre

Troyes. Continuez jusqu'à Châlons-en-Champagne pour prendre l'A4 en direction de Reims, puis l'A26 jusqu'à Calais. Suivez ensuite les panneaux indiquant le tunnel sous la Manche. Comptez environ 9h40 de route.

ALLER À LONDRES EN BATEAU

de France

De nombreuses liaisons trans-Manche sont possibles au départ de Boulogne, Caen-Ouistreham, Calais, Cherbourg, Dieppe, Dunkerque et Le Havre. Londres est ensuite facilement accessible à partir des ports du sud de l'Angleterre. **Newhaven** est le port le plus proche de Londres (110km) : en voiture (1h30 de trajet), prendre la M27 jusqu'à Brighton puis la M23. Nombreux trains quotidiens (durée 1h25) de Newhaven à Londres (gare de Victoria) avec changement à Lewes, à partir de 13,40£. De **Douvres**, vous pouvez gagner la capitale en voiture (environ 123km), en empruntant la M20 puis la M25 en 1h40 ou en train depuis la gare de Douvres en 1h50 pour 16,90£ (soit 21,50€ environ) vers les gares de Victoria ou Charing Cross. De **Portsmouth** (144km), vous atteindrez la capitale en voiture par la M27, la M3 puis la M25 en 1h50 tandis que le train (gare de Waterloo) fera le trajet en 1h45 pour 13,40£ (soit 17€ environ). Enfin, du port de **Poole** (179km), il vous faudra prendre la M3 et la M25 pour gagner Londres en voiture en 2h20 environ, alors qu'en train, vous mettrez entre 2h et 2h30 pour rallier la gare de Waterloo pour 17,80£ (soit 26€ environ). **SpeedFerries** De Boulogne-sur-Mer, vous pourrez gagner Douvres en 55min. Réservé aux automobilistes. À partir de 26€ la traversée (pour 1 voiture avec 5 passagers maximum). *Rens.* www.speedferries.com *Tél.* 03 21 10 50 00

P&O Ferries Liaison Calais-Douvres. AR à partir de 76€ avec voiture. Pour les piétons, 8€ l'AR dans la journée en semaine, 12€ le week-end, 34€ pour un séjour. Comptez 1h30 pour la traversée. *Rens.* www.poferries.com *P&O Ferries 41, place d'Armes 62225 Calais Tél. 0825 120 156*

SeaFrance Traversée Calais-Douvres en moins d'1h30, à partir de 8€ pour les piétons et 39€ non échangeable pour les voitures. *Rens.* www.seafrance.com *1, av. de Flandre 75019 Paris Tél. 0825 826 000*

Brittany Ferries Liaisons de Cherbourg à Poole et Portsmouth de mai à septembre en 2h15. Le reste de l'année, traversée en 4h. La compagnie assure aussi des traversées de Caen (en 3h30 en bateau rapide en été ou en 5h45) et de Saint-Malo (en 9h) vers Portsmouth. *Rens.* www.brittany-ferries.fr *Tél. 0825 828 828*

Norfolkline Fait la navette Dunkerque-Douvres en 1h45. AR à partir de 32,50€, avec voiture uniquement. *Rens.* www.norfolkline-ferries.com *Terminal Roulier du Port Ouest F-59279 Loon-Plage, Dunkerque Tél. 03 28 28 95 50*

LD Lines Liaisons Le Havre-Portsmouth (5h30 en journée, 8h la nuit) et Dieppe-Newhaven. La ligne Boulogne-s/mer-Douvres est ouverte depuis juin 2009. *Rens.* www.ldlines.fr *Terminal de la Citadelle BP 90746 76060 Le Havre Tél. 0825 304 304*

Transmanche Ferries De Dieppe, liaisons toute l'année avec Newhaven (env. 3 traversées par jour). *Rens.* www.transmancheferries.fr *Quai Gaston-Lalitte 76200 Dieppe Tél. 0800 650 100*

ARGENT, CHANGE

monnaie

L'unité monétaire britannique est la livre sterling (*pound sterling*), symbolisée par le signe £ (ou le sigle GBP, pour Great Britain pound). Une livre équivaut à 100 *pence* (singulier : *penny*) – dans la langue parlée comme à l'écrit, on emploie l'abréviation p (prononcer "pi"). Vous trouverez des billets de 50£, 20£, 10£ et 5£ et des pièces de 2£, 1£, 50p, 20p, 10p, 5p, 2p et 1p.

change

Les bureaux de change sont nombreux dans le centre touristique (le West End). Vous trouverez aussi des guichets de change dans les aéroports et les gares, ainsi que dans certaines grandes banques, agences de voyages, grands hôtels et grands magasins. Comparez les commissions perçues qui varient beaucoup d'un établissement à l'autre. Le Britain and London Visitor Centre (cf. Informations touristiques) dispose aussi d'un service de change. À l'heure où nous mettons sous presse, le taux de change est d'environ 1£ contre 1,14€ (1€ = 0,87£).

cartes de crédit

Les cartes internationales (Visa, MasterCard-EuroCard...) sont largement acceptées dans les commerces, les restaurants, les bars, les taxis. Sachez toutefois que le règlement par carte est souvent taxé – la différence de prix selon le mode de paiement est alors affichée. Les retraits d'espèces dans les distributeurs automatiques font eux aussi l'objet d'une commission ; renseignez-vous auprès de votre banque avant le départ et évitez de multiplier les (petits) retraits. Vous trouverez des distributeurs partout, notamment dans des petits commerces de quartier ou certains hôtels.

PERTE, VOL Notez par prudence le numéro à 16 chiffres de votre carte bancaire et sa date d'expiration (ils vous seront réclamés lors d'une demande d'opposition), ainsi que le numéro du centre d'opposition de votre banque figurant au dos de la carte. Si vous ne pouvez pas joindre votre banque, appelez le service d'assistance britannique correspondant. N'oubliez pas de faire une déclaration de perte ou de vol auprès de votre consulat.
Visa *Tél.* 0800 891 725
Eurocard-Mastercard *Tél.* 0800 964 767

BUDGET

Un déjeuner sur le pouce revient à 6-9£ (dans les *fish & chips shops*, les "*caffs*" ou chez un petit traiteur). Un repas simple dans une "cantine" indienne ou chinoise coûte 10-12£. Si les bonnes tables pratiquent souvent des formules à midi ou en début de soirée, comme le *set lunch menu* et le *pre-theatre menu* à 17-20£ (cf. p.132), il faudra débourser au moins 25-30£ pour un dîner, boissons non comprises. Pensez à feuilleter l'*Evening Standard* ou *Time out* qui proposent régulièrement des réductions valables pour des restaurants (ou des spectacles). Les transports sont aussi très onéreux : étudiez bien vos déplacements, une *travelcard* pourra vite se révéler rentable (cf. Transports). Enfin, si vous comptez passer une nuit sur place, sachez qu'il faut compter environ 60-80£ pour une chambre double avec salle de bains et petit déjeuner. En revanche, un grand nombre de musées, dont les plus importants, sont gratuits – mais les grandes attractions comme les palais royaux, l'abbaye de Westminster, la Tour de Londres ou encore le London Eye (env. 15,50£), risquent de vous coûter cher. En fonction de votre programme, il pourra être utile de vous procurer un London Pass.

PRATIQUE

DÉCALAGE HORAIRE

Londres est située sur le fuseau horaire du Greenwich Mean Time (GMT), méridien qui traverse Greenwich et qui donne l'heure zéro à la planète. La France est à GMT + 1 : il faut donc retrancher une heure pour obtenir l'heure londonienne, et ce toute l'année puisque la Grande-Bretagne passe aussi à l'heure d'été le dernier dimanche de mars et à l'heure d'hiver le dernier dimanche d'octobre.

DOUANES

Les produits achetés par les ressortissants de l'UE pour leur consommation personnelle ne peuvent être détaxés quand ceux-ci quittent le Royaume-Uni vers un autre pays de l'Union. Mais la Grande-Bretagne n'adhérant que partiellement à l'espace Schengen, qui pré-

voit la libre circulation des personnes et des marchandises, les voyageurs doivent se soumettre aux contrôles douaniers avant d'entrer sur le territoire britannique. Les mineurs n'ont le droit d'importer ni alcool ni tabac. Si la quarantaine pour les animaux domestiques a été abolie, prévoyez au moins 6 mois de délai pour toutes les formalités préalables à l'entrée d'un animal sur le territoire britannique, notamment sa vaccination contre la rage (renseignements auprès de l'ambassade).

FÊTES, FESTIVALS ET JOURS FÉRIÉS

jours fériés

Aux *public holidays* (jours fériés au cours desquels seul un service réduit est assuré dans les transports en commun mais où maints commerces

jours fériés et "bank holidays"

1er janvier	New Year's Day
mars-avril	Good Friday (Vendredi saint)
mars-avril	Easter Monday (lundi de Pâques)
1er lundi de mai	May Day Holiday
Dernier lundi de mai	Spring Bank Holiday
Dernier lundi d'août	Summer Bank Holiday
25 déc. et 26 déc.	Christmas et Boxing Day ou 27 ou 28 décembre si le lendemain de Noël tombe un samedi ou un dimanche

fêtes et manifestations

Janvier-février	**New Year's Day Parade.** Des milliers de spectateurs et environ 10 000 participants suivent la parade festive et musicale de Parliament Sq. à Piccadilly pour célébrer la nouvelle année. 1er jan. *Tél. 020 8566 8586 www.londonparade.co.uk*
	Charles I Commemoration. Anniversaire de l'exécution de Charles Ier : des cavaliers en costumes d'époque défilent à travers la ville. Dernier dim. de jan. *Tél. 020 7234 5800/014 3043 0695*
	Chinese New Year Festival and Parade. Danse du Dragon, musiques et danses traditionnelles. De Chinatown, le défilé du Nouvel An chinois rejoint Trafalgar Square en passant par Leicester Square et Charing Cross Road. Troupes et artistes chinois sont régulièrement invités. Entre fin jan. et mi-fév. *Tél. 020 7851 6686 www.chinatownchinese.co.uk*
Avril-mai	**Flora London Marathon.** Une course de 42km le long de la Tamise, de Greenwich Park à St James's Park. Près de 40 000 participants. 3e dim. d'avril. *Tél. 020 7902 0200 www.london-marathon.co.uk*

PRATIQUE

Chelsea Flower Show. Le prestigieux rendez-vous des spécialistes de l'horticulture. L'exposition, au Royal Hospital Chelsea, est ouverte au public uniquement les trois derniers jours. 3ᵉ ou 4ᵉ sem. de mai. *Tél. 020 7649 1885 www.rhs.org.uk*

Beating Retreat. Deux soirées de manœuvres militaires à Horse Guards Parade, à partir de 19h, en présence de membres de la famille royale : fanfares, tambours, cornemuse au programme. Fin mai-début juin. *Tél. 020 7739 5323 www.army.mod.uk/ceremonialandheritage*

Regent's Park Open Air Theatre. Pièces de Shakespeare, comédies musicales, jazz... L'été, le parc se prête à de belles nuits culturelles. De fin mai à mi-sept. *Tél. 0844 822 4242 www.openairtheatre.org*

Juin-juillet

Opera Holland Park. Tout l'été, le parc accueille des opéras en plein air. Juin-début août. *Tél. 0845 230 9769 www.operahollandpark.com*

Epsom Derby. La prestigieuse course de chevaux a lieu déb. juin. *Tél. 013 7247 0047 www.epsomderby.co.uk*

Hampton Court Palace Festival. Dans l'ambiance champêtre des jardins du palais royal, des concerts de plein air allant de la world music à l'opéra... Pique-nique dans les jardins autorisé. 1ʳᵉ quinzaine de juin. *www.hamptoncourtfestival.com*

Trooping the Colour. Célébration officielle de l'anniversaire de la reine : inspection des troupes, salves, défilé (du palais royal à Horse Guards Parade). Tribunes réservées aux ressortissants britanniques. 2ᵉ sam. de juin. *Tél. 020 7414 2479 www.army.mod.uk/ceremonialandheritage*

City of London Festival. Manifestation très éclectique (concerts, théâtre, expositions, films, conférences, musique de chambre) qui a pour cadre les églises de la City dont la cathédrale Saint-Paul. Mi-juin-mi-juil. *Tél. 020 7796 4949 www.colf.org*

Pride London. Défilé dans les rues et manifestations gratuites dans Soho. 1ᵉʳ sam. de juil. *Tél. 0844 884 2439 www.pridelondon.org*

The Proms. Quelque 70 concerts à très petit prix (6£ la place debout) au Royal Albert Hall pour rapprocher la musique classique du grand public. Parrainés par la BBC, les "Henry Wood Promenade Concerts" sont très courus et il est extrêmement difficile d'obtenir une place. Mi-juil.-mi-sept. *Tél. 020 7589 8212 www.bbc.co.uk/proms*

Wimbledon Lawn Tennis Championships. L'un des plus prestigieux tournois du Grand Chelem. Dernière sem. juin-1ʳᵉ sem. juil. *Tél. 020 8944 1066 www.wimbledon.org*

Août

Trafalgar Square Festival. Festival d'arts de la rue organisé par la mairie de Londres en partenariat avec la BBC ; gratuit et en plein air. Jeu.-dim. pdt 3 sem. en août. *www.london.gov.uk*

Notting Hill Carnival. Le plus fou des événements du calendrier londonien. Un gigantesque carnaval caribéen : parade, *steelbands, sound systems*... Dernier week-end (dont le lundi) d'août : carnaval des enfants le dim., "vrai" carnaval le lun. *www.nottinghillcarnival.org.uk*

À Noël, attention à la marche !

Si, à Londres, les soldes d'hiver commencent très vite après Noël, en revanche, le 25 décembre, tout le pays s'arrête : ce jour-là, aucun transport en commun ne fonctionne et leurs horaires sont limités le lendemain (Boxing Day). Si vous souhaitez passer les fêtes à Londres, veillez à planifier vos déplacements à l'avance.

Septembre	**London Open House.** Inspirées du modèle français, ces Journées du patrimoine livrent un accès gratuit à plus de 600 monuments et édifices sinon fermés au public. Réservation obligatoire. 3e w.-e. de sept. www.londonopenhouse.org
	Mayor's Thames Festival. La Tamise sur le devant de la scène : théâtre, musique, stands de restauration au bord du fleuve ; retraite aux flambeaux et feux d'artifice. 2e w.-e. de sept. www.thamesfestival.org
Octobre-décembre	**State Opening of Parliament.** L'arrivée du carrosse royal, escorté de la garde montée, et le discours de la reine, au palais de Westminster, marquent l'ouverture de l'année parlementaire. Depuis la conspiration des Poudres, dont l'échec est célébré par la Guy Fawkes Night, le souverain ne se rend au Parlement qu'à cette seule occasion ! Oct. ou nov. www.parliament.uk/faq/lords_stateopening.cfm
	London Film Festival. Le plus important festival international de cinéma de Grande-Bretagne. L'occasion de voir des films en avant-première au National Film Theatre et dans une dizaine de salles londoniennes. 3 sem. entre mi-oct. et nov. www.bfi.org.uk
	Guy Fawkes Night. Les Londoniens fêtent l'arrestation du félon (qui faillit renverser le pouvoir en 1605) autour de grands feux d'artifice tirés en différents points de la ville. Partout sont allumés des feux de joie sur lesquels on brûle des effigies du conspirateur... 5 nov.
	London Jazz Festival. En association avec BBC Radio 3, un prestigieux festival de jazz qui prend place dans plusieurs salles de la capitale. 10 j. en nov. www.londonjazzfestival.org.uk
	Lord Mayor's Show. Des milliers de Londoniens descendent dans la rue pour assister à ce cérémonial qui, depuis 800 ans, consacre l'allégeance du maire de la City à la Couronne. La procession quitte le Guildhall à 11h pour se rendre aux Royal Courts of Justice. La journée se termine par des feux d'artifice tirés d'une barge sur la Tamise. 2e sam. de nov. *Tél.* 020 7606 3030 www.lordmayorshow.org
	Remembrance Day Service and Parade. En mémoire des soldats tombés durant la Première Guerre mondiale, on arbore un coquelicot (dont la couleur symbolise les champs de bataille ensanglantés) en papier. Défilé d'anciens combattants à Whitehall et services religieux. 2min de silence à 11h. Le dim. le plus proche du 11 nov.
	Trafalgar Square Christmas Tree. Animations diverses autour du grand sapin illuminé dressé sur la place. Fin nov.-6 jan.

PRATIQUE

et musées restent ouverts) s'ajoutent deux *bank holidays*, jours de congé attribués à tous les salariés du Royaume-Uni et où tout – et pas seulement les banques – est donc fermé : le dernier lundi du mois de mai et le dernier lundi d'août. Attention au 25 décembre, où tout s'arrête, sans exception : ce jour-là, aucun métro, aucun bus, aucun train ne circule !

fêtes et festivals

Des cérémonies de la Couronne au carnaval de Notting Hill, point d'orgue du calendrier londonien, la ronde des fêtes et festivals est des plus éclectiques. Comme dans toutes les grandes villes, à l'approche de Noël, rues et vitrines s'animent ; dès la mi-novembre, les *Christmas lights* illuminent les grandes artères commerçantes (Regent Street, Oxford Street, Bond Street, St. Christopher's Place, Covent Garden) et des patinoires découvertes s'installent aux quatre coins de la capitale... Le tableau ci-dessus recense les principaux événements annuels. Plusieurs de ces manifestations sont payantes, et mieux vaut réserver longtemps d'avance si l'on veut assister aux grands défilés du haut des gradins. De même, les événements gratuits attirent beaucoup de monde et il faut prévoir d'arriver tôt !

GALERIES D'ART ET ATELIERS D'ARTISTES

galeries

Traditionnellement, elles sont regroupées autour des prestigieuses maisons de ventes aux enchères, Sotheby's, à Mayfair, et Christie's, à St. James's. Vous trouverez les plus importantes dans Cork Street, Duke Street ou King Street. Cependant, dans le sillage des artistes qui ont décidé d'occuper les entrepôts désaffectés de l'East End, un certain nombre de ces galeries ont préféré migrer vers cet ancien faubourg ouvrier. Elles y sont désormais bien plus nombreuses – et plus audacieuses – que dans le West End, et se concentrent autour des emblématiques Whitechapel Art Gallery (80-82 *Whitechapel High St*) et White Cube2 (48 *Hoxton Square*), et, dans une moindre mesure, autour de Cambridge Heath Road et dans le quartier de Hackney (*Vyner Street et Broadway Market*).

SALONS, MARCHÉS D'ART, EXPOS

Londres occupe une place importante sur le marché international de l'art, et les expositions organisées par les galeries et les grands Salons attirent des acheteurs du monde entier. Pour l'agenda des expositions d'art contemporain des galeries londoniennes, consultez le site *www.newexhibitions.com*.

Frieze Art Fair Cette foire internationale d'art contemporain organisée à Regent's Park depuis 2003 est désormais un rendez-vous incontournable. Quelque 150 galeries y exposent leurs joyaux. Également des installa-

tions d'artistes invités et des débats. Quatre jours à la mi-oct. *Regent's Park Rens www.friezeartfair.com*

Zoo Art Fair Réservé aux galeries londoniennes de moins de 4 ans, ce Salon est l'étape indispensable à la promotion de jeunes talents. Trois jours à la mi-oct. *Royal Academy of Arts, Burlington House W1 M° Piccadilly www.zooartfair.com*

Royal Academy of Arts Summer Exhibition La grande exposition d'art contemporain de l'Académie royale des beaux-arts est l'événement artistique majeur de l'été. Les œuvres d'artistes reconnus ou inconnus du monde entier y sont en vente. Juin-août. *Royal Academy of Arts, Burlington House W1 M° Piccadilly Tél. 020 7300 8000 www.royalacademy.org.uk*

ateliers

Plusieurs séries de journées "portes ouvertes" (*open studios*) permettent d'aller à la rencontre d'artistes et de découvrir leur travail dans leur atelier. Dans l'East End, deux grandes associations d'ateliers d'artistes promeuvent ces manifestations.

Space Cette association pourvoit ateliers et soutien à des artistes londoniens et organise régulièrement des journées "portes ouvertes". *129-131 Mare St, Hackney London E8 3RH Tél. 0208 525 4330 www.spacestudios.org.uk*

Hidden Art Open Studio Sur deux week-ends, l'association organise l'opération "portes ouvertes des ateliers de designers" : meubles, luminaires, tissus, céramiques et de nombreuses idées de cadeaux pour les fêtes de Noël ! Fin nov. ou début déc. *Mazorca Projects, Shoreditch Stables, 138 Kingsland Rd London E2 8DY Tél. 020 7729 3800/3301 www.hiddenart.com*

HANDICAPÉS

Si la vétusté du métro reste flagrante, la capitale a multiplié les efforts afin d'améliorer l'accessibilité des lieux publics et privés aux handicapés (moteurs, visuels ou auditifs). La plupart des feux rouges sont doublés de signaux sonores, et les stations sont annoncées dans le métro. Les "taxis noirs" sont tous adaptés aux fauteuils roulants et les chiens guides y sont acceptés. Dans le métro, seules les lignes les plus récentes ont été mises aux normes : la Jubilee Line, notamment entre les stations Westminster et Stratford, et la DLR (Docklands Light Railway), entièrement accessible aux fauteuils roulants. Les vieux bus londoniens, les Routemasters, ont pratiquement tous été remplacés par des bus modernes, dotés d'une rampe automatique pour fauteuils roulants. Les trams sont aussi entièrement adaptés aux handicaps moteur et visuel (stations annoncées). Enfin, les voyageurs qui doivent emprunter le train peuvent prendre contact, la veille, avec l'opérateur de leur ligne pour demander une aide au départ et à l'arrivée.

Tourism for all/ Holiday Care Centre britannique d'information sur les transports, hébergements et visites accessibles aux personnes handicapées. *Tél. 084 5124 9971 (au Royaume-Uni seulement) www.tourismforall.org.uk www.holidaycare.org.uk*

Transport for London Pour de plus amples renseignements sur l'accessibilité des stations et moyens de transport. *Tél. 020 7222 1234 www.tfl.gov.uk*

National Rail Pour connaître les coordonnées des opérateurs des lignes de trains. *Tél. 084 5748 4950 www.nationalrail.co.uk*

HÉBERGEMENT

Londres dispose d'un parc hôtelier vaste et très varié. L'hébergement y est, toutefois, très onéreux, même si les prix varient en fonction de la

PRATIQUE

Où dormir ?

Vous pensez qu'il vous faudra passer au moins une nuit sur place pour vous remettre de votre shopping-marathon ? Voici quelques adresses "coups de cœur"...

De 30 à 50£	**Astor Victoria Hostel (plan 9, C2)** M° Pimlico 71 Belgrave Rd SW1V 2BG Tél. 020 7834 3077 astorhostel.co.uk
	Ashlee House (plan 4, D3) M° King's Cross 261-265 Gray's Inn Road WC1X 8QT Tél. 020 7833 9400 www.ashleehouse.co.uk
De 50 à 100£	**Luna and Simone Hotel (plan 9, C2)** M° Pimlico 47-49 Belgrave Rd SW1V 2BB Tél. 020 7834 5897 www.lunasimonehotel.co
	Alhambra Hotel (plan 4, D3) M° King's Cross 17-19 Argyle St WC1H 8EJ Tél. 020 7837 9575 www.alhambrahotel.com
	Jenkins Hotel (plan 4, D3) M° Euston Square, Russell Square ou King's Cross 45 Cartwright Gardens WC1H 9EL Tél. 020 7387 2067 www.jenkinshotel.demon.co.uk
	Upper & Lower Studios (plan 3, A1) M° Hammersmith 31 Rowan Rd W6 7DT Tél. 020 8748 0930 www.abetterwaytostay.co.uk
	Seven Dials (plan 7) M° Covent Garden 7 Monmouth St WC2H 9DA Tél. 020 7240 0823
	Fielding Hotel (plan 11, A3) M° Covent Garden 4 Broad Court, Bow St WC2B 5QZ Tél. 020 7836 8305 www.the-fielding-hotel.co.uk

Base (plan 3, B2) M° Earl's Court 25 Courtfield Gardens SW5 0PG Tél. 0845 262 8000 www.base2stay.com

Twenty Nevern Square (plan 3, A2) M° Earl's Court 20 Nevern Square SW5 9PD Tél. 020 7565 9555 www.twentynevernsquare.co.uk

YHA London Holland Park (plan 2, A3) M° High Street Kensington Holland Walk W8 7QU Tél. 020 7937 0748 www.yha.org.uk

Portobello Gold (plan 2, A2) M° Notting Hill Gate 95-97 Portobello Rd W11 2QB Tél. 020 7460 4910 www.portobellogold.com

St David's (plan 2, C2) M° Paddington 16-20 Norfolk Square W2 1RS Tél. 020 7723 4963 ou 3856 www.stdavidshotels.com

| De 100 à 200£ | **Durrants (plan 5, A2)** M° Bond Street ou Baker Street George St W1H 5BJ Tél. 020 7935 8131 www.durrantshotel.co.uk |

Harlingford (plan 4, D3) M° Euston Square, Russell Square ou King's Cross 61-63 Cartwright Gardens WC1H 9EL Tél. 020 7387 1551 www.harlingfordhotel.com

Rookery (plan 11, C1) M° Barbican Peter's Lane, Cowcross St EC1M 6DS Tél. 020 7336 0931 www.rookeryhotel.com

Mayflower (plan 3, B2) M° Earl's Court 26-28 Trebovir Rd SW5 9NJ Tél. 020 7370 0991 www.mayflower-group.co.uk

Vancouver Studios (plan 2, B2) M° Bayswater, Queensway ou Notting Hill Gate 30 Prince's Square W2 4NJ Tél. 020 7243 1270 www.vancouverstudios.co.uk

plus de 200£

Dukes Hotel (plan 8, C2) M° Green Park St James's Place SW1A 1NY Tél. 020 7491 4840 www.dukeshotel.com

Hazlitt's (plan 7, A1) M° Tottenham Court Road 6 Frith St W1D 3JA Tél. 020 7434 1771 www.hazlittshotel.com

Covent Garden Hotel (plan 7, B2) M° Covent Garden 10 Monmouth Street WC2H 9HB Tél. 020 7806 1000 www.coventgardenhotel.co.uk

Zetter Restaurant and Room (plan 11, C1) M° Farringdon 86-88 Clerkenwell Rd EC1M 5RJ Tél. 020 7324 4444 www.thezetter.com

Number Sixteen (plan 3, C2) M° South Kensington 16 Sumner Place SW7 3EG Tél. 020 7589 5232 www.numbersixteenhotel.co.uk

The Hempel (plan 2, B2) M° Queensway ou Bayswater 31-35 Craven Hill Gardens W2 3EA Tél. 020 7298 9000 www.the-hempel.co.uk

saison et du taux de réservation de l'hôtel Sachez que les prix sont généralement moins élevés en semaine que le week-end, et que la réservation en ligne, effectuée directement sur le site de l'hôtel, ouvre souvent droit à des tarifs préférentiels. Enfin, si vous avez l'intention de séjourner à Londres à la belle saison, période à laquelle l'hôtellerie est saturée, prenez soin de réserver votre chambre longtemps d'avance.

auberges de jeunesse

Elles sont au nombre de quatorze, situées dans le centre de Londres, affiliées à la Fédération internationale des auberges de jeunesse (International Youth Hostelling Federation, IYHF). En dortoir, les prix varient de 20£ à 28£/pers. (de 13£ à 22£ pour les moins de 18 ans). La plupart des AJ louent aussi des chambres doubles, à un prix légèrement plus élevé. Un supplément de 3£ par nuitée est réclamé aux non adhérents, mais on peut se procurer la carte de membre sur place (16£ ; 10£ pour les moins de 26 ans).

YHA La Fédération des auberges de jeunesse d'Angleterre et du pays de Galles. Réservation en ligne. *Tél. 087 0770 8868 www.yha.org.uk*

FUAJ L'antenne française de la Fédération unie des auberges de jeunesse. Délivre la carte FUAJ : 16€, 11€ pour les moins de 26 ans, 23€ pour les familles. *27, rue Pajol 75018 Paris Tél. 01 44 89 87 27 www.fuaj.org*

hôtels

Le classement de 1 à 5 étoiles répond sensiblement aux mêmes critères qu'en France. Les prix varient selon le standing et la localisation des établissements : petits hôtels bon marché non classés (une vingtaine de chambres, aucun service de restauration) dans les quartiers de Pimlico et d'Earl's Court notamment. Attendez-vous le plus souvent à des chambres étriquées, pourvues du strict minimum (mais avec sanitaires privatifs). Attention, certains de ces hôtels bas de gamme n'hésitent pas à arborer l'enseigne attractive "Bed & Breakfast" dès lors qu'ils servent le petit déjeuner ! Dans un hôtel de gamme moyenne (chambres plus spacieuses, petit déjeuner en salle), classé ou non, il faut compter 60-80£ la double. Hormis ses nombreux palaces, Londres dispose d'un nombre croissant de grands hôtels au design époustouflant, réservés aux gros budgets. Les tarifs affichés incluent la TVA (VAT), de 17,5% et comprennent souvent le petit déjeuner continental, parfois l'*English breakfast*.

Centrales de réservation Pour trouver rapidement sur Internet les offres correspondant à vos dates et à votre budget. *www.lastminute.com www.london-discount-hotel.com www.alpharooms.com*

HÔTELLERIE LOW COST Easy Jet, un des spécialistes du *low cost* aérien, propose dans ses 3 hôtels londoniens (EasyHotel), ainsi qu'aux aéroports d'Heathrow et Luton, des chambres à partir de 40€ la nuit (pour 2 pers. max. avec cabine wc, douche, lavabo). Sur le principe du "plus on réserve tôt, moins c'est cher", l'hôtel de luxe Hoxton, situé dans le quartier tendance de Shoreditch, dans l'East End, a fait sensation avec ses promotions exceptionnelles offrant des chambres à 1£ ! Quant à la chaîne de bars-restaurants Yo !, elle a lancé à l'été 2007 un concept hôtelier nouveau à Londres avec ses "cabines" high-tech en *low cost business class* à partir de 25£ pour deux et pour 4h. **EasyHotel** *14 Lexham Gardens London W8 5JE ; 44-48 West Cromwell Road London SW5 9QL ; 36-40 Belgrave Road London SW1V 1RG Rés. www.easyhotel.com* **Hoxton** *81 Great Eastern St London EC2A 3HU Rés. tél. 020 7550 1000 ou sur www.hoxtonhotels.com Rens. info@hoxtonhotels.com* **Yotel** *Aéroports de Gatwick et Heathrow Rés. www.yotel.com*

bed & breakfast

Solution avantageuse par rapport aux hôtels, au regard du confort et des prestations proposées (chambres plus grandes, petit déjeuner copieux), les chambres d'hôtes sont répertoriées et se louent dans des agences spécialisées, pour la plupart affiliées à la Bed & Breakfast and Homestay Association, BBHA. Attention donc à l'enseigne "Bed & Breakfast" affichée par certains hôtels (cf. supra). Les prix s'entendent par personne ou par double et comprennent un petit déjeuner continental (l'*English breakfast* n'est servi que sur commande) ; certains demandent un séjour de 2 nuits au minimum. Les salles de bains sont privatives. Comptez autour de 65-90£ la double en centre-ville, 40-70£ dans le Grand Londres.

PRATIQUE

BBHA Liste des agences affiliées à l'organisme. *Tél. 020 7385 9922 www. bbha.org.uk*

At Home in London L'une des plus grandes agences : quelque 90 chambres d'hôtes et des adresses de charme. *Tél. 020 8748 1943 www. athomeinlondon.co.uk*

London Homestead Services Une trentaine de chambres et plusieurs adresses économiques à partir de 18£/pers. *Tél. 020 7286 5115 www. lhslondon.com*

Host & Guest Service L'agence gère une soixantaine de maisons d'hôtes dans Londres et le Grand Londres. *Tél. 020 7385 9922 www.host-guest.co.uk*

HORAIRES

En général, la journée commence tôt et se finit tôt : passé 18h, tout est fermé, ou presque ! En revanche, même les supermarchés et les grands magasins ouvrent le dimanche. La plupart du temps, il n'y a pas d'interruption à l'heure du déjeuner. Les bureaux, les administrations et les banques ouvrent du lundi au vendredi de 9h à 17h environ. Les musées sont ouverts tlj. de 10h à 18h, et souvent le jeudi ou le vendredi jusqu'à 21h. Les commerces ouvrent leurs portes du lundi au samedi de 10h à 18h, le dimanche de 12h à 18h, et jusqu'à 20h le jeudi (dans le West End) ou le mercredi (à Chelsea et Knightsbridge).

INFORMATIONS TOURISTIQUES

Présents en différents points de la ville, dans les gares et les aéroports, les offices de tourisme (Tourist Information Centre, TIC) rendent des services divers (renseignements touristiques, change, accès Internet, réservations, etc.). Les points d'informations de la compagnie Transport for London (cf.

Transports) aident aussi les visiteurs et vendent, notamment, des billets pour certaines attractions touristiques.

Office de tourisme de Grande-Bretagne Demande de renseignements par mail uniquement et commande de documentation sur répondeur téléphonique. *Tél. 01 58 36 50 50 gbinfo@ visitbritain.org www.visitbritain.fr*

Britain and London Visitor Centre Principal TIC de Londres. Vente de *travelcards* et du London Pass, accès Internet, réservations d'hôtels, etc. *1 Lower Regent St London SW1Y 4NX M°Piccadilly Circus Tél. 020 8846 9000 www.visitbritain.fr Ouvert lun. 9h30-18h30, mar.-ven. 9h-18h30 ; sam.-dim. 10h-16h (sam. 9h-17h juin-sept.)*

London Information Centre Office privé. Plans, réservations de chambres d'hôtels, etc. *Leicester Square M° Leicester Square Tél. 020 7292 2333 http://londoninformationcentre. com Ouvert 9h-18h*

INTERNET

www.visitlondon.com Site officiel de l'office de tourisme de Londres. Bien conçu, édité en plusieurs langues.

www.london.gov.uk Site officiel de la mairie de Londres, en anglais. Actualité culturelle, vie pratique...

www.londontown.com Site du bureau de tourisme privé London Information Centre. Réservations, agenda culturel, informations pratiques...

www.timeout.com/london/ Version numérique du magazine *Time out* avec toute l'actualité londonienne (expos, spectacles, restaurants, bars et pubs, clubs, hôtels, rubrique "enfants"...). Avec en plus des liens et un moteur de recherche ; bref, un indispensable !

www.myvillagelondon.co.uk Quartier par quartier, les restaurants, les cafés,

Dr. Martens. Variations sur la chaussure mythique.

PRATIQUE

les films à l'affiche, l'actualité culturelle.
www.londonnet.co.uk Un *city guide* en ligne : sorties, films, hôtels, réservations (locations théâtre, achat de titres de transport).
www.24hourmuseum.co.uk Toutes les expos, les événements et l'actualité des musées. Rubrique spéciale "enfants".
www.thisislondon.com Le complément culturel de l'*Evening Standard* en ligne : sorties, spectacles, restaurants, météo...
www.streetsensation.co.uk Le répertoire en ligne des rues qui "bougent" : toutes les boutiques, les restaurants, les marchés branchés de la capitale.
www.londonfreelist.com Londres trop cher ? Pas si vous suivez ce site confidentiel qui recense les bons plans gratuits ou à moins de 3£ : concerts classiques ou expos mais aussi soirées et fêtes...
www.yourlondon.gov.uk Le guide officiel en ligne des services publics londoniens.
www.streetmap.co.uk Pour retrouver vos contacts par nom de rue, téléphone ou code postal.
www.tfl.gov.uk Pour préparer vos déplacements en transports en commun.

se connecter à Londres

En général, si les chambres ne sont pas équipées de connexions individuelles, les hôtels mettent à la disposition de leurs clients une borne haut débit (accès payant ou gratuit). Il existe par ailleurs de nombreux cybercafés en ville (comptez 1£/h). Si vous vous connectez à partir du modem de votre ordinateur portable, pensez à vous procurer un adaptateur pour les prises téléphoniques. Les accès wifi se développent dans les lieux publics (aéroports, grandes gares, musées, bibliothèques, hôtels, restaurants, magasins, cafés...), mais ils sont rarement gratuits.
www.cybercaptive.com Pour obtenir la liste des cybercafés londoniens.
www.totalhotspots.com Pour trouver les *hot spots* (accès wifi) londoniens.

POIDS ET MESURES

Les Londoniens se réfèrent aussi bien au système métrique qu'au système impérial, sauf pour les distances, toujours données en miles (1 mile = 1,61 km) ; cf. tableaux de conversion pp.43, 45.

QUAND PARTIR ?

Londres se visite toute l'année, même si la fin décembre et l'été restent les deux périodes les plus favorables. La douceur du climat et la perpétuelle effervescence que connaît la métropole compensent un léger inconvénient : il y pleut souvent ! En hiver, vous pourrez apprécier l'ambiance électrique et les décorations des grands magasins avant Noël et, juste après, profiter des soldes. Avec l'arrivée du printemps et des beaux jours, le mois d'avril invite à de longues promenades dans les immenses parcs londoniens. En été, ces derniers sont

climat et saisons

Haute saison touristique	avril-octobre (pic en juil.-sept.) ; Noël	
Températures	min./max. en février	2°C/7°C
	min./max en août	13°C/21°C
Précipitations	moyenne en février	40mm
	moyenne en août	59mm
Ensoleillement	moyenne en février	2h/j.
	moyenne en août	6h/j.

animés, comme le reste de la capitale, par de nombreux festivals... Un calendrier des fêtes bien rempli que vient couronner, fin août, le fameux carnaval de Notting Hill.

RESTAURANTS

L'offre surprend tout d'abord par son incroyable diversité : des *currys* indiens aux *dim-sum* chinois en passant par les cuisines antillaise, brésilienne, coréenne, birmane, afghane, etc., c'est à un véritable tour du monde – 53 destinations, dit-on – que vous invitent les restaurants de la capitale ! Un tour du monde d'autant plus alléchant que Londres se distingue depuis quelques années par ses tables gastronomiques, encensées par les meilleurs guides spécialisés de la planète ! Les nouvelles tendances sont à chercher également du côté des gastropubs (pubs spécialisés dans la restauration), qui servent, dans un cadre sans prétention, une cuisine de bistrot recherchée, accompagnée d'une carte des vins fournie. Les pubs traditionnels font aussi restaurant à l'heure du déjeuner (12h-15h) et parfois le soir (18h-23h), et ils proposent souvent une restauration légère en dehors de ces horaires. Pour manger sur le pouce, tournez-vous vers les établissements de chaîne (Caffè Nero, Eat, Prêt à Manger, etc.) dans lesquels on sert des sandwiches, salades et soupes à consommer sur place ou à emporter (*take away*). En dehors des fish & chips, vous pourrez aussi essayer les "*greasy spoons*" ou "*caffs*", petits cafés qui servent une cuisine familiale dans une atmosphère chaleureuse. Les soirs de grande affluence, c'est-à-dire du jeudi au dimanche, les restaurants sont bondés ; n'oubliez pas de réserver, surtout si vous envisagez de dîner dans le West End (à Soho ou Covent Garden en particulier). En semaine, les établissements de la City sont pris d'assaut le midi et ferment assez tôt le soir ; ils sont en général fermés le week-end. L'usage veut qu'on laisse un pourboire (*tip*) équivalent à 10-15% de l'addition, si le service n'est pas déjà compris dans la note ("*service*" ou "*tips not included*"). Enfin, sachez que la plupart des restaurants – même gastronomiques – proposent des formules intéressantes à midi et le soir : le *set lunch menu* servi de 12h à 14h en semaine, le *pre-theatre menu*, de 17h45 à 19h, et le *post-theatre menu*, proposé à partir de 22h-22h30 (tous pour environ 17-20£).

TÉLÉPHONE

Il n'y a que dans certains quartiers du centre, où elles ont été classées, que subsistent les célèbres cabines rouges (à pièces et cartes) de British Telecom. Vous trouverez plus souvent des cabines en verre dont les appareils fonctionnent à pièces et à cartes (cartes de crédit comprises). Les cartes téléphoniques (de 5£ à 20£) sont disponibles dans les bureaux de poste, chez les marchands de journaux et les petits commerçants. Utilisables de n'importe quel poste fixe, les cartes à numéro d'accès, conçues pour les appels internationaux, sont aussi en vente chez les épiciers et les marchands de journaux. Mais, pour appeler l'étranger, mieux vaut vous rendre dans

PRATIQUE

numéros utiles

Renseignements	Tél. 118 500
Renseignements internationaux	Tél. 153
Opérateur local	Tél. 100
Appel en RCV (Reversed-Charge Call)	Tél. 155

PRATIQUE

un *call centre* – les tarifs (affichés à l'entrée) sont plus intéressants.

appels internationaux

Pour appeler la Grande-Bretagne de France, composez le 00, le 44 (indicatif national) et l'indicatif régional sans le 0 initial (soit 20 au lieu de 020 pour Londres), puis le numéro de votre correspondant. Pour appeler la France de Grande-Bretagne, composez le 00 et le 33, suivi du numéro de votre correspondant en omettant le 0 initial.

appels nationaux

Pour un appel local à Londres, composez le numéro à 8 chiffres de votre correspondant sans l'indicatif régional. Si vous appelez d'un autre point du Royaume-Uni, composez l'indicatif de la capitale (020), puis le numéro à 8 chiffres – commençant par 7 (pour le centre) ou par 8 (pour le Grand Londres) – de votre correspondant. Les numéros de téléphone portable commencent toujours par 07. Les numéros commençant par 0500 ou 0800 sont gratuits.

téléphones portables

Comme la plupart des pays européens, le Royaume-Uni utilise le réseau GSM 900. N'oubliez pas que les transferts d'appels internationaux coûtent cher : même lorsque vous recevez un appel, c'est vous qui payez la communication internationale. Quelques sociétés, comme Mobell (*Tél. 0800 243 524)* ou Cellhire (*Tél. 0870 5610610)*, louent des portables ; comptez env. 20£/sem. La solution la moins onéreuse est de vous procurer une carte SIM locale (env. 10£) et une carte téléphonique prépayée, dans l'une des nombreuses agences de

téléphonie de la ville (pensez à faire débloquer votre téléphone par votre opérateur avant de partir).

TRANSPORTS EN COMMUN

On circule aisément en transports en commun dans Londres. Les bus sont très pratiques pour explorer le centre : de nombreuses lignes traversent la ville de part en part, et l'attente est souvent très courte. Comme le métro (y compris la DLR), les trains de banlieue et les navettes fluviales, ils sont gérés par TfL (Transport for London), l'agence chargée de l'intégration du réseau. En vous procurant une *travelcard* ou une carte Oyster, vous pourrez utiliser tous ces différents moyens de transport (et profiter de formules avantageuses si vous voyagez en famille). Sachez que les moins de 5 ans voyagent gratuitement dans les bus et le métro. Vous trouverez des plans du réseau aux guichets de métro ou directement (téléchargeables) sur le site de TfL.

TfL (Transport for London) *Tél. (24h/24)* 020 7222 1234 *www.tfl.gov.uk*
Travel Information Centres Renseignements, plans, etc. faciliteront vos déplacements. Également vente de billets pour des attractions majeures (Tour de Londres, London Eye, St. Paul's, château de Windsor, etc.). Présents dans certaines stations de métro, dont Euston, Liverpool Street, Piccadilly Circus, Victoria, Heathrow Airport.

titres de transport

Il existe différentes *travelcards*, valables sur l'ensemble du réseau TfL, et pour la durée de votre choix. Si vous voyagez en famille, vous pourrez bénéficier de plusieurs formules avantageuses. Le Grand Londres est divisé en 6 zones tarifaires, le centre correspondant aux zones 1 et 2. La plupart des sites touristiques de la capitale, y compris Greenwich, se situent à l'intérieur de ce périmètre.

TRAVELCARDS / OYSTER CARD

L'acquisition d'une *travelcard* peut vite se révéler intéressante, quelle que soit la durée du séjour. Ce titre de transport forfaitaire permet, en effet, de circuler librement sur l'ensemble du réseau TfL (métro/DLR, bus, trains de banlieue) et de bénéficier de 75% de réduction sur les transports fluviaux réguliers. Il existe en version journalière (1 ou 3 jours), hebdomadaire, mensuelle et annuelle. Au-delà de 7 jours, une *travelcard* peut être créditée sur une Oyster card, carte magnétique rechargeable permettant d'utiliser librement le métro et le bus. Afin d'inciter les visiteurs à emprunter les transports en commun aux heures creuses, il peut y avoir un tarif *peak* (valable uniquement du lun. au ven. pour la carte 1 jour, tlj. pour les autres) et un tarif *off-peak* (valable tlj., mais uniquement à partir de 9h30 du lun. au ven.). La carte de 3 jours n'est pas rentable pour un week-end prolongé comprenant un jour férié ; mieux vaut acheter 3 formules "*one-day travelcard off-peak*". Les *travelcards* sont disponibles dans les stations de métro, les gares et chez les petits commerçants agréés. L'idéal, pour éviter une longue file d'attente, est d'acheter son titre de transport en ligne (*www.ticket-on-line.com*, service disponible en français) et de vous le faire expédier ; dans ce cas, prévoyez au moins sept jours de délai. *Travelcard 1 jour/2 zones* : 6,80£ (peak), 5,30£ (off-peak) */6 zones* : 13,80£ (peak) ou 7£ (off-peak) *Travelcard 3 jours/2 zones* : 17,40£ (peak)/6 zones : 40£ (peak) ou 20£ (off-peak) *Travelcard 7 jours/2 zones* : 24,20£ /6 zones : 44,60£

TICKETS DE BUS Ils s'achètent à bord des véhicules ou aux distributeurs installés aux arrêts de bus. Les carnets se retirent aux Travel Information Centres ou chez les petits commerçants agréés ; les passes sont disponibles dans ces mêmes points de vente, les stations de métro et les gares. *Trajet simple* : 2£ ; *pass 1 journée (one-day bus pass)* : 3,50£ ; *carnet 6 titres* : 6£

TICKETS DE MÉTRO Comptez 4£ (zones 1 à zone 1-6) pour un trajet simple adulte et 2£ pour les moins de 16 ans.

bus

Les vieux bus à impériale rouge, ou Routemasters, ont presque tous été retirés de la circulation en faveur de véhicules modernes, moins polluants et répondant aux normes d'accessibilité pour les personnes handicapées. Mais devant l'émoi général suscité par leur disparition, ils ont été conservés sur deux lignes, la 9 (entre le Royal Albert Hall et Aldwych) et la 15 (entre Trafalgar Square et Tower Hill). Les nouveaux bus à étage (*double deckers*) constituent toutefois un agréable moyen de locomotion, surtout si l'on arrive à trouver une place en haut, pour la vue. Les lignes les plus attractives sont la 8 (Victoria, Mayfair, Oxford Street, Shoreditch), la 11 (Chelsea, Westminster, Trafalgar, St. Paul's) et la 12 (Regent Street, Piccadilly, Westminster, Elephant & Castle). N'oubliez pas que les bus ne marquent l'arrêt que si l'on fait signe au conducteur. Les arrêts signalés par un panneau jaune indiquent que vous devez être en possession de votre titre de transport avant de monter à bord (distributeur de billets sur le trottoir). Ce dispositif, très répandu dans le centre de

PRATIQUE

Londres, est destiné à réduire le temps d'immobilisation des bus : à ces arrêts-là, le chauffeur ne vous laissera pas monter sans ticket. Plans disponibles dans les Travel Information Centres ou sur *www.tfl.gov.uk/buses*.

HORAIRES Les bus circulent de 6h env. à minuit, avec un service réduit le dimanche. De nombreuses lignes fonctionnent 24h/24 et 7j/7, et les bus de nuit (N) circulent de minuit à 6h sur les lignes principales ; ils desservent le centre de Londres et la banlieue et acceptent les *travelcards*. Attention : service réduit autour de Noël, et aucun bus le 25 décembre !

métro et DLR

Signalé par son superbe logo, le fameux *roundell* rouge, le métro londonien (*underground* ou, plus familièrement, *tube*) est le plus vieux du monde : lent, souvent perturbé, en panne ou en travaux (surtout le week-end), bondé de 7h30 à 9h30 et de 16h à 19h, il essuie toutes les critiques ! S'il faut l'éviter pour les trajets les plus courts ou si vous êtes pressé, il reste, avec ses 13 lignes couvrant les 6 zones tarifaires, un moyen facile et pratique s'il s'agit de couvrir de longues distances. La DLR (Docklands Light Railway), intégrée au réseau du métro, relie la City (stations Bank ou Tower Gateway) à l'est de la ville, aux Docklands et à Greenwich. Notez que la direction des lignes est indiquée uniquement par leur sens de circulation : Eastbound/Westbound pour toutes celles qui traversent Londres d'est en ouest ; Northbound/Southbound pour celles qui vont du nord au sud (et cela, indépendamment des détours qu'elles peuvent effectuer entre les deux points cardinaux !). *Rens. www.tfl.gov.uk/tube*

HORAIRES Du lun. au sam., de 5h30 à 23h-1h, selon les lignes ; le dim. de 7h30 à 23h-0h. Service réduit du 24 déc. au 2 jan., aucun métro ne circulant le 25 déc.

bateaux

Un service de navettes et des mini-croisières sur la Tamise sont assurés par une foule de compagnies fluviales. Au-delà du saut de puce reliant un point du centre à un autre, voilà bien un moyen de transport agréable pour rejoindre des sites touristiques excentrés comme Greenwich, Kew Gardens ou Hampton Court. Dîners au fil de l'eau ou sorties en bateau-mouche..., pour connaître la totalité des offres, les horaires et les prestataires, procurez-vous le guide des London River Services dans les stations de métro, aux points d'information Transport for London (TfL) ou sur le site *www.tfl.gov.uk*. La plupart des services fonctionnent toute l'année, mais au ralenti l'hiver. Entre avril et octobre, les départs sont quotidiens, toutes les 20-60min (selon les jours et les heures). La plupart des compagnies, privées, consentent des réductions aux détenteurs de *travelcards*. Les tickets s'achètent à bord ou sur les quais, au kiosque de la compagnie.

NAVETTES
City Cruises relie Westminster à Greenwich en faisant halte à Waterloo et Tower Millennium Pier. Thames River Services relie Westminster à Greenwich et Barrier Gardens via St. Katharine's Pier. Comptez 8,40£ l'aller et 11£ l'aller-retour Westminster-Greenwich.
City Cruises *Tél. 020 7740 0400 www.citycruises.com*
Thames River Services *Tél. 020 7930 4097 www.westminsterpier.co.uk*

Commuter Clippers Service Liaisons quotidiennes rapides à l'usage des *commuters* qui rallient le centre, de leur banlieue. Les navettes circulent entre Embankment Pier à l'ouest et Woolwich Arsenal à l'est, et marquent de nombreux arrêts. Un trajet coûte 5£ (forfait 12£/jour). Services de 6h20 env. à 20h40, toutes les 20min (heures de pointe)-40min (toutes les heures de nov. à mars). *Tél. 0870 781 5049 www.thamesclippers.com*

Circular Service Circuit circulaire entre Westminster, Millennium Pier, Embankment Millennium Pier et St. Katharine's Pier. Le forfait *"hop-on, hop-off"* vous permet de monter et descendre à votre guise dans la même journée. Comptez 6,40£ pour un aller simple (4,20£ avec la *travelcard*) et 7,80£ pour un aller-retour (moitié prix pour les enfants). *Tél. 020 7936 2033 www.crownriver.com Avr.-oct. : tlj. 11h-17h (18h30 été), toutes les 30-40min ; nov.-mars : 11h-15h, env. 4 départs/j.*

Tate to Tate Navette reliant la Tate Britain à la Tate Modern en passant par le London Eye (Millbank Millennium Pier – Waterloo Millennium Pier – Bankside Pier). Trajet 5£, 3,35£ (avec la *travelcard*) et 2,50£ (5-15 ans). *Tél. 020 7001 2201 www.tate.org.uk/tatetotate Tlj. toutes les 40min env. de 10h à 17h*

CROISIÈRES De Westminster Pier, croisières vers Kew (env. 1h30, selon la marée), Richmond (env. 2h) et Hampton Court (env. 3h30). Comptez respectivement env. 10,50£, 12£ et 14£ (5,25£, 6£ et 6,75£ pour les 5-15 ans) l'aller. *Westminster Passenger Services Association (Upriver) Tél. 020 7930 2062 www.wpsa.co.uk*

TRANSPORTS INDIVIDUELS

taxi

BLACK CABS Les emblématiques vieux taxis londoniens, pas forcément noirs mais facilement repérables à l'enseigne "taxi", sont très nombreux, et vous n'aurez aucun mal à en arrêter un. Ce sont les seuls qui ont le droit de stationner aux arrêts de taxis, ou d'être hélés (vérifiez que l'enseigne *"For hire"* est allumée) et ils sont équipés d'un compteur. La prise en charge coûte env. 2,20£. À titre indicatif, un court trajet dans le centre-ville revient à env. 5£. L'usage veut que l'on laisse un pourboire en arrondissant la somme due. Comptez 2£ supplémentaires si vous avez réservé par téléphone.

One Number Taxi bookings Un seul numéro regroupant les services de différentes agences de taxi. *Tél. 0871 871 8710*

Zingo Un numéro à appeler de votre portable : le taxi le plus proche sera contacté. *Tél. 08700 700 700*

Radio Taxi *Tél. 020 7272 0272*

MINICABS Patentés par des sociétés privées, ils reviennent en général moins chers que les taxis officiels, mais le prix de la course se négocie avant, au téléphone ou avec le chauffeur. Il est vivement déconseillé de suivre les chauffeurs qui maraudent à la sortie des pubs et des clubs : les véhicules illégaux sont très nombreux. Veillez toujours à réserver le *minicab* en passant par sa société ou vérifiez que le conducteur a bien sa licence – signalée par un disque jaune collé sur le pare-brise.

Lady Minicabs La société n'emploie que des chauffeurs femmes. Service 24h/24. *Tél. 020 7272 3300*

Addison Lee *Minicabs* 24h/24. *Tél. 020 7387 8888*

PRATIQUE

PRATIQUE

Ambassador Car *Minicabs* 24h/24.
Tél. 020 7272 7555

vélo

Depuis que la mairie s'est résolue à faire la guerre aux voitures et aux embouteillages monstres qui paralysaient la capitale, les vélos déferlent sur le macadam londonien : environ 450 000 deux-roues par jour ! Rues, parcs, canaux, etc. sont dotés de pistes cyclables. Très pratique, le site de TfL vous permettra de bien préparer vos itinéraires (19 cartes). Sachez qu'il est possible, sur certaines lignes, et selon des horaires précis, d'embarquer son vélo dans le métro. *Rens. www.tfl.gov. uk/cycles*
Go Pedal Location de vélos et d'accessoires, itinéraires. Env. 32£/jour (22£/j. pour 4 jours). *www.gopedal. co.uk Tél.* 078 5079 6320
OY Bike Système de location à distance. Les vélos, regroupés en différents points de la ville (principalement dans l'Ouest, aux stations de métro) sont disponibles selon un code transmis par SMS. La location est gratuite pour moins de 30min. Sinon, elle revient à 8£/jour, avec une adhésion préalable obligatoire (env. 10£). *www. oybike.com*

voiture

À éviter ! La municipalité met tout en œuvre pour dissuader les automobilistes : taxe de circulation journalière, axes réservés aux bus et aux taxis, nombreux sens interdits, stationnement réduit et hors de prix... et lourdes amendes en cas d'infraction. Comme dans toutes les grandes agglomérations, la vitesse est limitée à 30 miles/h (48km/h). Si l'on s'adapte assez rapidement à la circulation à gauche, restez vigilant, notamment aux carrefours.

CONGESTION CHARGE Pour circuler dans le centre de Londres en semaine, il faut acquitter une taxe journalière de 8£, par avance, le jour même avant minuit ou le lendemain si vous avez oublié (mais dans ce cas, avec un surcoût de 2£, et uniquement par tél. ou Internet). Tout retard de paiement supplémentaire peut donner lieu à une amende de 120£. Cette taxe s'applique du lun. au ven. (sauf jours fériés), de 7h à 18h30, dans tout le centre de Londres. Ce périmètre, élargi depuis février 2007, comprend les quartiers de Bayswater, Notting Hill, North et South Kensington, Knightsbridge, Chelsea, Belgravia et Pimlico à l'ouest, Marylebone, Bloomsbury et une partie du quartier de St. Pancras au nord, Borough, Waterloo et Lambeth au sud. Le paiement s'effectue par téléphone, Internet ou aux points agréés signalés par un logo rouge en forme de C (stations-service, marchands de journaux, épiceries, parkings). Vous donnez le numéro d'immatriculation de votre voiture, qui sera enregistré sur une base de données, la surveillance étant effectuée par caméra. *www.cclondon.com Tél.* 0845 900 1234

STATIONNEMENT Les places, peu nombreuses, sont souvent réservées aux résidents. Il est interdit de se garer le long des doubles lignes jaunes ou des lignes rouges ; le stationnement est limité dans les zones signalées par une ligne jaune simple (horaires indiqués sur un panneau). Les contrevenants risquent de retrouver leur véhicule avec une contravention (100£), un sabot (60£ en sus) ou à la fourrière (200£ + 40£ par jour en sus). Les parcmètres délivrent des tickets pour 2 heures maximum (1£/15min). Le stationnement est souvent gratuit la nuit et le week-end dans le centre. Pour faire retirer un sabot, appelez le numéro figurant sur le PV laissé sur le pare-brise. Pour récupérer un véhicule à la fourrière, contactez le London Trace Service (*Tél. 020 7747 4747*). La plupart des parkings du centre de Londres sont exploités par National Car Parks (NPC) – 24h/24, comptez 4£-9£/2h.

NCP *Tél. 0870 606 7050 www.ncp. co.uk*

LOCATION Il suffit de présenter un permis de conduire français, mais certaines agences exigent du conducteur qu'il ait au moins 21-23 ans, voire 25 ans. Les principales compagnies ont des comptoirs dans les gares et les aéroports :

Avis *www.avis.com Gatwick Airport Tél. 087 0010 4068 Heathrow Airport Tél. 087 0157 8700 Waterloo Railway Station Tél. 020 7261 9739*

Hertz *www.hertz.com Gatwick Airport Tél. 087 0846 0003 Heathrow Airport Tél. 087 0850 2659 Victoria Coach Station Tél. 087 0846 0002*

Europcar *www.europcar.com Gatwick Airport Tél. 012 9353 1062 Heathrow Airport Tél. 020 8897 0811 Victoria 12 Semley Place SW1 Tél. 020 7259 1600*

URGENCES ET SÉCURITÉ

La police de Londres, Metropolitan Police Service, édite un miniguide (en français notamment) rappelant quelques précautions à prendre : Londres ne présente pas de danger particulier, mais comme partout, les touristes sont les premières cibles des voleurs à la tire. *www.met.police.uk*

services d'urgence

En cas d'urgence, pour appeler les pompiers, la police, une ambulance,

composez le 999 ou le 112. Parmi les hôpitaux du NHS disposant d'un service d'urgence :

Charing Cross Hospital *Fulham Palace Rd, Hammersmith W6 8RF Tél. 020 8846 1234*

Chelsea and Westminster Hospital *369 Fulham Rd, Chelsea SW10 9NH Tél. 020 8746 8000*

St. Thomas's Hospital *Lambeth Palace Rd, Lambeth SE1 7EH Tél. 020 7188 7188*

pharmacies

Elles sont ouvertes le dimanche jusque vers 18h.

Bliss Chemist *Tlj. 9h-0h M° Marble Arch 5-6 Marble Arch, Marylebone W1H 7EL Tél. 020 7723 6116*

Boots *Lun.-sam. 9h-0h, dim. 12h-18h M° Bayswater 114 Queensway, Bayswater W2 6LS Tél. 020 7229 1183*

Zafash *Tlj. 24h/24 M° Earl's Court 233-5 Old Brompton Rd, Earl's Court SW5 0EA Tél. 020 7373 2798*

objets trouvés

Pour les objets perdus dans les transports en commun : à contacter après un délai de deux jours.

Tfl Lost-Property Service *Tél. 084 5330 9882 Ouvert lun.-ven. 8h30-16h sauf jours fériés*

➡ **TROIS JOURS À LONDRES**

So chic, so choc

DU LONDRES ROYAL AUX GRATTE-CIEL DE LA CITY, BATTEZ
LE BITUME DE LA PLUS GRANDE CAPITALE DU MONDE… SANS
OUBLIER DE FLÂNER DANS SES PARCS PEUPLÉS D'ÉCUREUILS !

PRATIQUE

● **VENDREDI**
Le Londres royal
et le West End : les
cartes postales de la
ville. L'abbaye de
Westminster, Big Ben,
Trafalgar Square,
Piccadilly Circus. Sans
oublier les boutiques
branchées de Covent
Garden et les bars
fourmillants de Soho.
MATIN
9h **Westminster**
Postez-vous sur
Westminster Bridge
pour immortaliser la
façade du Parlement et

**RELÈVE DE LA
GARDE ROYALE**
Horse Guards Tlj.
11h30 (août-avril 1j./2)
M° Charing Cross
Buckingham Palace
Tlj. 11h30 (août-avril
1j./2) *M° Victoria*

Big Ben dans son cadre
doré. Visitez ensuite
l'abbaye, la nécropole
royale et le panthéon
national. *M° Westminster*
10h **St. James's Park**
Par Tothill et Dartmouth
Street, puis la charmante
Queen Ann's Gate,
gagnez ce parc

romantique, l'un des
plus vieux de Londres.
Du pont qui enjambe
son lac, vous apercevrez
le palais de Buckingham.
10h15 **Inn the Park**
(p. 127) Pause café
bucolique au bord
du plan d'eau.
11h **Horse Guards**
Sur l'esplanade de la
caserne, face à
St. James's Park, assistez
à la relève de la garde
royale, aussi pittoresque
mais moins courue
que celle qui se tient
dans l'avant-cour
de Buckingham Palace.
M° Charing Cross
12h **St. James's**
Ambiance
aristocratique au nord
du Mall : le vieux palais
royal de St. James, des
clubs pour gentlemen,
de luxueuses boutiques
qui fournissent la reine,
d'élégants hôtels
particuliers XVIIIᵉ et
l'ensemble monumental
de Carlton House
Terrace *M° Green Park
ou Charing Cross*
12h45 **Trafalgar
Square** Admirez
Admiralty Arch et
l'église St. Martin-in-
the-Fields. *M° Charing
Cross*

13h **National Dining
Rooms** *(p. 125)*
Grimpez jusqu'au
restaurant de la
National Gallery, dont
les baies vitrées
dominent Trafalgar
Square, pour faire
honneur aux terroirs
des îles Britanniques.
M° Charing Cross

● **APRÈS-MIDI**
14h **Charing
Cross Road** *(p. 57)*
Visitez les librairies
spécialisées de cette
artère avant de gagner
la piazza de Covent
Garden. *M° Charing
Cross*
14h30 **The Royal
Opera House**
Découvrez les coulisses
de l'un des meilleurs
opéras du monde.
Flânez dans les ruelles
commerçantes qui
cernent le marché

ROYAL MEWS
Visitez les écuries
du palais royal
de Buckingham
pour leur collection
de carrosses de conte
de fées. *Buckingham
Palace Road M° Victoria*

couvert. Le quartier abrite aussi cinq musées (cf. ci-après). *M° Covent Garden*

15h30 Seven Dials *(p.60)* Lèche-vitrines branché dans les ruelles qui partent en étoile du rond-point. Poussez jusqu'aux commerces New Age de Neal's Yard. *M° Leicester Square*

16h30 Maison Bertaux *(p.92)* Pause thé fumant ou glacé dans cette pâtisserie surannée de Greek Street. *M° Tottenham Court Road*

17h15 Soho Allez fouiller dans les bacs des disquaires de Berwick Street *(p.56)*. C'est l'heure où son petit marché replie ses étals et où, l'été, les terrasses des cafés d'Old Compton Street se remplissent. Autour de Carnaby Street vous attendent des boutiques de mode *(p.52)* et des bistrots de poche stylés *(p.93)*. *M° Piccadilly Circus ou Oxford Circus*

19h15 Endurance *(p.132)* Savourez une pinte bien méritée dans ce gastropub de quartier plein d'atmosphère qui donne sur la rue "chaude" de Soho. *M° Oxford Circus*

● SOIRÉE
20h Randall & Aubin *(p.133)* Pour un dîner de fruits de mer arrosé de champagne, entre les murs carrelés d'une ancienne boucherie. Ambiance électrique ! *M° Piccadilly Circus*

22h30 Pub crawl dans le West End
Lamb & Flag *(p.96)*

THEATRELAND

Partagez l'engouement des Londoniens pour le théâtre ! Des dizaines de comédies musicales à l'affiche, autant de pièces et de concerts de qualité dans le périmètre restreint du West End. Les places se réservent longtemps d'avance, mais vous pouvez tenter votre chance au kiosque Tkts de Leicester Square.

Un pub secret en plein Covent Garden ; on boit sa pinte debout dans la cour quand le temps le permet. *M° Covent Garden*

Porterhouse *(p.96)* Un vaste choix de bières. *M° Covent Garden*

Freud *(p.96)* Pour un cocktail et une ambiance plutôt new-yorkaise. *M° Oxford Circus*

● SAMEDI
Shopping chic et choc : la British touch,

toujours excentrique ! De Camden et ses boutiques de fripes gothiques pour ados piercés à l'Egyptian Hall de Harrods que fréquentent les ladies de Chelsea. Entre les deux : l'opulente masse verte de Hyde Park.

MATIN
9h Truc Vert *(p.128)* *English breakfast* bio chez un traiteur huppé de Mayfair. *M° Bond Street Bus 274 de Gloucester Place à London Zoo (25min)*

10h30 Primrose Hill Les bons marcheurs n'hésiteront pas à gravir cette colline verdoyante pour profiter de la vue sur Londres. *M° Chalk Farm*

11h20 Regent's Canal Rejoignez le canal pour une balade charmante jusqu'à Camden Locks. Comment ne pas envier les occupants des péniches et des maisons riveraines ? *M° Chalk Farm*

HAMPSTEAD HEATH *(p.120)* S'il fait beau, pour pique-niquer sur la lande ou piquer une tête dans l'un de ses étangs. *M° Hampstead*

11h40 Camden Markets *(p.84)* Flânez sur les marchés aux puces les plus fous – et

PRATIQUE

PRATIQUE

les plus fréquentés – de la capitale. Vêtements neufs, fripes, bijoux, brocante, artisanat, mais aussi les musiques et les cuisines du monde entier… *M° Chalk Farm* 12h40 **Cottons** *(p.165)* Pause gourmande dans un chaleureux restaurant antillais : une plantureuse assiette de poisson grillé, riz et banane plantain

ELECTRIC CINEMA La fièvre acheteuse est retombée ? Offrez-vous donc une toile dans cette salle d'art et d'essai. *Tél. 020 7908 9696 M° Ladbroke Grove*

accompagnée d'un cocktail de fruits. *M° Chalk Farm Métro ou bus 31 de The Round House (à Camden) à Notting Hill Gate*

 APRÈS-MIDI 14h30 **Notting Hill** Chinez sur Portobello Road *(pp.82, 84)* : meubles, argenterie et bibelots anciens, timbres, vêtements vintage, bijoux… *M° Ladbroke Grove* 15h30 **Electric Brasserie** *(p.161)* Profitez d'une des terrasses branchées de Notting Hill pour

souffler. *M° Ladbroke Grove Métro jusqu'à Lancaster Gate* 16h30 **Hyde Park** Traversez le plus populaire des parcs londoniens en longeant son plan d'eau, la Serpentine. Pourquoi pas une sieste, s'il fait chaud ? *M° Lancaster Gate* 18h **Knightsbridge** Deux grands magasins chics ouverts jusqu'à 20h : Harrods *(p.77)* et Harvey Nichols *(p.78)*. Pour l'apéritif, choisissez le second et son Fifth Floor *(p.157)*. *M° Knightsbridge*

 SOIRÉE 20h **Amaya** *(p.460)* Dîner glamour : le fin du fin de la cuisine indienne dans un cadre design spectaculaire !

GRANDS MAGASINS OUVERTS LE DIMANCHE (DE 12H À 18H) **Harrods** et **Harvey Nichols** *(p.78)* *M° Knightsbridge* **Hamleys** *(p.44)* et **Liberty** *(p.51)* *M° Oxford Circus* **Selfridges** *(p.44)* *M° Bond Street* **Fortnum & Mason** *(p.43) M° Piccadilly Circus ou Green Park* **Marks & Spencer** *(p.43) M° Marble Arch*

M° Knightsbridge 22h **Tournée des bars autour de Knightsbridge et South Kensington Troubadour** *(p.118)* Un bar pour conter fleurette au calme. *M° West Brompton* **Swag and Tail** *(p.115)* Pour un verre de vin onctueux sur fond jazzy. *M° Knightsbridge* **Anglesea Arms** *(p.116)* Un pub fleuri et chic pour une dernière bière. *M° South Kensington*

DIMANCHE Londres high-tech et hippie : la City et ses fascinants buildings qui poussent comme des champignons, rehaussant sans cesse la *skyline* londonienne, puis les puces et les marchés des créateurs de l'East End branché. Enfin, les bords de la Tamise… MATIN 10h **Somerset House** Envie d'un muffin et d'un café ? Le prétexte idéal à une incursion dans la cour de Somerset House… *M° Temple Bus 76 (dir. Tottenham Swan) des Royal Courts of Justice à St. Paul's.* 10h45 **La City** Le quartier des affaires est désert le dimanche, profitez-en pour y faire une tranquille balade architecturale : la cathédrale Saint-Paul (entrée libre pour l'office), les façades de la Banque d'Angleterre et de Mansion House, résidence du lord-maire, le squelette futuriste du Lloyd's Building et la fusée du "Gherkin"... *M° St. Paul's*

11h30 Les marchés de l'East End *(pp. 54, 72, 73, 76)* Rencontrez de jeunes créateurs et designers à Spitalfields Market, puis à l'Old Truman Brewery

MUSÉES SUR LE PARCOURS

À St. James's
- Spencer House *M° Green Park*
- Institute of Contemporary Art *M° Charing Cross*

À Trafalgar Square
- National Gallery *M° Charing Cross*
- National Portrait Gallery *M° Charing Cross*

À Covent Garden et autour
- London Transport Museum *M° Covent Garden*
- British Museum *M° Holborn*
- Sir John Soane's Museum *M° Holborn*
- Somerset House *M° Temple*

À Knightsbridge
- Victoria & Albert Museum *M° South Kensington*
- Natural History Museum *M° South Kensington*
- Science Museum *M° South Kensington*

Dans la City et l'East End
- Guildhall *M° St. Paul's*
- Museum of London *M° Barbican*
- Dennis Severs' 18th Century House *M° Liverpool Street*
- Geffrye Museum *M° Liverpool Street*

À South Bank
- Tate Modern *M° Southwark*
- Shakespeare's Globe Theatre *M° Southwark*
- Hayward Gallery *M° Waterloo*
- London Aquarium *M° Waterloo*

Sunday (Up) Market. Flânez sur le marché coloré de Brick Lane et aux puces de Petticoat Lane. *M° Aldgate East ou Liverpool Street Station*

13h15 Jones Dairy Café *(p. 110)* Brunchez dans un cadre délicieusement rétro, face au marché aux fleurs de Columbia Road. *M° Old Street*

APRÈS-MIDI 14h30

Whitechapel Art Gallery Visitez l'exposition d'art contemporain du moment *(p. 22)*. *M° Aldgate East Métro d'Aldgate East à Mansion House, puis rejoindre le fleuve pour traverser le Millennium Bridge*

16h South Bank Promenade sur The Queen's Walk vers l'ouest à partir de la Tate Modern. *M° Southwark*

17h30 Oxo Tower Bar *(p. 152)* Pour un apéritif au 8e et dernier étage d'une vénérable tour, emblématique du quartier. La terrasse offre une vue extraordinaire sur la *skyline* futuriste de la City et les entrepôts victoriens du Sud londonien. *M° Waterloo*

SOIRÉE 19h **Anchor & Hope** *(p. 151)* Pour sa bonne cuisine de terroir britannique. *M° Southwark*

20h30 National Film Theatre Séance de cinéma face à la Tamise. *M° Waterloo*

0h The chimes of Big Ben Balade jusqu'au pont de Westminster pour (re)-voir le Parlement et profiter du carillon de minuit.

PRATIQUE

CONSEIL Optez pour la Travelcard qui permet d'utiliser le métro comme le bus, (moyen de locomotion idéal si l'on arrive à s'installer en haut, pour la vue !)

GÉOADRESSES

Boutons de manchette so *British !* Chez Paul Smith (p.82).

SHOPPING

SHOPPING

Des magasins ouverts 7 jours/7, des soldes qui commencent à Noël, Londres est bien la capitale européenne du shopping ! Si des centaines de boutiques, prises d'assaut le week-end, se concentrent autour de Soho et d'Oxford Street, les bonnes adresses essaiment un peu partout, et la ville est immense ! Pour éviter que votre marathon ne se transforme en calvaire, repérez "vos" quartiers : petits budgets en quête d'originalité, rendez-vous dans les boutiques bohèmes de l'East End, adeptes du streetwear, foncez à Covent Garden, envie de vous relooker, flânez à Camden ! Et n'oubliez pas : en optant pour une vraie *London attitude*, vous aurez toujours trois mois d'avance sur le continent !

plan 8

St. James's

Savile Row, la rue des tailleurs, et Jermyn Street, à St. James's, font le bonheur, sur mesure, des gentlemen.

So British !

Jermyn Street et Prince's Arcade **(plan 8) Turnbull & Asser**, dont les célèbres chemises sur mesure habillent le prince Charles, est l'une des institutions du quartier. Chez **Taylor of Old Bond Street**, une maison fondée en 1854, ces messieurs dénichent des baumes de rasage et des accessoires sophistiqués (ciseaux à ongles pour gauchers...), et profitent du barbier, au fond de la boutique. Un magasin qui fera le bonheur des amateurs de panamas, feutres et autres couvre-chefs : l'échoppe tout en longueur de **Bates the Hatter**, dans laquelle des cartons à chapeaux s'empilent jusqu'au plafond. Ce chapelier n'a, semble-t-il, pas pris une ride depuis un siècle, pas plus que Binks, le chat roux coiffé d'un haut-de-forme, une cigarette au bec, qui trône depuis 1926, empaillé, dans une vitrine. Dernière étape, pour ceux qui souhaitent laisser flotter une fragrance derrière eux, la superbe boutique de **Floris**, le plus ancien parfumeur de Londres, installé dans la rue depuis 1730. Last but not least, dans Princes Arcade, une galerie marchande adjacente, **Andy & Tuly** réserve des centaines de boutons de manchette aux plus fantaisistes. *M° Piccadilly Circus Jermyn St SW1* **Turnbull & Asser** n°71-72 *Tél. 020 7808 3000 www.turnbullandasser.co.uk Ouvert lun.-ven. 9h-18h, sam. 9h30-18h* **Taylor of Old Bond Street** n°74 *Tél. 020 7930 5544 www.tayloroldbondst.co.uk Ouvert lun.-sam. 9h-18h* **Bates the Hatter** n°21A, *Tél. 020 7734 2722 Ouvert lun.-ven. 9h-17h, sam. 9h30-16h* **Floris** n°89 *Tél. 020 7930 2885 www.florislondon.com Ouvert lun.-ven. 9h30-18h30, sam. 10h-18h* **Andy & Tuly** n°20 *Tél. 020 7494 3259 www.andytuly.fsnet.co.uk Ouvert lun.-sam. 9h-18h30*

D.R. Harris & Co (plan 8) Avec deux sceaux royaux apposés sur sa devanture, ce pharmacien-parfumeur peut s'enorgueillir de fournir le palais depuis 1790. Mais motus sur les produits préférés de la reine et du prince Charles, ici la discrétion est de mise. Dans la boutique, rien ne semble avoir changé depuis l'époque victorienne. Les centaines de tiroirs qui accueillaient les herbes médicinales servent de nos jours à ranger les cosmétiques (pour hommes et femmes) encore fabriqués artisanalement pour la plupart. Une adresse bien connue des gentlemen en quête de produits de rasage, de savon, d'eau de Cologne... Leur emballage rétro en fait de jolis cadeaux à rapporter : baume à lèvres à la menthe (2,95£), crème à raser en tube (7,50£) ou après-rasage de la fameuse gamme Arlington (16,95£). *M° Green Park 29 St. James's St SW1 Tél. 020 7930 3915 www.drharris.co.uk Ouvert lun.-ven. 8h30-18h, sam. 9h30-17h*

•Regent's Park
Piccadilly Circus   Tower of London•
•Hyde Park   •Westminster

plans 2, 5, 6 et 8

Piccadilly et Mayfair

Épicentre du shopping chic et British, Mayfair, autour de New Bond Street, concentre des enseignes anglaises haut de gamme, des plus classiques, fournisseurs de la reine, à l'avant-garde des créateurs. Au nord, la vibrante et populaire Oxford Street est prise d'assaut le week-end, où les chaînes de prêt-à-porter font bon ménage avec de grands magasins et des enseignes "à moindre prix".

Les department stores

Marks & Spencer (plan 2) On retrouve dans le vaisseau amiral de cette enseigne une ambiance particulière et les saveurs toutes *British* d'un rayon alimentaire qui occupe tout le sous-sol. Avis aux nostalgiques des Marks & Spencer français, les Anglaises, elles, s'y fournissent en lingerie, des basiques de qualité. Depuis peu, les lignes de vêtements "Limited Collection" et les accessoires "Per Una" attirent une clientèle féminine avertie. Un coup de jeune pour cette enseigne qui était un peu passée de mode. *M° Marble Arch 458 Oxford St W1 Tél. 020 7935 7954 www.marksandspencer.com Ouvert lun.-ven. 9h-21h, sam. 8h-20h, dim. 12h-18h*

Fortnum & Mason (plan 8) Ce grand magasin, redécoré et agrandi à l'occasion de son 300e anniversaire sans perdre son atmosphère un peu désuète, régale la cour d'Angleterre depuis 1707 ! L'épicerie fine qui l'a rendu célèbre occupe le rdc et a été prolongée au sous-sol et dotée d'un nouveau bar à vins. On y trouve aussi bien les grands classiques anglais (plus de 200 thés, de nombreux fromages, des cakes et marmelades), que des chenilles séchées d'Afrique du Sud à déguster à l'apéritif ou... à offrir à son pire ennemi ! Le personnel en livrée est prêt à répondre à toutes vos questions. Ici, les biscuits et les chocolats sont présentés dans de belles boîtes métalliques colorées

SHOPPING

Tailles et pointures

	Vêtements							Chaussures						
Femmes/France	34	36	38	40	42	44	46	36	37	38	39	40	41	42
Femmes/G-B	6	8	10	12	14	16	18	3	4	5	6	7	8	9
Hommes/France	42	44	46	48	50	52	54	38	39	40	41	42	43	44
Hommes/G-B	32	34	36	38	40	42	44	5,5	6,5	7	7,5	8	8,5	9,5

SHOPPING

qu'on meurt d'envie de rapporter chez soi. Le must : les thés Royal Blend (bu par la reine) et Fortmason (6,95£ les 250g), et le fameux *lemon curd*, crème au citron à tartiner comme de la confiture (3,95£). Bon appétit ! *M° Piccadilly Circus ou Green Park 181 Piccadilly W1 Tél. 020 7734 8040 www.fortnumandmason.com Ouvert lun.-sam. 10h-20h, dim. 12h-18h*

Selfridges (plan 5) Le grand magasin phare de Londres occupe un imposant bâtiment néoclassique édifié en 1909, aux vitrines d'une créativité étonnante. Cet immense vaisseau qui devance allègrement ses concurrents propose la crème de la tendance sur tous les fronts, des marques les plus connues aux plus confidentielles. Les *fashionistas* ne manqueront sous aucun prétexte les étages femme, homme et sportswear. De grands noms de la mode y ont installé des corners (Agent Provocateur...) ou se sont rassemblés dans des univers spécialisés ("Men's Superstore" au 1er). Mention spéciale à l'espace enfant au design futuriste et à l'immense rayon beauté, le plus grand d'Europe. Selfridges joue la carte confort jusque dans ses toilettes, où les jeunes mamans trouveront un coin allaitement. *M° Bond Street 400 Oxford St W1 Tél. 0800 123 400 www.selfridges.com Ouvert lun.-sam. 9h30-20h (21h jeu.), dim. 12h-18h*

Le grand magasin des petits

Hamleys (plan 6) Sept étages de jouets, sagement rangés ou mis en action (souvent tonitruante !) par des "démonstrateurs", Hamleys donne le tournis aux grands et ravit les petits. De la girafe grandeur nature (3 500£) à la voiture télécommandée, des jeux de construction aux poupées et aux chevaux à bascule, difficile de ne

---

Les *department stores*

Les grands magasins, de vraies institutions qui ont chacune leur personnalité : grand luxe, classique ou tendance, *it's up to you* !

---

pas trouver son bonheur. À la Bear Factory du 1er étage, on fabrique en quelques instants un ours en peluche (à partir de 8£) sur mesure, que l'on personnalise et fait parler avec sa voix (enregistrée) ! *M° Oxford Circus 188-196 Regent St W1 Tél. 0870 333 2455 www.hamleys.com Ouvert lun.-ven. 10h-20h, sam. 9h-20h, dim. 12h-18h*

Le temple de la high-tech

Apple Store (plan 6) Un immense espace tout de verre et de bois où trône un imposant escalier. Des tables garnies d'ordinateurs et d'ipods autour desquelles des dizaines de gens pianotent ou écoutent de la musique. Le géant de l'informatique Apple s'est offert en 2005 un temple au cœur de Londres. Une aubaine pour les *Mac users* qui font réparer le jour même (sur rdv) leur matériel au Genius Bar (payant), et se font conseiller par des créatifs du Studio sur les usages multimédias que leur réserve leur machine. Chaque jour, les néophytes peuvent participer gratuitement à des ateliers d'initiation. Les malins profiteront des dizaines d'ordinateurs à disposition pour lire leurs mails, surfer sur Internet – tranquillement, mais debout –, et même du wifi (PC admis !), cette fois-ci confortablement assis dans l'amphi du 1er étage, le tout... à l'œil. Seul risque : se laisser tenter par la myriade de produits, d'accessoires et de logiciels en rayon. M° *Oxford Circus* 235 Regent St W1 Tél. 020 7153 9000 www.apple.com Ouvert lun.-sam. 10h-21h, dim. 12h-18h

So British !

De Bond Street à Burlington Arcade (plans 5 et 8) Un parcours autour des grands noms de l'élégance britannique. Rendez-vous obligé des inconditionnels du style anglais, le vaisseau amiral **Burberry** décline sur plusieurs étages son imprimé emblématique, des maillots de bain à la doublure de ses célèbres imperméables (à partir de 500£). À deux pas, **Pringle of Scotland**, dont les cachemires ont aussi bien séduit la reine d'Angleterre que des stars hollywoodiennes, attire depuis peu une clientèle branchée avec ses pulls colorés au motif "Argyle" à losanges (295£)... En face, **John Smedley** fait rimer depuis plus de deux siècles ses tricots avec qualité et les propose aujourd'hui dans une large palette de couleurs. Les fous du volant feront un tour à **Connolly**, temple de l'accessoire en cuir pour voitures de collection où le kit à expresso à brancher sur l'allume-cigare de sa Jaguar ou de son Aston Martin coûte... 650£. On parachève son périple *British* dans les boutiques à l'ancienne de **Burlington Arcade**. **Church** et ses fameuses chaussures, **Penhaligon's** et ses parfums d'antan, et surtout **Globetrotter** et ses somp-

So British !

Chapeaux melon, cachemires et malles en cuir, le chic anglais sous toutes ses coutures.

Pour elle et lui

Prince's Arcade	42
D.R. Harris & Co	42
Floris	42
Burberry	45
Burlington Arcade	45
Connolly	45
Globetrotter	45
Pringle of Scotland	45
John Smedley	45
Macintosh	45
Penhaligon's	45
Smythson	46
Mulberry	66
James Smith & Sons	67
Philip Treacy	79

Pour lui

Andy & Tuly	42
Bates the Hatter	42
Jermyn Street	42
Taylor of Old Bond Street	42
Church	45
Turnbull & Asser	42
Tomtom	79

SHOPPING

tueuses valises faites main. Noires ou multicolores, elles séduisent les célébrités depuis 1897 (Churchill, la reine Élisabeth, Kate Moss...). Le malletier partage les murs avec **Macintosh** et ses fameux Mac Raincoats, ces impers écossais en toile de coton

Unités de mesure

Poids	1 pound = 453g	1 stone = 6,35kg
Longueurs	1 inch = 2,54cm 1 yard = 0,91m (= 3 feet = 36 inches)	1 foot = 30,48cm 1 mile = 1,61km
Capacités	1 pint = 0,568 litre	1 gallon = 4,546 litres

SHOPPING

incrustée de caoutchouc (selon un procédé breveté en 1823 par Charles Macintosh). Un grand classique, uni ou mis au goût du jour dans du Liberty (495£). **Burberry** M° *Bond Street ou Oxford Circus* 21-23 New Bond St W1 Tél. 020 7839 5222/020 7318 2678 www.burberry.com Ouvert lun.-sam. 10h-19h, dim. 12h-18h **Pringle of Scotland** M° *Bond Street* 112 New Bond St W1 Tél. 020 7297 4580 www. pringlescotland.com Ouvert lun.-mer. et ven.-sam. 10h-18h30, jeu. 10h-19h30 **John Smedley** M° *Bond Street* 24 Brook St W1 Tél. 020 7495 2222 www. johnsmedley.com Ouvert lun.-mer. et ven.-sam. 10h-18h30, jeu. 10h-19h, dim. 12h-17h **Connolly** M° *Oxford Circus* 41 Conduit St W1 Tél. 020 7235 3883 Ouvert lun.-mer. et ven.-sam. 10h-18h30, jeu. 10h-19h **Burlington Arcade** M° *Piccadilly ou Green Park Mayfair* W1 Tél. 020 7493 1764 www. burlington-arcade.co.uk Ouvert lun.-ven. 9h30-17h30, sam. 10h-18h **Church** M° *Piccadilly ou Green Park* 58-59 Burlington Arcade Tél. 020 7493 8307 www.church-footwear.com Ouvert lun.-sam. 9h30-18h **Penhaligon's** M° *Piccadilly ou Green Park* 16 Burlington Arcade W1 Tél. 020 7629 1416 www. penhaligons.co.uk Ouvert lun.-sam. 10h-18h **Globetrotter-Macintosh** M° *Piccadilly ou Green Park* 54-55 Burlington Arcade Tél. 020 7529 5950 www.globe-trotterltd.com Ouvert lun.-sam. 10h-18h

Smythson (plan 5) Nec plus ultra de la papeterie et des articles de bureau, cette institution gratifiée de quatre

Fournisseurs de la reine	
Jermyn Street	42
D.R. Harris & Co	42
Fortnum & Mason	43
De Bond St. à Burlington Arcade	45
Smythson	46
Whittard	63
Tea House	63
Twining & Co	63
James Smith & Sons	67

sceaux royaux fournit les grands de ce monde et les amateurs de beaux objets depuis 1887. Au fond de la boutique, un minimusée évoque l'histoire de la maison et ses clients célèbres : Dickens, Freud, Grace Kelly, Katharine Hepburn, Lady Di, Madonna, Tony Blair... Si les collections sont d'un classicisme bon teint – à l'instar des carnets et agendas à tranche dorée ou argentée et aux très fines feuilles bleu ciel (50g) brevetées en 1916 par M. Smythson –, elles ne sont pas dénuées d'un brin d'excentricité *British*. En témoignent les carnets déclinés dans des couleurs vives (vert, rose...) et des thèmes insolites (*"be happy"*, *"fishing notes"*...). Le best-seller : *"places to remember"* (lieux mémorables), divisé en sections (hôtels, restaurants, jardins...), à emporter en voyage : 40£. *M° Bond Street* 40 New Bond St W1 Tél. 020 7629 8558 www.smythson.com Ouvert lun.-mer. et ven. 9h30-18h, jeu. 10h-19h, sam. 10h-18h

Le chouchou

C'est le chouchou des Londoniennes : **Selfridges** (cf. p.44), *LE* grand magasin de Londres, abrite le plus vaste rayon beauté d'Europe !

L'avant-garde de la mode

☺ **Stella McCartney (plan 6)** Devanture noire et logo en pointillé rose, la boutique de la fille de Sir Paul McCartney est un petit bijou. Entièrement conçue par la styliste, elle allie à merveille l'ancien et le moderne (mobilier en plexiglas). Dans cette maison victorienne de trois étages aux ambiances distinctes, on passe d'une véranda consacrée à la ligne sportswear dessinée pour Adidas (la plus abordable) à une pièce grise qu'éclaire un immense lustre à pampilles, où des chaussures "végétariennes" (sans cuir) trônent sur une table ronde. Au 1er, le prêt-à-porter et la lingerie raviront les adeptes du style McCartney, chic et décontracté, qui a habillé Madonna et Annie Lennox. *M° Green Park ou Bond Street* 30 Bruton St W1 Tél. 020 7518 3100 www.stellamccartney.co.uk Ouvert lun.-mer. et ven.-sam. 10h-18h, jeu. 10h-19h

Alexander McQueen (plan 8) Parce qu'il n'est pas encore installé en France, une visite chez ce prodige de la mode britannique s'impose. On se sent bien dans cette boutique futuriste aux courbes organiques. Le mobilier crème met en valeur les créations de ce maître des podiums, qui mêlent à ravir avant-garde et influences historiques. *M° Green Park* 4-5 Old Bond St W1S Tél. 020 7355 0088 www.alexandermcqueen. com Ouvert lun.-sam. 10h-20h, dim. 12h-18h

Dover Street Market (plan 8) Un immeuble entier, soit six niveaux, conçu en 2004 par Rei Kawakubo, la styliste japonaise de Comme des garçons, à l'image d'un marché : ses collections y côtoient celles d'une dizaine de créateurs (Ann Demeulemeester, Dior Hommes, etc.).

Tuyaux apparents, sol en béton, échafaudages... la déco est d'avant-garde. Le streetwear voisine avec les robes les plus chics, et le vintage est mis en scène au milieu d'animaux naturalisés sous vitrine, d'amplis et de sacs de sable. Les cabines d'essayage occupent des toilettes de chantier, et les caisses, une cabane en tôle ondulée. On visite ce magasin expérimental comme un musée, et il est formellement interdit d'y prendre des photos (des fois que l'on voudrait espionner !). Au dernier étage, le café Rose Bakery invite à une pause. Une petite fringale ? Un distributeur de tee-shirts "Dover Street Market" permet de se vêtir aux couleurs de la maison moyennant 25£. *M° Green Park* 17-18 Dover St W1 Tél. 020 7518 0680 www.doverstreetmarket.com Ouvert lun.-sam. 11h-18h (19h jeu.)

B Store (plan 6) Défricheur de talents depuis 2001, le très avant-gardiste B Store a posé son sol en béton et sa déco minimaliste dans Savile Row, la rue des tailleurs pour hommes. Son concept : dénicher des vêtements de stylistes fraîchement diplômés, souvent installés à Londres, et diffuser Buddhahood, sa propre marque de chaussures qui revisite des classiques pour hommes et femmes dans des couleurs vives. Parmi les abonnés aux séries limitées du B Store : Björk et Skin de Skunk Anansie. *M° Oxford Circus* 24a Savile Row W1 Tél. 020 7734 6846 www.bstorelondon.com Ouvert lun.-ven. 10h30-18h30, sam. 10h-18h

Où se chausser chic ?

Poste Men (plan 5) Canapé en cuir bordeaux capitonné et mobilier en bois verni. Derrière ses airs classiques, Poste Men cache bien son jeu en proposant une sélection de chaussures pour hommes tout à fait

PETITE GÉOGRAPHIE
Qui, que, quoi, où ?

Destination de shopping par excellence, Londres attire les visiteurs gagnés par la fièvre acheteuse : un lèche-vitrines étourdissant de grands magasins en épiceries fines, de friperies en disquaires, des fournisseurs de la reine aux jeunes créateurs, tous concentrés dans des périmètres assez bien déterminés.

Mode

Mainstream oblige, le West End constitue l'épicentre de la mode, et ses épines dorsales, Oxford Street et Regent Street, abritent une succession d'enseignes, des grands magasins aux chaînes de prêt-à-porter internationales. Si la mode chic et glamour a plutôt élu domicile dans les beaux quartiers de l'Ouest, les jeunes créateurs, eux, distillent leur atmosphère bohème dans l'East End.

West End (cf. St. James's, Piccadilly et Mayfair, Soho, Covent Garden) La célébrissime Oxford Street est la principale artère commerçante de la capitale, avec quelque 300 boutiques de chaînes internationales et une poignée de *department stores* et autres "grands" magasins emblématiques : Selfridges, Debenhams, Marks & Spencer, Top Shop… Regent Street, l'une de ses transversales, compte également de prestigieuses et incontournables enseignes, des classiques, comme Liberty ou Burberry, au plus grand magasin de jouets du monde, Hamley's. Pour un shopping plus intime, direction Covent Garden et ses boutiques de streetwear, de chaussures et de produits de beauté naturels – les rues les plus prisées sont Floral Street, Neal Street, Monmouth Street, Earlham Street, Shorts Gardens et Neal's Yard. À Soho, les ruelles autour de Carnaby Street ont été colonisées par des enseignes branchées, des créateurs indépendants, des boutiques insolites – les jeunes créateurs sont concentrés dans Kingly Court. Le luxe n'est pas en reste, loin de là : il a ses quartiers le long de Bond Street (grands couturiers et joailliers), à Mayfair, ou dans Jermyn Street, à St. James's, en version masculine.

East End Pour une mode plus funky, faites un tour dans l'East End : le week-end, on flâne entre les étals des brocanteurs et les boutiques des créateurs qui ont envahi les rues adjacentes de Brick Lane, en particulier Cheshire Street. À voir aussi, le marché des créateurs de Spitalfields et les boutiques de Hoxton.

Knightsbridge, Chelsea, Kensington Ces quartiers bourgeois de l'Ouest londonien regorgent de maisons de prêt-à-porter glamour ! La plupart se concentrent à Knightsbridge, autour de Harrods (Brompton Rd) et de Harvey Nichols (Sloane St) et sur King's Road (Chelsea). Kensington High Street décline des boutiques branchées mais plus populaires (Urban Outfitters, Muji, etc.).

Librairies, disquaires

Les grandes librairies et les libraires spécialisés se concentrent dans la partie sud de Charing Cross Road. Autour, des bouquinistes proposent livres d'occasion ou éditions rares. Les amateurs de vieux vinyles trouveront des disquaires pointus dans Berwick Street et Hanway Street (Soho), et à Notting Hill.

Antiquaires

Ils se rassemblent principalement à Chelsea, autour du marché d'antiquaires (King's Road), à Kensington, le long de Kensington Church Street, et à Islington, autour du marché de Camden Passage (près d'Upper Street).

Marchés

Londres compte une dizaine de marchés aux puces où chiner bijoux, vêtements vintage, chaussures, luminaires, théières… Parmi les plus connus, et les plus centraux, figurent celui de Notting Hill, dont les boutiques de brocanteurs s'alignent le long de Portobello Road ; Camden Market, célèbre pour ses fripes punks et excentriques et, également très touristiques, Brick Lane, un marché aux puces haut en couleur, et Spitalfields Market, convoité pour sa mode alternative. Le marché aux fleurs de Columbia Road mérite aussi une visite pour son ambiance champêtre et ses cafés. Parmi les marchés alimentaires, citons Borough Market, où les chefs londoniens vont s'approvisionner en produits bio et fermiers, et Brixton Market, plus cosmopolite, aux influences antillaises, sans oublier le marché à la viande de Smithfield, l'un des plus vieux de Londres. Enfin, mention spéciale aux marchés de producteurs, *farmers' markets*, une quinzaine dans Londres (notamment à Marylebone) ○

SHOPPING

trendy : Paul Smith, Vivienne Westwood, Swear, Ed Hardy, Prada, mais aussi Vans, Adidas et Converse, sans oublier la marque Poste. *M° Bond Street* 10 *South Molton St W1 Tél.* 020 7499 8002 *Ouvert lun.-sam.* 10h-19h, *dim.* 11h30-18h

Rupert Sanderson (plan 8) Il a longtemps travaillé pour Sergio Rossi avant de lancer sa première collection et d'ouvrir une boutique en 2004 dans une rue reculée de Mayfair. Classiques, sexy, ses luxueuses chaussures faites main en Italie (de 280£ à 525£) ont séduit des rédactrices de mode, des actrices (Kristin Scott Thomas) et de riches Londoniennes. *M° Green Park ou Bond Street* 33 *Bruton Pl. W1 Tél.* 0870 750 9181 *www.rupertsanderson.co.uk Ouvert lun.-ven.* 10h-18h, *sam.* 11h-18h

☺ **Georgina Goodman (plan 8)** Les chaussures de cette créatrice anglaise en vogue n'ont rien d'ordinaire, puisqu'elle les réalise souvent dans une seule pièce de cuir (de 265£ à 425£). Elle n'hésite pas à mêler les matières et les styles, de l'extravagant au plus classique. Sa signature : des talons en bois clair rayé de noir, des couleurs vives et des formes sculpturales. Son unique magasin londonien est un must. *M° Bond Street* 44 *Old Bond St W1 www.georginagoodman. com Tél.* 020 7493 7673 *Ouvert lun.-mer., ven.-sam.* 10h-18h , *jeu.* 10h-19h

La mode à moindres prix

☺ **Topshop/Topman (plan 6)** À ne pas rater, même si sa taille, son atmosphère de fourmilière et son niveau sonore élevé peuvent en rebuter certains. L'astuce : s'y rendre le matin pour éviter la foule. La force de ce mégastore dévolu à la mode : s'inspirer des défilés pour sortir en un temps record des vêtements, chaussures et accessoires dernier cri, collaborer avec de jeunes stylistes, futures stars des podiums, et saupoudrer le tout de prix abordables. Mélanger avec de petits créateurs et quelques marques établies (notamment dans l'excellent rayon chaussures), ajouter un espace vintage, des conseillers en style mis gratuitement à disposition, sans omettre un café et de grands canapés près des cabines pour souffler un peu. L'immense paquebot de quatre étages est même doté d'un petit rayon bébé et maternité (Topshop Mini) pour

---

Des vitrines du luxe au siège du *Flower power*

Mayfair, le quartier le plus huppé de Londres, est le haut lieu du luxe et de l'élégance britannique, notamment sur Bond Street et Saville Row. Pour goûter pleinement à cette atmosphère, les flâneurs marqueront une pause au **Sotheby's Café** (cf. p.128), un jour de vente aux enchères. Mais en suivant **Oxford Street** et **Regent Street**, les grandes artères commerciales de la capitale, on peut aussi rejoindre, de grands magasins en enseignes internationales, le quartier de Soho : à deux pas de **Carnaby Street**, cœur vibrant des *Swinging Sixties*, le grand magasin **Liberty** (cf. p.51), célèbre pour son ambiance feutrée, sa façade néo-Tudor et ses imprimés aux petites fleurs, reste une adresse cultissime ! Vous avez dit *Flower power* ?

vous permettre de rester ultramode jusqu'à l'accouchement. Kate Moss, l'icône de mode, y a même lancé sa propre collection. Mon tout est la destination préférée des *fashion victims* des deux sexes, des célébrités (Scarlett Johansson) et de milliers d'illustres inconnus. *M° Oxford Circus 214 Oxford St et 36-38 Great Castle St W1 Tél. 020 7636 7700 www. topshop.com Ouvert lun.-sam. 9h-20h (21h jeu.)*

New Look (plan 2) Un grand escalier chromé futuriste, des vitrines en plexiglas jaune fluo... difficile de ne pas remarquer New Look. Depuis 1969, cette chaîne prouve que Londres et shopping ne riment pas toujours avec exorbitant en proposant des vêtements, accessoires (collier 5£) et chaussures (25£) tendance à des prix qui frôlent le plancher. On peut enfin sortir sa carte bleue sans culpabiliser, mais avec discernement car tout ne vaut pas le détour. *M° Marble Arch 500-502 Oxford St W1 Tél. 020 7290 7860 www.newlook. co.uk Ouvert lun.-ven. 9h-22h, sam. 9h-20h, dim. 12h-18h*

Où trouver des basiques ?

French Connection (plan 6) En se rebaptisant FCUK dans les années 1990 et avec des campagnes publicitaires assez provocantes, la chaîne anglaise s'est offert une seconde jeunesse. L'esprit des collections reste pourtant très sage. Des basiques de qualité pour hommes et femmes ; une élégance décontractée, qui flirte gentiment avec les tendances. *M° Oxford Circus 249-251 Regent St W1 Tél. 020 7493 3124 www.fcuk.com Ouvert lun.-mer. et ven.-sam. 10h-19h, jeu. 10h-20h, dim. 12h-17h30*

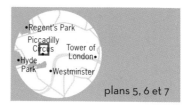

plans 5, 6 et 7

Soho

De la piétonne et très commerçante Carnaby Street au quartier des libraires de Charing Cross, l'éclectisme prime. Avec son dédale de petites rues très vivantes, Soho est aussi bien une destination de choix pour écumer les bacs des magasins de disques (sur Berwick Street), se faire une beauté bio, trouver des baskets ultracollectors ou dénicher des whiskys rares. Un must.

Department store

☺**Liberty (plan 6)** Pour son ambiance feutrée et sa déco qui évoque un vaste appartement de style plutôt qu'un grand magasin, Liberty, reconnaissable à sa façade à colombages de style Tudor, est un incontournable... Ses points forts : le vaste espace beauté et parfum (**Miller Harris**...) et la *gift room* du rez-de-chaussée, dont la collection d'objets "Liberty of London" (cahiers, sacs, etc.) a de quoi ravir. Cette grande enseigne à taille humaine, créée en 1875, a su rester très actuelle en présentant un florilège de créateurs pointus dans ses rayons homme et femme. Impossible de ne pas faire un saut au 3e étage, où l'on retrouvera les fameux tissus Liberty que les couturiers (Cacharel, Paul Smith...) s'arrachent depuis les années 1920. Best-seller, le motif Tana Lawn aux petites fleurs emblématiques, décliné en mouchoirs, pochettes et chemisiers (65£). On guette les deux collections annuelles d'imprimés tout droit sortis des ateliers, toujours dans

SHOPPING

l'air du temps. *M° Oxford Circus 210-220 Regent St W1 Tél. 020 7734 1234 www.liberty.co.uk Ouvert lun.-sam. 10h-21h, dim. 12h-18h*

So(ho) sexy !

☺ **Agent Provocateur (plan 6)** Avec ses vitrines qui mettent en scène des mannequins de cire aux poses lascives, Agent Provocateur ne passe pas inaperçu. C'est au cœur de Soho, le quartier "chaud" de Londres, que la première boutique a vu le jour en décembre 1994, provoquant... un émoi médiatique. Une quinzaine d'années donc que la marque de lingerie coquine et glamour du fils de Vivienne Westwood et de Malcolm McLaren, Joseph Corre, et de son amie Serena Rees fait frémir les femmes et... les hommes ! Il faut absolument visiter ce magasin aux airs de boudoir, dont les vendeuses en blouse rose pâle et noir et chaussures à talons hauts semblent tout droit sorties d'un calendrier de pin-up des années 1950. Soutien-gorge en dentelle rouge 130£ ; culotte

assortie 80£. So sexy ! *M° Oxford Circus ou Tottenham Court Road 6 Broadwick St W1 www.agentprovocateur.com Tél. 020 7439 0229 Ouvert lun.-mer. et ven.-sam. 11h-19h, jeu. 11h-20h, dim. 12h-17h*

Une rue qui (re)monte

Carnaby Street (plan 6) Un lifting a su redynamiser le cœur vibrant des *Swinging Sixties*. De grandes enseignes et des chaînes comme **American Apparel**, **Muji**, **Vans** et **Puma** se sont installées dans cette rue piétonne souvent bondée, rendez-vous des "shoppeurs" en série plutôt jeunes. Le pape des Mods, **Ben Sherman**, qui régnait sur Carnaby en 1968, y a même ouvert en 2003 un concept store de 1 000m² où l'on trouve ses collections inspirées du rock pour homme, femme et enfant. Étape obligée des *trendy people* : **Swear**, dont les chaussures (env. 80£) font fureur. Les fanas de montres courront chez **Storm**, Londonien connu pour ses modèles en acier et en verre coloré. *M° Oxford*

Accessoires de mode

Chapeaux, chaussures, sacs, bijoux, petits prix ou modèles exclusifs, que vous soyez classique ou excentrique, osez la *final touch* !

Chaussures

Bijoux, sacs, chapeaux...

Circus www.carnaby.co.uk *(site localisant toutes les enseignes) Boutiques ouvertes en général lun.-sam. 11h-19h, dim. 13h-18h* **American Apparel** *n°3-4 www.americanapparelstore.com Tél. 020 7734 4477* **Muji** *n°41 Tél. 020 7287 7323 www.muji.co.uk* **Vans** *n°47 Tél. 020 7287 9235 www.vans.eu* **Puma** *n°51-55 Tél. 020 7439 0221 www.puma. co.uk* **Ben Sherman** *n°50 Tél. 020 7437 2031 www.bensherman.co.uk* **Swear** *n°22 Tél. 020 7734 1690 www. swear-london.com* **Storm** *n°21 Tél. 020 7437 1882 www.stormwatches.com*

Kingly Court (plan 6) Les amateurs de vintage (**Marshmallow Mountain**, **Twinkled**...) et de petites enseignes *arty* apprécieront cette galerie commerciale déployée sur 3 niveaux, entre Ganton St et Beak St. Mention spéciale à **Lazy Oaf** et à ses tee-shirts, sweats et accessoires colorés, aux imprimés très graphiques et décalés. Paradis des petits, **Carry Me Home** regorge de vêtements craquants pour bébés. *M° Oxford Circus* W1 **Marshmallow Mountain** *Tél. 020 7434 9498 www.marshmallowmountain.com* **Twinkled** *Tél. 020 7734 1978 www.twinkled.net* **Lazy Oaf** *Tél. 020 7287 2060 www.lazyoaf.co.uk* **Carry Me Home** *Tél. 020 7434 1840 www. carrymehome.co.uk*

☺ **Office** (plan 6) Un lieu bien connu des *fashion victims* des deux sexes, qui y trouvent des chaussures inspirées des derniers défilés. C'est la force de cette chaîne d'être à l'affût des tendances, tout en restant abordable (de 25£ à 90£). Idéal quand on n'a pas de quoi s'offrir une paire griffée. Les collections maison (homme au sous-sol) côtoient des créations de marque (Converse, Kickers, Firetrap...). Un must ! N'hésitez pas à faire un tour chez Shelly's (mixte) et Faith (uniquement féminin), deux autres chaînes

Disquaires

Rock, pop, soul, jazz, hip-hop... des dizaines de bacs de vinyles et de CD à écumer, avis aux collectionneurs !

qui peuvent réserver de bonnes surprises... à petits prix. *M° Oxford Circus 16 Carnaby St W1 Tél. 020 7434 2530 www.office.co.uk Ouvert lun.-ven. 10h-20h, sam. 10h-19h30, dim. 11h30-18h* **Shelly's** *159 Oxford St* **Faith** *334 Oxford St*

Size ? (plan 6) Certes commerciale, la chaîne demeure un incontournable pour tout fana de baskets qui se respecte. L'embarras du choix pour les deux sexes, des marques pointues, vêtements, le tout sans chichis... Tous les ingrédients pour faire chauffer sa carte bleue ! *M° Oxford Circus 33-34 Carnaby St Tél. 020 7287 4016 www. size-online.co.uk Ouvert lun.-sam. 10h-19h30, dim. 12h-18h*

En direct des "States"

☺ **Urban Outfitters** (plan 6) Pas une grande ville des États-Unis sans son Urban Outfitters ! Cette chaîne américaine de vêtements et d'accessoires *fashion* et d'objets déco parfois kitsch, qui fait des ravages chez les 15-30 ans, s'est exportée en Europe en 1998, mais seulement sur le sol britannique (dans cette boutique, aussi, des créateurs de mode à l'envergure internatio-

SHOPPING

À chacun son marché

Tachbrook Street Market (plan 9, C2) Petit marché aux fruits, légumes et vêtements. *Pimlico* M° *Pimlico Lun.-sam. matin dans Tachbrook Street*

St. James's Church Market (plan 8, C1) Marché d'antiquités et d'artisanat. *St. James's* M° *Piccadilly Circus Mar. (antiquités) 8h-18h et mer.-sam. (artisanat) 10h-18h*

Berwick Street Market (plan 5, C2-C3 et plan 6, B1-B2) Un marché coloré, en plein Soho : fruits, légumes, quelques stands de vêtements et de quincaillerie. *Soho* M° *Oxford Circus ou Tottenham Court Road Lun.-sam. 9h-17h dans Berwick St*

Jubilee Market Hall (plan 11, A3) Marché touristique (tee-shirts, souvenirs, bijoux, thés, tatouages au henné, etc.) en alternance avec une brocante et une petite foire artisanale. *Covent Garden* M° *Covent Garden 1 Tavistock Court WC2 Tél. 020 7836 2139 www.jubileemarket.com Ouvert tlj. 10h-17h (lun. puces, sam.-dim. artisanat*

Marylebone Farmers' Market (plan 5, A2) C'est le plus grand marché de producteurs de Londres. Des fromages aux volailles, du cidre aux salades, tous les produits du terroir, bio pour certains, la qualité et la saisonnalité en prime. *Marylebone* M° *Baker Street ou Bond Street Dim. 10h-14h dans Cramer St*

Islington Farmers' Market (plan 10, C1) Marché de producteurs : fruits et légumes de saison, laitages, viande, pain, miel, confitures, etc., de qualité. *Islington* M° *Highbury Dim. 10h-14h à Richmond Grove (près de la William Tyndale School), Islington*

Chapel Market (plan 10, B1) Particulièrement vivant le week-end, ce marché est l'un des plus pittoresques de Londres, avec ses étals colorés – fruits et légumes, charcuterie, viandes et poisson frais , ses marchands de vêtements, de CD et d'articles de quincaillerie bon marché. On y trouve aussi l'un des derniers vendeurs de pie & mash (tourte à la viande et purée, une spécialité cockney) de la capitale. *Islington* M° *Angel Mar.-mer., ven.-sam. 9h-15h30, jeu. et dim. 9h-13h dans Chapel Street, à Islington*

☺ **Spitalfields Market (plan 13, B3)** Une myriade d'étals avec fripes, bijoux, CD et alimentation sous une halle victorienne. *East End* M° *Liverpool Street Jeu.-ven. 10h-16h, dim. 9h-17h*

Petticoat Lane Market (plan 13, B3) Marché aux puces fort animé le dimanche. *East End* M° *Liverpool Street Lun.-ven. 9h-14h, dim. 9h-14h dans Middlesex Street*

Brick Lane Market (plan 13, B2) Marché classique et puces, en haut de Brick Lane. Bohème et cosmopolite. *East End* M° *Liverpool Street Dim. 5h-14h*

☺ **Sunday (Up) Market (plan 13, B2)** Marché aux créateurs dans un entrepôt désaffecté de l'Old Truman Brewery. Vêtements, fripes, bijoux et CD à petits prix. *(cf. p.73) East End* M° *Liverpool Street Dim. 10h-17h à l'angle de Brick Lane et de Hanbury St Tél. 020 7770 6100 www.sundayupmarket.co.uk*

☺ **Columbia Road Flower Market (plan 13, B1)** Marché aux fleurs *(cf. p.76)*. *East End* M° Old Street *(puis bus 55)* ou M° Liverpool Street *(puis bus 26 ou 48)* Dim. 8h-14h sur Columbia Road

Hoxton Street Market (plan 13, B1) Petit marché. *East End* Lun.-sam. 7h30-18h M° Old Street

Brixton Markets Explosion de boubous africains et de fruits exotiques. L'artère qui ceinture le marché, Electric Avenue, offre un visage suggestif avec ses vieilles maisons de brique et ses arcades de chemin de fer. *Brixton* M° Brixton Electric Avenue www.brixtonmarket.net/ *Marché de rue* Tlj. sauf le dim. 8h-18h, jusqu'à 15h le mer. *Marché couvert Sous les arcades* Lun.-sam. 10h-18h *Farmers' Market Brixton Station Road* Dim. 10h-15h

☺ **Borough Market (plan 14, A2)** L'un des marchés les plus en vogue de la capitale ! *(cf. p.78) Southwark* M° London Bridge Tél. 020 7407 1002 Jeu. 11h 17h, ven. 12h-18h, sam. 9h-16h

Berdmonsey (New Caledonian) Market (plan 14, B3) Marché aux puces. *Southwark* M° Borough À l'angle de Tower Bridge Rd et de Berdmonsey St Ven. 4h-14h

Portobello Market (plan 2, A2) Marché alimentaire en semaine et marché aux antiquités le samedi. *Notting Hill* M° Ladbroke Grove Lun.-sam. 8h-18h30 *(jusqu'à 13h le jeudi)* sur Portobello Rd

Notting Hill Farmers' Market (plan 2, A3-B3) L'un des plus grands marchés de producteurs de la capitale : fruits et légumes de saison, laitages, œufs, viande, pain, pâtisseries, miel, confitures, etc., de qualité. *Notting Hill* M° Notting Hill Gate Sam. 9h-13h sur le parking qui s'étend derrière le magasin Water-stones, accès par Kensington Church Street puis Kensington Place

Shepherd's Bush Market (plan 2, A3) Le marché le plus coloré de l'Ouest londonien. Beaucoup de produits alimentaires exotiques (poisson, légumes, épices, notamment), mais aussi de l'électronique, des CD et des DVD, des jouets, des ustensiles et produits ménagers bon marché, de l'artisanat (pipes à eau, tapis...), de la lingerie, des saris, des cotonnades égyptiennes, etc. Shepherd's Bush *Notting Hill* M° Shepherd's Bush ou Goldhawk Road Mar., mer., ven. et sam. 8h30-18h, jeu. 8h30-13h le long du viaduc, entre Uxbridge Rd et Goldhawk Rd

Camden Markets (plan 4, B1) Les marchés de Camden sont devenus l'une des grandes attractions touristiques de Londres, surtout le week-end (cf. Camden Lock Market, Canal Market, Stables Market, Camden High Street, étals de Buck Street et d'Inverness Street *p.84*). *Camden* M° Camden Town Tlj. 10h-18h dans Camden High St et Chalk Farm Rd NW1 www.camdenlock.net

nale, comme Anna Sui, H. Chayalan, Manoush, Vanessa Bruno Athé). Une bonne nouvelle pour les aficionados, déjà convertis à New York, Seattle ou San Francisco. Même les profanes risquent d'y laisser quelques livres sterling. Le plus : le coin soldes à l'étage où l'on peut dégoter de bonnes affaires en fouillant un peu. *M° Oxford Circus 200 Oxford St W1 Tél. 020 7907 0815 www.urbanoutfitters.co.uk Ouvert lun.-sam. 10h-20h (21h jeu.), dim. 12h-18h*

Où s'initier au streetwear de luxe ?

A Bathing Ape "Busy Work Shop" (plan 6) Attention, collectors ! Le "singe qui se baigne" que dissimule la sobre devanture noire attire des connaisseurs de streetwear du monde entier. C'est là l'unique boutique européenne de A Bathing Ape, marque culte créée par le rappeur, DJ et styliste japonais Nigo et portée par des stars de la scène hip-hop ou Rn'B comme Pharrell Williams ! Difficile de résister aux sweat-shirts réalisés en association avec Kaws, célèbre artiste de la scène graffiti new-yorkaise (120£) et aux tee-shirts en série limitée (à partir de 50£). Les accros de "Bape" y trouvent aussi des accessoires (serviette de toilette 30£) et savent que les arrivages sont permanents. Exclusif. *M° Oxford Circus ou Piccadilly Circus 4 Upper James St Tél. 020 7494 4924 www.bape.com Ouvert lun.-ven. 11h-19h, sam. 11h-18h30*

Bijoux et accessoires de créateurs

Newburgh Street (plan 5) Au n°2, la boutique-galerie Beyond the Valley propose une belle sélection d'objets et de vêtements de jeunes designers londoniens. *M° Oxford Circus* **Beyond the Valley** *Tél. 020 7437 7338 www.beyondthevalley.com Ouvert lun.-sam. 11h30-18h30, dim. 12h30-17h*

☺ **Tatty Devine (plan 6)** Un pendentif en forme de chips, un bracelet montre en tricot, des minidisques vinyles ou des médiators en guise de boucles d'oreilles... bienvenue dans l'univers enfantin, pop et déjanté des deux jeunes Londoniennes de Tatty Devine. Un panneau en bois installé sur le trottoir signale leur échoppe girly cachée dans une cour. Entre les broches hirondelles et les boucles d'oreilles ailes d'anges en plexiglas (25£), notre cœur balance. Également des objets d'artistes amis du duo (Chicks on Speed...). Björk est une fidèle. *M° Piccadilly Circus 57B Brewer St W1 Tél. 020 7434 2257 www.tattydevine.com Ouvert lun.-sam. 11h-19h, dim. 12h-17h*

Où dégoter CD et vinyles collectors ?

Berwick Street (plan 6) On peut facilement passer des heures à fouiller dans les bacs des magasins de cette petite rue pour y dénicher la perle rare, même si les disquaires viennent

Swinging Sixties

Le cœur vibrant des *Swinging Sixties*, Carnaby Street, est reparti comme en... 60 depuis son récent lifting et l'installation successive de nouvelles boutiques de mode, de concept stores et autres bars branchés... Les lampes rouges de Brewer Street et les fameux disquaires de Berwick Street (cf. ci-dessus) sont à un jet de vinyl, et bien que les parages du West End soient devenus très (trop ?) touristiques, on y trouve encore des adresses authentiques...

à disparaître les uns après les autres... Ainsi, l'institution Reckless a fermé ses portes. Si son fonds a été repris par **Revival Records**, l'esprit n'est plus tout à fait le même... Spécialisée dans l'*alternative music*, la boutique **Sister Ray**, dont les murs noirs sont égayés par les notes de couleur de tee-shirts de groupes, propose une large sélection de CD et de vinyles, du rock à la techno, et des fanzines. Enfin, les DJ et mordus de funk, de disco et de house feront un saut chez **Vinyl Junkies**. *M° Oxford Circus* **Revival Records** *30 Berwick St W1 Tél. 020 7437 4271 www.revivalrecords.co.uk Ouvert lun.-sam. 10h-19h* **Sister Ray** *n°34-35 Tél. 020 7734 3297 www.sisterray.co.uk Ouvert lun.-sam. 9h30 20h, dim. 12h-18h* **Vinyl Junkies** *n°94 Tél. 020 7439 2923 www.vinyl-junkies.com Ouvert lun.-sam. 11h-19h30, dim. 12h-18h*

Sounds of the Universe (plan 6)

Cet agréable magasin de disques aux grandes baies vitrées a la particularité d'appartenir à Soul Jazz Records, un label connu pour ses excellentes compilations de rock steady, de reggae et de musique old school. Peu surprenant donc que Sounds of the Universe dispose d'un vaste rayon (vinyles et CD) soul, reggae, funk, jazz, disco, latino et hip-hop, mais aussi rock indé et electro. Les fans de Soul Jazz en profiteront pour rapporter un tee-shirt ou un sac de DJ (15£) à l'effigie du label. Le plus : les raretés au sous-sol et surtout le bac à soldes. *M° Tottenham Court Road 7 Broadwick St W1F Tél. 020 7734 3430 www.soundsoftheuniverse.com Ouvert lun.-sam. 11h-19h30*

Où trouver revues, illustrations et livres anciens ?

Foyles (plan 7) Cette librairie tenue par la même famille depuis plus d'un siècle est une institution londonienne. En 2002, la vieille dame s'est offert une cure de jouvence en accueillant dans ses murs le mythique disquaire **Ray's Jazz**. Ce dernier, spécialisé dans le jazz et la world music, a installé ses bacs au 1er étage dans un café de style new-yorkais, où musique et arabica font très bon ménage. Dotée d'un vaste rayon de partitions (de Bach aux Beatles et à... Arctic Monkeys), Foyles est aussi un eldorado pour les musiciens. Seul bémol, l'absence d'Escalators qui oblige à se tasser dans l'un des rares ascenseurs ou... à gravir les cinq étages à pied. *M° Tottenham Court Road 113-119 Charing Cross Rd WC2 Tél. 020 7437 5660 www.foyles.co.uk Ouvert lun.-sam. 9h30-21h, dim. 12h-18h, j. fér. 11h-20h*

Cecil Court (plan 7) Les bibliophiles connaissent bien cette petite rue piétonne perpendiculaire à Charing Cross, et son alignement de boutiques victoriennes aux devantures vert foncé. Sa vingtaine de libraires spécialisés dans les livres anciens attire les amateurs de théâtre (**David Drummond**, au n°11), de musique (**Travis & Emery**, au n°17), d'art et de contre-culture (**Red Snapper**, au n°22), de littérature enfantine (**Marchpane**, au n°16), d'illustrations anciennes et d'éditions rares (**Nigel Williams Rare Books**, au n°25 :

Soldes

Les soldes d'hiver, *January sales*, ont lieu du 27 ou 28 déc. à fin	janvier ; celles d'été, *Summer sales*, de fin juin à fin juillet environ.

SHOPPING

Mode

Avec ses boutiques pointues ou plus tendance, des plus basiques aux plus chics, Londres est bien la capitale de la mode.

1re édition de *Charlie et la chocolaterie* de 1967 à 775£). Les flâneurs y dénicheront aussi de vieilles cartes postales, des épreuves originales de *Winnie l'Ourson* de 1926 et des bouquins à petit prix. M° *Leicester Square* WC2 www.cecilcourt.co.uk

David Drummond at Pleasures of Past Times Tél. 020 7836 1142 Ouvert lun.-ven. 11h-14h30 et 15h30-17h45, 1er sam. du mois 11h-14h30 et sur rdv

Travis & Emery Music Bookshop Tél. 020 7240 2129 Ouvert lun.-sam. 10h15-18h45, dim. 11h30-16h30

Red Snapper Books Tél. 020 7240 2075 Ouvert lun.-sam. 10h30-18h

Marchpane Tél. 020 7836 8661 www. marchpane.com Ouvert lun.-sam. 11h 18h **Nigel Williams Rare Books** Tél. 020 7836 7757 www.nigelwilliams. com Ouvert lun.-sam. 10h-18h

Vintage Magazine Store (plan 6) Immanquable avec sa devanture rouge, ce temple de la pop culture fourmille de gadgets (*mugs* Beatles, aimants Sex Pistols...), posters, cartes postales et tee-shirts à l'effigie de stars du cinéma, de la TV et du rock. Mais c'est au sous-sol que se cachent ses trésors : plus de 250 000 magazines du XXe siècle archivés et classés par décennies. De quoi surprendre un ami avec un *Vogue*, un *Melody Maker* ou un *Playboy* de l'année de sa naissance. Une mine d'or ! M° *Piccadilly Circus* 39-43 Brewer St W1 Tél. 020 7439 8525 www.vinmag.com Ouvert lun.-jeu. 10h-20h, ven.-sam. 10h-22h, dim. 12h-20h

Pour les grands enfants

Playlounge (plan 6) Kubrick, Bearbrick, Dunny, cela vous dit quelque chose ? Oui, alors filez chez ce spécialiste des *designer's toys*, ces figurines réalisées par des artistes du graffiti et de l'illustration (James Jarvis, Pete Fowler...), que les grands enfants s'arrachent et

collectionnent. Sinon, découvrez cette boutique ludique et ses tee-shirts, gadgets et livres pour les 7 à 77 ans, nichés dans des alvéoles murales en plastique orange et vert fluo. M° *Oxford Circus* 19 Beak St W1 Tél. 020 7287 7073 www. playlounge.co.uk Ouvert lun.-sam. 10h30-19h, dim. 12h-17h

Bio is biotiful

☺**Fresh & Wild (plan 6)** En moins de dix ans, Fresh & Wild est devenue l'enseigne de produits bio et naturels la plus importante de Grande-Bretagne, et elle possède désormais cinq magasins à Londres. On déjeune sur le pouce au rayon traiteur, dont la profusion de salades, de plats chauds et de desserts savoureux fait saliver. On s'y fournit en aliments frais et produits secs, sans oublier le délicieux chai (thé indien en sachet, 1,99£ la boîte). Puis on se chouchoute dans le vaste rayon de cosmétiques bio du monde entier : marques néozélandaise (Living Nature), américaine (Jason), australiennes (A'kin, Jurilique), anglaise (Ren)... Le plus californien des magasins britanniques. M° *Piccadilly Circus* 69-75 Brewer St W1 Tél. 020 7434 3179 www.wholefoodsmarket.com Ouvert lun.-ven. 7h30-21h, sam. 9h-20h, dim. 11h30-18h30

Où découvrir un nouveau pur malt ?

The Vintage House (plan 5) Plus de 1 400 whiskys, dont certains conservés sous clé, comme ce cru de 1926 à 20 000£ ! Des dizaines de bouteilles de vin du monde entier (Grange australien), autant de bières et une cave à cigares cubains... C'est tout le bien que vous réserve cette célèbre maison familiale plantée au cœur de Soho depuis 1946. En quête d'un pur malt rare ? Les étagères de la Vintage House devraient recéler votre

SHOPPING

trésor. Le best-seller : The Macallan 10 (24,60£). *Mᵒ Tottenham Court Road ou Piccadilly Circus 42 Old Compton St W1 Tél. 020 7437 2592 www.vintage-house.co.uk Ouvert lun.-ven. 9h-23h, sam. 9h30-23h, dim. 12h-22h*

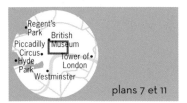

plans 7 et 11

Covent Garden et Holborn

Destination shopping privilégiée des Londoniens, Covent Garden devient le week-end une véritable fourmilière. Autour de Seven Dials, haut lieu du streetwear, la mode jeune et urbaine côtoie des boutiques de créateurs tendance. Près de Covent Garden Market, la diversité des enseignes attire toutes les générations et tous les budgets. Quelques adresses, près du British Museum, à Bloomsbury, et dans Holborn, à l'est, valent le détour.

Les hauts lieux du streetwear

Seven Dials (plan 7) Un cadran solaire érigé à la croisée de sept rues pavées. Bienvenue à Seven Dials, épicentre du shopping branché et streetwear de Londres. Les fanas ne sauront plus où donner de la tête entre **Boxfresh**, bien établi et **Fenchurch**, dont les lignes abordables sont inspirées de l'univers du skate et de l'art urbain. Plus classique, **Fred Perry**, célèbre pour ses polos de tennis, a su dépoussiérer son image en s'associant à des stylistes pointus : Comme des garçons, Jessica

Ogden. Les connaisseurs feront un saut chez Stüssy, marque californienne culte depuis 1980, pour y dénicher des tee-shirts collectors, sans manquer la vaste boutique **Carhartt**, juste à côté. On poursuit son marathon au **Thomas Neals Centre**, galerie commerciale nichée entre Earlham Street et Short Gardens. Au sous-sol, jetez un coup d'œil aux basiques d'inspiration vintage californien de **Superdry**. Devant le **Caffè Nero**, un plan coloré détaille la cinquantaine d'enseignes du quartier. *Mᵒ Covent Garden ou Leicester Square WC2 www.sevendials.co.uk* **Boxfresh** *13 Shorts Gardens Tél. 020 7240 4742 www.boxfresh.com Ouvert lun.-mer. et ven.-sam. 10h-18h30, jeu. 10h-19h, dim. 12h-18h* **Fenchurch** *36 Earlham St Tél. 020 7240 1880 www. fenchurch.com Ouvert lun.-sam. 10h-19h, dim. 12h-18h* **Fred Perry** *7 Thomas Neals Centrex@ Tél. 0207 836 4513 www.fredperry.com Ouvert lun.-sam. 10h30-19h, dim. 12h-18h* **Stüssy** *19 Earlham St Tél. 020 7836 9418 www. stussystore.co.uk Ouvert lun.-sam. 11h-19h, dim. 13h-17h30* **Carhartt** *5-17 Earlham St WC2 Tél. 020 7836 1551 www.carhartt-europe.com Ouvert lun.-sam. 11h-19h, dim. 12h-18h* **Thomas Neals Centre** *Tél. 020 7240 4741 Ouvert lun.-sam. 10h-19h, dim. 12h-18h*

Aux petits soins

Des cosmétiques bio aux parfums de jardins anglais à humer chez les fournisseurs de la reine, la nature fait de vous une belle plante !

Superdry *Tél. 020 7240 9437 www. superdry.co.uk Ouvert lun.-sam. 10h- 19h, dim. 12h-18h* **Caffè Nero** *30 Monmouth St Tél. 020 7240 8918 http:// caffenero.com Ouvert lun.-ven. 7h-19h30, sam. 8h-21h30, dim. 10h-20h*

☺ **Maharishi (plan 7)** Passerelle en verre de 6m de long, mobilier en bambou, brique, béton et tuyaux apparents, cette boutique conçue en 2001 par l'architecte François Scali et Hardy Blechman, fondateur de Maharishi, mérite le détour. Combinaison de deux mots sanskrits signifiant "grand" et "visionnaire", Maharishi est devenue en moins de dix ans une marque culte de streetwear haut de gamme. Célèbre pour ses pantalons brodés (180£) largement imités, ses déclinaisons colorées du motif camouflage – la collection 2008 s'inspirait directement de tableaux d'Andy Warhol –, elle propose une vaste collection de vêtements aux coupes impeccables répartie dans trois espaces consacrés à la femme, à l'enfant et à l'homme. Les amateurs de culture urbaine seront comblés par ce temple branché doté d'une galerie où des œuvres d'artistes du graffiti côtoient des *toys* japonais collectors et des livres à consulter librement. *Mº **Covent Garden** 19 Floral St WC2 Tél. 020 7836 3860 www.emaharishi. com Ouvert lun.-sam. 10h-19h, dim. 12h-17h*

Slam City Skates (plan 7) Façade taggée, stickers sur la porte et logo noir et blanc en vitrine... difficile de rater le plus ancien *skate-shop* de Londres en activité, établi depuis plus de vingt ans sur la charmante placette de Neal's Yard. Une destination culte pour les skaters : un bon choix de planches, de sacs, de chaussures et de vêtements anglais (Blueprint, Landscape, Heroin) et étrangers (Chocolate, Volcom). Le must, repartir avec un tee-shirt à l'effigie du magasin (24,95£). *Top credibility !* *Mº **Covent Garden** 16 Neal's Yard WC2 Tél. 020 7240 0928 www. slamcity.com Ouvert lun.-sam. 11h-19h, dim. 12h-17h*

Du côté des créateurs

Koh Samui (plan 7) Une boutique fétiche des *famous people* (Gwyneth Paltrow, Beyoncé, Uma Thurman, etc.), qui vont y dénicher la perle rare... à VIPrix. Depuis 1994, Koh Samui sélectionne des vêtements et des accessoires de grands noms de la mode (Marc Jacobs, Chloé...) et de jeunes talents (Victim, Ada, Misconception...), et les mêle à des pièces vintage. Dans ce vaste espace blanc aux allures de concept store, tout est classé par couleurs, et les bijoux sont exposés dans de grandes vitrines. Une adresse exclusive à réserver aux soldes. *Mº **Covent Garden** 65-67 Monmouth St WC2 Tél. 020 7240 4280 www. kohsamui.co.uk Ouvert lun.-mer. et ven.-sam. 10h30-18h30, jeu. 10h30-19h, dim. 12h-17h30*

Orla Kiely (plan 7) Pas une journée sans qu'on ne croise une Londonienne avec un sac Orla Kiely au

SHOPPING

Shopping pointu

Pour le lèche-vitrines, filez du côté de Floral Street, Long Acre, Neal Street, et dans les rues voisines, royaume des "shoppeuses" averties. Des boutiques insolites et des show-rooms de créateurs se cachent autour de Seven Dials, Monmouth Street et Earlham Street. Cf. pp.60-63.

bras. Repérables à leurs vibrants et simplissimes imprimés géométriques (tulipes, poires, feuilles, etc.) sur toile enduite, ces accessoires connaissent un succès phénoménal... d'autant qu'ils sont imperméables (porte-monnaie en toile cirée à partir de 50£, sacs de 110£ à 500£). En quelques années, la créatrice irlandaise a imposé sa signature et bâti un petit empire qui s'étend jusqu'au Japon. Et elle ne s'arrête pas là, puisqu'elle a conçu une ligne de vêtements, inspirée des années 1950 et s'est lancée dans le mobilier. M° **Covent Garden** 31 Monmouth St WC2 Tél. 020 7240 4022 www.orlakiely.com Ouvert lun.-sam. 10h-18h30, dim. 12h-17h

Où se chausser ?

Poste Mistress (plan 7) Devanture rose bonbon et or, vitrine à l'ancienne encadrée par de lourdes tentures et lustres de cristal, bienvenue dans le boudoir de Poste Mistress. Cette maîtresse a une spécialité : les chaussures signées (Vivienne Westwood, Alexander McQueen, Miu Miu, Driss van Noten, Sonia Rykiel, Armani...). Elle édite aussi sa propre collection d'inspiration rétro, " Poste Mistress" (escarpins de 70£ à 130£). Cette enseigne qui appartient au groupe Office n'a qu'une idée : se démarquer des chaînes en proposant une sélection "moyen haut de gamme" dans une atmosphère soignée et personnelle. Pari gagné. M° **Covent Garden** 61-63 Monmouth St WC2 Tél. 020 7379 4040 Ouvert lun.-mer. et ven.-sam. 10h-19h, jeu. 10h-20h, dim. 11h30-18h

Old Curiosity Shop (plan 11) Coincée entre deux immeubles, cette bicoque basse au toit de tuile et à la façade blanc et vert fut immortalisée par Dickens dans Le Magasin de curiosités. Poussé la porte de guingois, on se retrouve dans la plus vieille échoppe de Londres. Là, les curieuses chaussures d'avant-garde (certaines en 2D à monter) dessinées par le Japonais Daiko Kamura dénotent avec les murs de 1567. Le best-seller : la Hogtoe à bout carré (250£). Également de belles paires signées George Cox, connu pour ses Creepers, des bijoux et des sacs maison. Et un coup de cœur pour les derbys ultrapointus dorés, violets ou noirs, très rock'n'roll (100£). Une boutique insolite qui a aussi bien séduit Bono et Boy George que Chrissie Hynde des Pretenders. M° **Holborn** 13-14 Portsmouth St WC2 Tél. 020 7405 9891 Ouvert lun.-sam. 11h-19h

Pour les (grands) enfants

Benjamin Pollock's Toyshop (plan 11) Nichée au 1er étage de Covent Garden Market et repérable aux Arlequin et Colombine peints sur sa devanture rouge, cette boutique exiguë a des airs de maison de poupée. Royaume des théâtres miniatures en carton (reproduction de la Comédie-Française 16,95£), des poupées à découper et à habiller, des pantins, des boîtes à musique (4£) et autres jouets anciens, Benjamin Pollock's ravit petits et grands enfants. M° **Covent Garden** 44 The Market Covent Garden WC2 Tél. 020 7379 7866 www.pollocks-coventgarden.co.uk Ouvert lun.-sam. 10h30-18h, dim. 11h-16h

Sexy shop

Coco de Mer (plan 7) Une surprenante boutique dédiée à l'érotisme. Dans une ambiance tamisée qui évoque un boudoir de la Belle Époque, livres et œuvres d'art côtoient innocemment lingerie fine, sex toys et accessoires coquins, invitant à des jeux de l'amour élaborés (huile de massage comestible 15£). Ce concept store a été ouvert en 2003 par Sam Roddick. La fille de la fondatrice de Body Shop tenait à créer un lieu agréable, hédoniste, mais sans vulgarité. Mission accomplie. Clou de la visite, les cabines d'essayage interactives qui ne manquent pas d'humour ! Dans la première, on peut se prendre en photo dans des tenues extravagantes et envoyer le cliché à ses intimes par mail, dans l'autre... une surprise ravira les voyeurs ! M° **Covent Garden** 23 Monmouth St WC2 Tél. 020 7836 8882 www.coco-de-mer.co.uk Ouvert lun.-mer. et ven.-sam. 11h-19h, jeu. 11h-20h, dim. 12h-18h

BD, comics, mangas et figurines

Forbidden Planet Megastore (plan 7) Les figurines, jouets, tee-shirts, posters, cartes à échanger, livres, BD, magazines, DVD de cette planète-là sortent tous d'un film (Star Wars, Dr Who, Batman...), d'une série TV (Lost, Star Trek), d'un dessin animé (Les Simpson), d'un jeu vidéo ou ont un lien avec le fantastique et la SF. Dans ce mega-store qui prétend être le plus grand du genre au monde, on trouve aussi des personnages collectors grandeur nature (Hellboy) et nombre d'éditions limitées. De quoi rendre fou le plus raisonnable des collectionneurs. M° **Tottenham Court Road** 179 Shaftesbury Ave. WC2 Tél. 020 7420 3666 www.forbiddenplanet.com Ouvert lun.-mer. 10h-19h, jeu.-sam. 10h-20h, dim. 12h-18h

Où trouver des cosmétiques naturels ?

☺ **Neal's Yard Remedies (plan 7)** Des effluves d'huiles essentielles, une minitisane offerte sur les lieux, Neal's Yard est un havre où il fait bon fureter. Ici tout n'est que plantes, aromathérapie et herbes médicinales (300 variétés). Signe distinctif : les jolies fioles bleues aux étiquettes colorées qui accueillent depuis 1981 les élixirs maison pour la peau, entièrement naturels. Produit phare : "Frankincense", une crème hydratante aux vertus anti-âge (12£). M° **Covent Garden** 15 Neal's Yard WC2 Tél. 020 7379 7222 www.nealsyardremedies.com Ouvert lun.-ven. 10h30-19h, sam. 10h-19h, dim. 11h30-18h

Si c'est votre cup of tea...

Whittard, Tea House, Twining and Co (plans 7, 11) On parachève son shopping à Londres en achetant du thé, la boisson nationale. Établi à la même adresse depuis 1717, R. Twining & Co accueille ses clients dans un magasin musée tout en longueur où trônent des portraits de famille, et au fond duquel des vitrines retracent l'histoire de cette maison tricentenaire qui fournit la reine. On y trouve toute la gamme de la marque, thés classiques ou spéciaux, en sachet ou

SHOPPING

La chambre forte des *dealers*

Un drôle de dédale de boutiques cachées et gardées comme la salle des coffres d'une banque. Au 2e sous-sol, derrière les portes blindées numérotées, une trentaine d'antiquaires vendent les objets les plus divers, en argent. De l'échoppe qui évoque un vieux grenier où l'on dénichera une breloque à 8£, au magasin rutilant où une soupière huguenote en forme de tortue peut valoir un million de livres, le choix est vaste. Un must pour les collectionneurs ! **London Silver Vaults (plan 11)** M° **Chancery Lane** Chancery House 53-64 Chancery Lane WC2 www.thesilvervaults.com Tél. 020 7242 3844 Ouvert lun.-ven. 9h30-17h30, sam. 9h-13h en vrac, et des tisanes. Autre incontournable, la chaîne Whittard (fondée en 1886) présente sa vaste sélection dans des emballages attrayants et a eu l'idée de créer un bar à thé où l'on peut composer soi-même son mélange – 5£ les 100g. Certains préféreront l'ambiance asiatique de la Tea House, toute carrelée de rouge où, depuis 1982, on déniche autant de théières et d'accessoires différents que de variétés à infuser – English Breakfast : 2£ les 125g. **Twining and Co** M° *Temple* 216 Strand WC2 Tél. 020 7353 3511 www.twinings.co.uk Ouvert lun.-ven. 9h-17h, sam. 10h-16h **Whittard** M° *Covent Garden* 38 Covent Garden Market WC2 Tél. 020 7836 7681 www. whittard.co.uk Ouvert tlj. 10h-20h **Tea House** M° *Covent Garden* 15A Neal St WC2 Tél. 020 7240 7539 Ouvert lun.-sam. 10h-19h, dim. 11h-18h

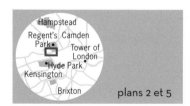

plans 2 et 5

Marylebone

Depuis quelques années, ce quartier qui, tel un petit village, offre une pause relaxante à l'écart d'Oxford Street, a le vent bobo en poupe. Autour de Marylebone High Street, des créateurs tendance semblent s'être donné le mot pour ouvrir boutique.

Shopping tendance

Kabiri (plan 5) Murs gris et meubles noir brillant, cette boutique design a des airs de galerie et fait la part belle aux créateurs de bijoux du monde entier depuis 2004. Broche triangu-

laire en bois de noyer de Johanne Mills (96£), bracelet incrusté de clous en diamant d'Alexis Bittar (155£), boucles d'oreilles géométriques de Scott Stephen (210£), pendentif en fleur de la designer Fenton (415£), collier – réplique exacte d'une orchidée – d'Elizabeth Galton (740£)... Très pointue, la jeune enseigne est fréquemment sollicitée par des magazines de mode. Parmi ses célèbres clientes : Keira Knightley et Alison Goldfrapp. M° *Baker Street* 37 Marylebone High St W1 Tél. 020 7224 1808 www.kabiri.co.uk Ouvert lun.-sam. 10h-18h30, dim. 12h-17h

Saltwater (plan 5) Des imprimés pétillants et colorés, des coupes simples légèrement rétro qui évoquent les années 1950. La Galloise Laura Watson, styliste de Saltwater, égaie la garde-robe des Londoniennes tendance dans cette agréable boutique très claire où l'on trouve vêtements (robe verte imprimée d'hirondelles 119£) et accessoires assortis (tablier en toile cirée 16£). Irrésistible. M° *Bond Street* 98 Marylebone Lane W1 Tél. 020 7935 3336 www.saltwater.net Ouvert lun.-mer. 11h-18h, jeu.-sam. 11h-19h

Margaret Howell (plan 5) Mode, chic et (très) cher. Depuis une trentaine d'années, Margarett Howell revisite l'élégance *British* masculine et féminine avec des vêtements de qualité aux coupes simples (chemise 215£). Dans ce superbe loft rehaussé d'une verrière, ses classiques intemporels se mêlent aux accessoires (coussin 115£) présentés sur de grandes tables brutes. Les amateurs de mobilier y trouveront également des meubles de designers du XXe siècle restaurés ou réédités. M° *Bond Street* 4 Wigmore St W1 Tél. 020 7009 9009 www. margarethowell.co.uk Ouvert lun.-mer. et ven.-sam. 10h-18h, jeu. 10h-19h

Friperie sur South Bank... où souffle aussi l'esprit vintage !

Tracey Neuls TN 29 (plan 5) Suspendues à de longues chaînes, des dizaines de chaussures descendent du plafond jusqu'au sol : la boutique de la styliste canadienne n'a rien de banal, à l'image de ses créations. Talons hauts ultra-cambrés, escarpins et bottines épousant le relief des doigts de pied... des paires étonnantes, parfois extravagantes, pour femme. Son dada : des formes originales, le confort absolu de souliers faits main (200£-300£) et l'amour de détails peu visibles (semelle en mouton). Unique. *M° Bond Street 29 Marylebone Lane W1 Tél. 020 7935 0039 www.tn29.com Ouvert lun.-ven. 11h-18h30, sam.-dim. 12h-17h*

St. Christopher's Place (plan 5) Cette voie piétonne qui relie la grouillante Oxford Street à Wigmore Street fait presque figure d'oasis avec sa cinquantaine de petits magasins et ses terrasses de café. **Mulberry**, un classique britannique revenu sur le devant de la scène, est l'étape obligée des *fashionistas* qui s'arrachent ses luxueux sacs en cuir. Pour les amoureux du design scandinave, **Marimekko**, maison finlandaise célèbre pour ses textiles colorés à rayures ou à grosses fleurs. **Mulberry** *M° Bond Street 11-12 Gees Court W1 www.mulberry.com Tél. 020 7629 3830 Ouvert lun.-mer. et ven.-sam. 10h-18h, jeu. 10h-19h* **Marimekko** *M° Bond Street 16-17 St. Christopher's Place W1 Tél. 020 7486 6454 www.marimekko.co.uk Ouvert lun.-mer. et ven.-sam. 10h-18h30, jeu. 10h-19h, dim. 12h-17h*

Livres de voyages

Daunt Books (plan 5) En 1989, James Daunt rachète cette magnifique librairie de style édouardien (verrière, coursives), spécialisée dans les livres anciens, et la destine essentiellement aux voyages. Son idée : rassembler tout ce qui concerne un pays, des cartes et guides aux fictions et manuels de cuisine, et classer l'ensemble par destination. Il y ajoute un bon rayon généraliste. On passerait des heures dans ce lieu paisible et presque centenaire. *M° Baker Street 83 Marylebone High St W1 Tél. 020 7224 2295 www.dauntbooks.co.uk Ouvert lun.-sam. 9h-19h30, dim. 11h-18h*

Où chiner ?

Alfie's Antique Market (plan 2) À l'ouest de Regent's Park, le plus vaste marché couvert d'antiquités de Londres a le charme d'une caverne d'Ali Baba. Il se déploie sur les cinq niveaux d'un ancien grand magasin, accueillant une centaine de revendeurs. Depuis 1976, décorateurs, stylistes et célébrités (Madonna, Galliano, Nicole Kidman) vont chiner dans ce dédale aussi bien des meubles de designers du xxe siècle, des bijoux et des bibelots des années 1930, que des robes du soir vintage. Spécialiste du style pin-up et des accessoires de cocktail, la patronne blond platine de The Girl Can't Help It propose une sélection impeccable de vêtements (robes, chemises, lingerie, maillots de bain...) et d'objets américains des années 1940-1950. Une destination de choix pour les fans du glamour hollywoodien (*Tél.* 020 7724 8984). Ils pourront ensuite faire

---

Où flâner ?

Entre Oxford Street et Wingmore Street, boutiques et terrasses de café animent **St. Christopher's Place** (cf. ci-dessus).

une pause café ou déjeuner bien méritée, tranquillement installés en terrasse, sur le toit. *Mᵒ Marylebone ou Edgware Road* 13-25 Church St NW8 *Tél. 020 7723 6066 www.alfiesantiques. com Ouvert mar.-sam. 10h-18h*

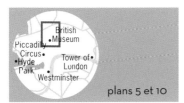

Piccadilly Circus • British Museum • Hyde Park • Tower of London • Westminster

plans 5 et 10

Bloomsbury et Islington

Quelques adresses, près du British Museum, valent le détour. Autour d'Angel, la très vivante Upper Street offre une belle brochette de magasins dans l'air du temps, dignes de satisfaire un *shopping addict*. Déco, enfants, design, mode, musique, antiquités, l'offre y est diverse et adaptée à tous les porte-monnaie.

So British !

James Smith & Sons (plan 5) On croit remonter le temps quand on entre dans ce magasin victorien (1857), repérable de loin aux caractères noirs du mot "Umbrellas" apposés sur sa façade blanche. Aux mains de la même famille depuis 1830, James Smith & Sons est le fabricant (et réparateur) de parapluies et de cannes le plus connu de Londres. Manches en ébène et argent, canne à tête d'animal, ombrelles en soie…, on s'y équipe pour toutes les occasions. La signature maison : le pépin à dix baleines, noir classique ou au goût du jour en version camouflage (50£). Le plus : un service irréprochable et la possibilité de faire tailler sa canne

sur mesure et sur place, lors de l'achat. *Mᵒ Holborn Hazelwood House* 53 New Oxford St WC1 *Tél. 020 7836 4731 www. james-smith.co.uk Ouvert lun.-ven. 9h30-17h15, sam. 10h-17h*

Artisanat et design britanniques

CAA (plan 5) Depuis 1948, le Contemporary Applied Arts a pour mission de promouvoir l'artisanat britannique. Unique à Londres, ce vaste espace présente tous les deux mois des expositions (au rez-de-chaussée), et vend (au sous-sol) des œuvres de plus de 350 artistes britanniques. De la poterie traditionnelle aux bijoux les plus design, on peut se laisser tenter de dix à… quelques milliers de livres. *Mᵒ Tottenham Court Road* 2 Percy St W1 *Tél. 020 7436 2344 www.caa.org.uk Ouvert lun.-sam. 10h-18h*

BD, comics et mangas

Gosh ! (plan 5) Attenant au Cartoon Museum, un eldorado pour les mordus de comics, de BD et de mangas qui viennent y étancher leur soif de nouveautés et de collectors (éditions limitées et signées) depuis 1986. Les bédéphiles français y trouveront leurs albums favoris en VO (*Ghost World*

Pour les enfants

Jeux, jouets, vêtements, chaussures… des adresses où les enfants sont rois.

SHOPPING

GEOPLUS

Plus d'un tour dans votre sac !

Par **Lisa Ritchie,** journaliste de mode à Londres

Paradis des bonnes affaires où l'offre peut être aussi importante que variée, Londres répond aux budgets même les plus limités... à condition de savoir où et quand se mettre en quête de la perle rare !

Soldes, ventes privées et braderies
Au moment des soldes (*sales*), qui débutent juste après Noël et fin juin, l'hebdomadaire *Time out* et le quotidien *Evening Standard* publient une sélection des meilleures aubaines. En dehors de ces périodes, les *"fashion addicts"* courent les ventes privées. Abonnez-vous à l'édition londonienne du *Daily Candy* (*www.dailycandy.com*) ou inscrivez-vous sur le site de Fashion Confidential (*www.fashionconfidential.co.uk*) pour en recevoir le programme. Douze week-ends par an, Designer Warehouse Sales organise des braderies select dans des ateliers voisins de King's Cross : près de 150 griffes masculines, telles Timothy Everest (étoile montante du chic anglais) ou Ballantyne (cachemires écossais), et tous les grands noms de la mode féminine, dont Betty Jackson et Saltwater pour les Britanniques, à moins 60% sinon mieux. The Old Brewery, dans l'East End, accueille aussi des soldes de couturiers et de créateurs. Ainsi, six fois par an, Designer Sale UK propose de 40 à 90% de rabais sur les fins de séries et modèles de collections passées de 70 griffes pour homme ou femme, tels les cultissimes Orla Kiely, PPQ et Dries Van Noten. Fashion East, qui soutient les jeunes talents, organise trois ventes par an : jusqu'à moins 90% du prix en boutique sur des articles signés Jonathan Saunders, Camilla Staerk et consorts.

● **CARNET D'ADRESSES**

British Red Cross 67 Old Church St SW3 Tél. 020 7351 3206

Browns Labels for Less 50 South Molton St W1 Tél. 084 5054 7101

Burberry Factory Shop 29-53 Chatham Place E9 Tél. 020 8328 4287

Designer Warehouse Sales 45 Balfe St N1 www.dwslondon.co.uk

Marchés de créateurs
La halle de Spitalfields accueille de jeunes créateurs et designers – ce qui permet, le dimanche, de profiter dans la foulée du marché de Brick Lane et de l'Old Truman Brewery Sunday (Up)

Market. Pour 10£, on peut s'y offrir un vêtement, un accessoire ou un objet déco original... Offre similaire et, parfois, mêmes signatures le vendredi et le samedi à Portobello Green.

Designer Sale UK *Old Truman Brewery, Brick Lane E1 www. designersales.co.uk*

Fashion East *Old Truman Brewery, Brick Lane E1 www. fashioneast.co.uk*

Old Hat *66 Fulham High Rd SW6 Tél. 020 7610 6558*

Paul Smith Sale Shop *23 Avery Row W1 Tél. 020 7493 1287*

Rokit *101 & 107 Brick Lane E1 Tél. 020 7375 3864 www.rokit.co.uk*

Spitalfields Market *Commercial St E1 www.visitspitalfields. com*

● **ET AUSSI...**

Beyond Retro *p.72* **Portobello Green Market** *p.82* **Rellik** *p.83*

Friperies et "charity shops" Brick Lane et Portobello demeurent les hauts lieux du vintage. Outre une myriade de petits fripiers, Brick Lane abrite une succursale de Rokit, ce temple de l'occasion de Camden, intéressante pour ses Levi's et vestes en cuir (env. 25£). Au coin de la rue, dans l'immense entrepôt de Beyond Retro, on peut dénicher une jupe en tweed et un pull-over à moins de 10£ ou encore une robe *fifties* à 20£ (mais examinez votre trouvaille avant de l'acheter, tout n'étant pas en excellent état). Tout près de Portobello Road, Rellik est la friperie préférée des fans de Vivienne Westwood et d'Ossie Clark. Les articles ne sont pas donnés, mais on peut tomber sur un tee-shirt Westwood à 25£. Pour des vêtements d'occasion meilleur marché, suivez les initiés dans les *charity shops* des quartiers cossus de la capitale : les Londoniens huppés s'y débarrassent des vêtements et accessoires dont ils se sont (vite) lassés. C'est ainsi qu'on trouve des articles de marques illustres – dont le voisin Manolo Blahnik à la boutique de la Croix-Rouge de Chelsea. Ainsi, nous y avons repéré une jupe Margaret Howell à 12,99£, des pantalons Roland Mouret à 45£ et des robes Liberty à 55£. Les adeptes fauchés du style "Gentleman" devraient faire un détour par Old Hat, à Fulham : parmi de très classiques queues-de-pie et pantalons en velours, des costumes taillés par les meilleurs faiseurs de Londres. Du sur-mesure à partir de 50£.

Magasins d'usine et stocks Le magasin d'usine Burberry à Hackney, dans l'East End, mérite le détour pour ses articles de 2e choix et invendus à moitié prix, sinon mieux : des imperméables à 99£, des pulls en cachemire à 50£, mais aussi des foulards, des parapluies et des portefeuilles – autant d'idées de cadeaux. Plus central, le stock Paul Smith écoule des modèles des saisons précédentes à moins 30-50% et quelques prototypes révélateurs de la fantaisie créatrice du couturier londonien. À deux pas, Browns Labels for Less déstocke les fins de série de grands stylistes internationaux jusqu'à moins 90% ●

de Daniel Clowes…), des classiques (Marvel Comics) et bon nombre de publications d'éditeurs indépendants (Fantagraphics, Drawn and Quarterly…). À rapporter, si vous n'avez pas déjà craqué pour la version française (*Londres*, Casterman, 2009) : la réédition du très bel album *This is London* de M. Sasek, paru en 1959 (12,95£). *M° Tottenham Court Road* 39 *Great Russell St WC1 Tél.* 020 7636 1011 *www.goshlondon.com Ouvert lun.-mer. et sam.-dim.* 10h-18h, *jeu.-ven.* 10h-19h

Islington (Upper Street)

Pour les enfants

Igloo (plan 10) Derrière sa devanture bleue, cet igloo-là abrite de quoi réchauffer les bouts de chou. Jouets, vêtements, chaussures, on s'y rend pour son vaste choix de marques anglaises (Start-Rite, Flaphappy, Bluefish, No Added Sugar). Difficile de résister à des bottes en caoutchouc couvertes de chauves-souris (15£), à assortir à un ciré au motif coccinelles (18,95£) et à un sweat-shirt *"future DJ"* où sont imprimées des platines (18,30£). Les *kids* peuvent s'y faire couper les cheveux. *M° Angel ou Highbury & Islington* 300 *Upper St N1 Tél.* 020 7354 7300 *www.iglookids.co.uk Ouvert lun.-mer.* 10h-18h30, *jeu.* 10h-19h, *ven.-sam.* 9h30-18h30, *dim.* 11h-17h30

Du côté des créateurs

Labour of Love (plan 10) "Berwick 193", c'est derrière cette mystérieuse enseigne dorée sur fond noir d'époque que se cache Labour of Love. Une boutique conçue avec amour en 2003 par Francesca Forcolini, styliste diplômée de St. Martin's School. Sa recette : sélectionner avec soin des vêtements (robe Peter Jensen 180£), chaussures, bijoux (broche Glitter & Twisted 14£), chapeaux et sacs de créateurs – essen-

tiellement londoniens – et ajouter une pincée de CD, livres et cartes postales. Le tout dans une déco qui mêle à ravir ancien et moderne. Dans le même style, les amateurs ne manqueront pas Palette, à deux pas, où les pièces vintage en parfait état côtoient une belle sélection de jeunes talents. *M° Highbury & Islington* 193 *Upper St N1 Tél.* 020 7354 9333 *www.labour-of-love.co.uk Ouvert lun.-jeu.* 11h-18h30, *dim.* 12h30-17h30 **Palette** 21 *Canonbury Lane N1 Tél.* 020 7288 7428 *www.palette-london.com Ouvert lun.-mer. et sam.-dim.* 11h-18h30, *jeu.* 11h-19h

Où chiner ?

Camden Passage (plan 10) Il fait bon flâner dans cette charmante rue piétonne cernée de passages couverts, à l'écart d'Upper Street (à ne pas confondre avec le marché de Camden Town). Depuis 1960, quelque 300 brocanteurs s'y sont installés. Dans ce marché aux airs de village, on chine à tout va meubles, vaisselle, fripes, bijoux, bibelots ou babioles (de 1 à plusieurs centaines de livres sterling). Une bonne destination de balade qui devrait ravir les amateurs d'antiquités des XIXe et XXe siècles. *M° Angel N1 Tél.* 020 7359 0190 *www.camdenpassageislington.co.uk Ouvert mer. et sam.* 10h-17h

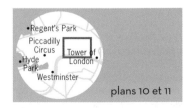

plans 10 et 11

Clerkenwell

En matière de shopping, le Square Miles est un désert : dirigez-vous sans attendre vers la charmante rue

piétonne d'Exmouth Market, ou vers Clerkenwell, où des enseignes *trendy* ont élu domicile.

Où faire son marché ?

☺ **Smithfield Market (plan 11, C1-C2)** Ce marché à la viande en gros et au détail a été reconstruit à l'identique après avoir été ravagé par le Blitz. Jusqu'au XIXe siècle, les bêtes étaient vendues sur pied et abattues sur place. Par mesure d'hygiène, on décida de transférer ce marché aux bestiaux à Islington en 1852. Achevées en 1868, elles restent une belle réalisation de l'architecture victorienne, en particulier "Grand Avenue", leur allée principale, scandée par de hauts piliers en fonte et des grilles polychromes. Il faut se lever tôt pour profiter de l'animation du marché, entièrement restauré et modernisé il y a quelques années : entre 6h et 8h, de joviaux portefaix déchargent des camions réfrigérés des tonnes de carcasses de bovins et d'ovins ! Au XIXe siècle, celles-ci étaient acheminées directement en train jusqu'à la gare souterraine des halles, aujourd'hui désaffectée. Dans la journée, quand il est désert, une tenace et étonnante odeur de viande fraîche plane sur le marché... *M° Barbican ou Farringdon*

Où flâner ?

Exmouth Market (plan 10) À dix minutes à pied du très animé quartier d'Angel, on apprécie cette tranquille rue piétonne, ses terrasses de café et ses jolies boutiques vaguement bobos. On fait le plein de petits cadeaux et de gadgets rigolos chez **Space EC1**. Bien connu à Londres, **EC One** réserve ses vitrines design à une cinquantaine de créateurs de bijoux (de 50 à 500£), *British* (Alex Monroe...) ou internationaux. Mention spéciale à la sélection d'objets adorables de **Family Tree** et à ses lampes en papier de riz à motifs de kimonos anciens. *M° Ladbroke Grove EC1* Accès bus 19, 38, 341 **Space EC1** n°25 Tél. 020 7837 1344 Ouvert lun.-ven. 10h30-18h, sam. 11h-17h **EC One** n°41 Tél. 020 7713 6185 www.econe.co.uk Ouvert lun.-mer. 10h-18h, jeu. 11h-19h, sam. 10h30-18h **Family Tree** n°53 Tél. 020 7278 1084 www.familytreeshop.co.uk Ouvert lun.-sam. 11h-18h

Où trouver des livres sur le graphisme ?

Magma (plan 11) À Londres, c'est la librairie de référence en matière de graphisme, de design, de mode, de cinéma et de photo. Les livres sont facilement accessibles, et un vieux canapé posé au fond de la boutique invite à la lecture. Magma, c'est aussi un vaste rayon de magazines internationaux pointus dédiés à la création visuelle et à la

SHOPPING

mode, et des objets d'artistes : tee-shirts (Geoff McFetridge, Geneviève Gauckler...), mouchoirs (Suki), carnets et posters (Eboy). *M° Farringdon 117-119 Clerkenwell Rd EC1 Tél. 020 7242 9503 www. magmabooks.com Ouvert lun.-sam. 10h-19h (autre magasin à Covent Garden)*

plan 13

L'East End

Vibrant, bohème, branché, les qualificatifs abondent pour ce quartier à visiter si possible le dimanche, jour de marché. L'East End a le vent en poupe. C'est le lieu idéal pour dénicher une garde-robe vintage et des pièces de petits créateurs, sans faire fondre sa carte bleue). Plus au nord, Hoxton regorge d'adresses ultramode où dénicher le fin du fin de la hype londonienne. Un incontournable.

Spitalfields

Pour un look vintage

☺ **Old Spitalfields Market (plan 13)** Des cravates sérigraphiées (10£), un porte-monnaie manga (6£), un collier en forme de papillon, des chaussures vintage, une robe d'inspiration *fifties* (25£), des sacs *fashion*, des tee-shirts à gogo... le dimanche, le marché couvert de Spitalfields accueille de jeunes créateurs londoniens. Dans une effervescence sympathique, on profite ici de prix bien moins élevés qu'en magasin. On y vient aussi pour manger un morceau, faire ses emplettes dans

les boutiques du coin et se laisser porter par l'ambiance bohème et créative du quartier. Incontournable le dimanche. *M° Liverpool Street Commercial St, entre Lamb et Brushfield St E1 Tél. 020 7247 8556 www. visitspitalfields.com Ouvert jeu.-ven. 10h-16h, dim. 9h-17h (jeu. : antiquités ; ven. : mode et art ; dim. : mode, art... ; fin déc. : livres et disques)*

Beyond Retro (plan 13) Avec plus de 10 000 pièces (vêtements, chaussures, bijoux, sacs) mises en scène par couleurs dans un immense entrepôt en brique de 1 500m², Beyond Retro est le plus grand magasin vintage de Londres (et, selon l'hebdomadaire *Time Out*, le meilleur magasin vintage 2008). Sa sélection incroyable à des prix abordables attire stylistes de mode, costumières et célébrités (Pete Doherty, Kylie Minogue...). Le stock est renouvelé quotidiennement. Vendeurs ultralookés, pin-up peintes sur les rideaux des cabines d'essayage : on aime l'atmosphère de ce supermarché de la fripe nord-américaine. Les fans de rock s'y retrouvent le samedi à 15h pour applaudir de petits groupes. *M° Liverpool Street 110-112 Cheshire St E2 Tél. 020 7613 3636 www. beyondretro.com Ouvert tlj. 10h-18h*

Junky Styling (plan 13) Attention, ovni vestimentaire ! Une jupe cousue dans des chemises pour homme (80£), une ceinture élaborée avec une dizaine de cravates (50£), un jean fait de plusieurs jeans... Depuis 1997, Junky Styling déconstruit des fripes et les réassemble en des pièces uniques. Les quatre stylistes qui œuvrent en coulisse peuvent métamorphoser vos vieux vêtements sur commande. Le résultat est (d)étonnant. Gwen Stefani adore ! *M° Liverpool Street ou Aldgate East 12 Dray Walk, The Old*

Truman Brewery, 91-95 Brick Lane E1 Tél. 020 7247 1883 www.junkystyling. co.uk Ouvert tlj. 10h30-19h

Du côté des créateurs

☺ **The Laden Showroom (plan 13)** Enfin une adresse abordable où l'on peut se faire plaisir et étoffer sa garde-robe sans encourir l'interdit bancaire. La styliste Adele Laden a ouvert cet espace, au cœur du vibrant quartier de Brick Lane, pour vendre ses créations et celles de ses confrères à petits prix (20£-60£). Et quel choix ! Présentés dans de mini corners, les vêtements (surtout pour femme) et accessoires signés de plus de 50 créateurs nous laissent pantois. Entre les impers Sixties Dahlia, les chaussures Wilomena et les collections Motel et Chan Chan, notre cœur balance. Un must ! M° Liverpool Street 103 Brick Lane London E1 Tél. 020 7247 2431 www. ladenshowroom.co.uk Ouvert lun.-sam. 11h-18h30 (19h sam.), dim. 10h30-18h

Butcher of Distinction (plan 13) En vitrine, des crocs de boucher auxquels pendent des chemises et des pantalons. À l'intérieur, une table à découper la viande et du carrelage blanc : bienvenue chez Butcher of Distinction, de faux bouchers spécialisés dans le vêtement masculin. Les hommes y font leur marché, entre pièces de marques confidentielles (Folk, Rushmore) et grand public (Canada Goose, Duffer of St. George), avec la certitude d'en sortir vêtus à la dernière mode.

M° Liverpool Street ou Aldgate East 11 Dray Walk, The Old Truman Brewery, 91-95 Brick Lane E1 Tél. 020 7770 6111 Ouvert tlj. 10h-19h

Story (plan 13) Cachée derrière une façade de verdure, cette boutique ouverte le dimanche seulement ressemble plus à une galerie d'art qu'à un magasin. "Ici, c'est un peu l'extension de notre maison", avoue Ann Shore, la maîtresse des lieux, par ailleurs styliste pour de prestigieux magazines de mode. Dans ce vaste espace à la déco changeante, meubles anciens, beaux et onéreux vêtements vintage, bibelots et produits bio pour le corps sont magistralement mis en scène. Inclassable. M° Aldgate East ou Liverpool Street 4 Wilkes St E1 Tél. 020 7377 0313 Tél. portable 079 4982 7966 Ouvert dim. 13h-17h, lun.-sam. sur rdv

Old Truman Brewery Sunday (Up Market (plan 13) C'est le petit frère du marché de Spitalfields. Depuis 2004, cette brasserie reconvertie en un

SHOPPING

☺ **Dimanche branché**

Le must d'un dimanche à Londres ? L'atmosphère vibrante distillée par les stands trendy des jeunes créateurs londoniens ! Consultez nos adresses (p.72-73) : **Old Spitalfields Market**, **Old Truman Brewery Sunday (Up Market)**, **The Laden Showroom**.

marché *trendy* accueille le dimanche des stands de créateurs. On peut y dénicher des accessoires, des vêtements neufs ou anciens, de petites œuvres d'art et des objets déco bon marché. Autour, les boutiques branchées pullulent. Rendez-vous des Londoniens branchés, ce quartier en pleine effervescence ravira les *shopping addicts*. Le plus : les terrasses de la multitude de bars et de cafés. *M° Liverpool Street ou Aldgate East 91 Brick Lane Tél. 020 7770 6028 www.sundayupmarket.co.uk Ouvert dim. 10h-17h*

Cheshire Street (plan 13) Cette petite rue a le vent créatif en poupe, et son cœur bat au diapason de celui de Brick Lane, sa voisine. C'est donc le week-end que Cheshire Street s'anime et prend des airs bohèmes, quand elle ouvre ses boutiques de design *arty*. Première étape, au n°18, **Labour & Wait**, élu meilleur magasin londonien en 2005 par *Time Out*, dont les objets du quotidien (tasses en émail 15£-16,50£, taille-crayon en Bakélite 4,50£) évoquent la France des années 1940 et 1950. Retour au XXIe siècle chez **Comfort Station**, au n°22, à la déco noir et blanc très graphique. Des valises anciennes accrochées aux murs servent de présentoir aux bijoux (collier à partir de 90£) et sacs originaux de la créatrice Amy Anderson. Au n°16, **Mar Mar Co** propose une belle sélection de design scandinave. On pousse la porte orange de **Shelf**, qui regorge d'idées cadeaux (n°40). Ses propriétaires, Katy (créatrice de bijoux) et Jane (costumière), ont un flair inimitable pour sélectionner des babioles du monde entier, comme ces lettres en résine utilisées dans les films muets américains (de 3£ à 8£) qui font un tabac, et ces matriochkas en bois brut à customiser (13£ les 5). Puis on visite la boutique-atelier d'**Ella Doran**, au n°46, dont

Conran Shop diffuse depuis plusieurs années déjà les sets de table et sous-verre en liège imprimés de photos : 21£ les 6. *M° Bethnal Green ou Liverpool Street E2* **Labour & Wait** *Tél. 020 7729 6253 www.labourandwait.co.uk Ouvert sam. 13h-17h, dim. 10h-17h, ven. sur rdv* **Comfort Station** *Tél. 020 7033 9099 www.comfortstation.co.uk Ouvert mar.-dim. 11h-18h* **Mar Mar Co** *Tél. 020 7729 1494 www.marmarco.com Ouvert lun.-jeu. sur rdv, ven.-dim. 11h-17h* **Shelf** *www.helpyourshelf.co.uk Tél. 020 7739 9444 Ouvert ven.-sam. 13h-18h, dim. 11h-18h* **Ella Doran** *Tél. 020 7613 0782 www.elladoran.co.uk Ouvert lun.-ven. 10h-18h, sam. 12h-17h, dim. 11h-17h*

Shopping gourmand

A Gold (plan 13) Avec son enseigne victorienne et ses bocaux de bonbons en vitrine, cette exquise boutique semble d'un autre temps. Ouverte en 2000 par un couple d'anciens journalistes, cette épicerie fine nichée dans une maison huguenote du XVIIIe siècle

Harrods (p.77), un des grands magasins de Londres.

propose la crème des spécialités britanniques : thés, biscuits, cakes, confitures, sauce Picallili, *pies*, fromages, et d'adorables souris en sucre (0,75£), sans oublier des liqueurs (English Mead 7,95£) et des boissons étranges comme le "Dandelion & Burdock", un soda au pissenlit et à la bardane. Les gastronomes sont prévenus ! *M° Liverpool Street 42 Brushfield St E1 Tél. 020 7247 2487 Ouvert lun.-ven. 11h-20h, dim. 11h-18h Fermé sam.*

Hoxton

À quelques encablures de Brick Lane, ce quartier qui ne paye pas de mine a le vent en poupe : c'est désormais un repaire de bars branchés et de boutiques où l'on peut dénicher des *must have* et flairer l'air du temps. Coup de cœur pour **Relax Garden**, mini-échoppe d'un duo sino-japonais, dont les robes et tops *fashion* aux lignes simples restent abordables. En face, le très branché **No-one** opère une sélection pointue de vêtements, d'accessoires (homme, femme), de petits objets et de magazines. Leur spécialité : dénicher des talents et miser essentiellement sur des stylistes londoniens (Emma Cook, Mine, PPQ, YMC...). Pionnière, **Hoxton Boutique** mêle depuis 2000 ses collections d'avant-garde, dont les coupes s'inspirent des années 1980 (Hobo), à des pièces de créateur (Eley Kishimoto...) et à quelques vêtements vintage. Haut de gamme, le concept store **Start** mise sur des valeurs sûres (Miu Miu). Les habits sont présentés par couleurs dans un espace épuré où trône un grand comptoir vert pomme. Enfin, les accros au design retiendront **SCP** et sa bonne sélection de mobilier et d'objets signés. *M° Old Street ou Liverpool Street Bus 242 ou 149* **Relax Garden** *40 Kingsland Rd E2 (plan 13) Tél. 020 7033 1881 www.relaxgarden.com Ouvert lun.-mer. 12h-19h, jeu.-ven. 12h-20h, sam.-dim. 12h-18h* **No-one** *1 Kingsland Rd E2 (plan 13) Tél. 020 7613 5314 www.no-one.co.uk Ouvert lun.-sam. 11h-19h, dim. 12h-18h* **Hoxton Boutique** *2 Hoxton St N1 (plan 13) Tél. 020 7684 2083 www. hoxtonboutique.co.uk Ouvert lun. et sam. 11h-18h, mar.-ven. 10h-18h30, dim. 12h-17h* **Start** *42-44 Rivington St EC2 (plan 13) Tél. 020 7729 3334 www.start-london.com Ouvert lun.-ven. 10h30-18h30, sam. 11h-18h, dim. 13h-17h* **SCP** *135-139 Curtain Rd EC2 (plan 13) Tél. 020 7739 1869 www.scp.co.uk Ouvert lun.-sam. 9h30-18h, dim. 11h-17h*

Se perdre dans un marché aux fleurs

☺ **Columbia Road Flower Market (plan 13, B1)** Que ce soit jour de marché ou non, Columbia Road mérite un coup d'œil : aux îlots de logements sociaux sans charme de sa rive nord s'oppose la succession intacte de *tenements* de sa rive sud, modestes cubes de briques aux pittoresques devantures. L'un des tableaux les plus suggestifs de l'East End ! Le dimanche matin, un beau marché aux fleurs envahit la rue, la rendant méconnaissable. Dans cette jungle de palmes et d'azalées, on voit bien que ce sont les Anglais qui ont inventé, au XIXe siècle, le *window gardening*, jardinage à la fenêtre ou

---

Une rue dans le vent

Dans la famille des rues qui montent, voici **Cheshire Street** (cf. pp.72, 74), dans l'East End : encore un quartier dans le vent où humer l'air du temps !

au balcon ! Le marché s'étend dans Columbia Road, de Ravenscraft Street à Barnet Grove *M° Old Street* puis bus 55 (ou bus 26 et 48 à partir de *Liverpool Street Station) Dim. 8h-14h*

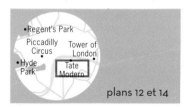

plans 12 et 14

South Bank et Southwark

Puisque vous êtes de ce côté-ci de la Tamise, ne ratez pas le célèbre Borough Market et ses produits alléchants !

Où dénicher objets et vêtements rétro ?

Radio Days (plan 12) Nostalgiques des *forties* aux *sixties*, cette adresse est pour vous. Nichée au cœur de Lower Marsh, une petite rue animée d'un marché, Radio Days distille une atmosphère rétro sur fond de musique jazzy. Les postes de TSF y côtoient des bibelots, des bijoux, des bas nylon et des revues d'époque ainsi qu'une foule de téléphones en bakélite rose (de 65£ à 85£), orange ou violette (65£). On soigne son look dans l'arrière-boutique où vêtements, chaussures et accessoires vintage (à partir des années 1920) pour hommes et femmes côtoient des nouveautés inspirées des années 1940 et 1950. Mention spéciale à la collection Vivien of Holloway de pantalons très larges à revers (38£) et de robes de pin-up (55£). *M° Waterloo 87 Lower Marsh SE1 Tél. 020 7928 0800 www. radiodaysvintage.co.uk Ouvert lun.-sam. 9h30-18h et aussi sur rdv*

Où chiner ?

Berdmonsey (New Caledonian) Market (plan 14) Un marché aux puces connu des professionnels. Il est recommandé d'arriver tôt. Même en comptant ne rien acheter, on appréciera le charme des échoppes et des étalages, souvent joliment décorés. Objets de marine, vaisselle et tout un bric-à-brac parfois poétique. *M° Borough Angle de Tower Bridge Rd et Berdmonsey St Ouvert ven. 4h-14h*

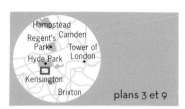

plans 3 et 9

Knightsbridge

Luxe, calme et volupté. Des rayons du très touristique Harrods aux étages feutrés de Harvey Nichols, le chic et le haut de gamme donnent le la. Craquer, n'y venir qu'au moment des soldes, se contenter d'un lèche-vitrines ? *That's the question !*

Les department stores

Harrods (plan 3) Jamais un grand magasin n'aura atteint une telle renommée mondiale au point de devenir un monument voué au shopping. Entre les touristes qui déambulent en cohortes sur ses six niveaux en s'extasiant sur la variété des produits exposés (du jacuzzi au shar-pei méditatif mais bien vivant...), le personnel en livrée qui fait respecter un certain folklore (tenue correcte exigée, sac à dos devant être porté à la main...), et le décor outrageusement opulent, on a de quoi se croire dans un musée du luxe. Parmi les attractions à ne pas manquer, la réplique en cire du maître des lieux, Mohamed al-Fayed, qui accueille tout sourire (figé) le chaland au rez-de-chaussée, et le mémorial d'un goût plus que douteux à Lady Di et Dodi al-Fayed qui trône au pied des escalators égyptiens. Points d'orgue de la visite : le fastueux Egyptian Hall tout en marbre et pharaons, et l'extravagant Food Hall pour son orgie de mets et son décor baroque, de la poissonnerie, ornée de sirènes qui crachent de l'eau, à la salle des fruits et légumes, aux lustres débordant de raisins, de pommes... Passage obligé pour les enfants, le 4e étage, où un gorille et un éléphant animés grandeur nature côtoient des centaines de peluches et des jouets à gogo. Une petite faim ? Vous aurez l'embarras du choix entre les 28 restaurants et cafés disséminés dans le magasin, à moins que vous n'optiez pour les fameux sandwiches, scones et autres délices à emporter. Au sous-sol, plein de produits estampillés Harrods à acheter en souvenir ! *M° Knightsbridge 87-135 Brompton Rd SW1 Tél. 020 7730 1234 www.harrods.com Ouvert lun.-sam. 10h-20h, dim. 12h-18h*

Harvey Nichols (plan 3) Tout en restant très sage, "Harvey Nicks" se veut plus jeune et plus tendance que son opulent voisin Harrods. Sur sept niveaux, cet établissement haut de gamme fait rimer style et élégance avec les grands noms de la mode internationale et attire bon nombre de *fashionistas*. Ses rayons homme, femme et accessoires regorgent de pièces de créateurs établis ou en devenir. Mention spéciale à l'alléchante épicerie fine du 5e étage, où les produits maison sont habillés de packagings design, mêlant photos noir et blanc et graphisme raffiné, idéal pour de petits cadeaux. Un classique du shopping londonien depuis 1880. *M° Knightsbridge 109-125 Knightsbridge SW1 www.harveynichols. com Tél. 020 7235 5000 Ouvert lun.-sam. 10h-20h (le Fifth Floor Café ouvre à 8h), dim. 12h-18h*

Mode de luxe

Lulu Guinness (plan 3) Depuis 1989, ses sacs excentriques paradent au bras des célébrités. La veille de notre passage, Kim Cathrall de *Sex and the City* avait acheté un sac à main décoré de fruits. Modèles malicieux imprimés de

☺ Un super marché !

Il a fêté ses 250 ans en 2006 et reste la plus vieille halle de la ville. Enclavée entre de vénérables maisons de brique et deux viaducs ferroviaires, sa belle charpente métallique couverte de planches semble sortir d'un roman de Dickens. Les jours de marché, on déambule dans ses allées entre des monceaux de fruits et légumes (un peu de charcuterie aussi) et des piles de cageots en attente... Les denrées sont belles, mais assez chères : les stars aiment venir s'y

approvisionner. Ne ratez surtout pas le Floral Hall, sur Stoney Street, dans l'axe de Park Street. Ce beau portique métallique fut élevé en 1859 sur la Piazza de Covent Garden, pour abriter un marché aux plantes tropicales (cf. Covent Garden) avant d'être remonté récemment à Borough Market, en point d'orgue à la réhabilitation du site. **Borough Market (plan 14, A2)** *M° London Bridge Tél. 020 7407 1002 Marché jeu. 11h-17h, ven. 12h-18h, sam. 9h-16h*

scènes de cirque ou de plage, pochette de soirée en forme de bouche pulpeuse rouge en python, Lulu Guinness n'a pas son imagination dans sa poche. Colorées et pleines d'humour, ses créations ont séduit les Anglaises. Les petits budgets se contenteront d'une trousse de maquillage plastifiée (25£), les autres auront l'embarras du choix (de 125£ à 895£ le sac collector en édition limitée). Chic et décalé. *M° Sloane Square 3 Ellis St SW1 Tél. 020 7823 4828 www.luluguinness.com Ouvert lun.-ven. 10h-18h, sam. 11h-18h*

Elizabeth Street (plan 9) Dans cette portion de rue nichée entre Ebury Street et Eaton Square se succèdent petites boutiques chics, épiceries fines, cavistes et terrasses de café. Rendez-vous des fumeurs de havane, **Tomtom** est l'un des principaux fournisseurs de cigares de Londres. À deux pas, derrière sa devanture noire à l'ancienne, le chapelier **Philip Treacy** coiffe les têtes, des plus classiques aux plus branchées, avec retenue ou extravagance. Chez **Mungo & Maud**, des chiens mannequins en tissu annoncent la couleur : écuelles design, colliers pour Médors ou minous à strass, biscuits pour toutous et jouets divers, on trouve là le nec plus ultra des accessoires pour compagnons à quatre pattes. So chic. *M° Sloane Square SW1* **Tomtom** *n°63 Tél. 020 7730 1790 www.tomtom.co.uk Ouvert lun.-ven. 10h-18h, sam. 10h-17h* **Philip Treacy's Hat Shop** *n°69 Tél. 020 7730 3992 www.philiptreacy. co.uk Ouvert lun.-ven. 10h-18h, sam. 11h-17h* **Mungo & Maud** *n°79 Tél. 020 7952 4570 www.mungoandmaud.com Ouvert lun.-sam. 10h-18h*

Home sweet home

Conran Shop (plan 3) Un très beau bâtiment Art déco, l'ancien siège londonien de la société Michelin, voilà le lieu atypique qu'a choisi Terence Conran en 1987 pour installer son vaisseau amiral. Derrière la façade carrelée où l'on aperçoit le célèbre Bibendum, un café et un bar à huîtres cachent l'entrée du vaste magasin consacré à la maison, où l'on retrouve tout l'univers du maître. Ses créations côtoient celles d'autres designers, des meubles aux petits objets. Une belle adresse pour dénicher le fin du fin en déco et art de vivre. *M° South Kensington Michelin House 81 Fulham Rd SW3 Tél. 020 7589 7401 www. conran.com Ouvert lun.-mar. et ven. 10h-18h, mer.-jeu. 10h-19h, sam. 10h-18h30, dim. 12h-18h*

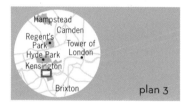

plan 3

Chelsea

Si l'artère principale de Chelsea, la très commerçante King's Road, n'a plus rien des *Swinging Sixties* et des années punk qui firent son heure de gloire, elle reste une agréable destination pour tous les budgets, que certains pourraient trouver presque trop sage. Jouets, déco, concept store, beauté, chacun devrait y trouver son bonheur. Et pour les nostalgiques, la première boutique de Vivienne Westwood y a toujours pignon sur rue !

Shopping éclectique

Jigsaw (plan 3) Déjà trentenaire, cette marque de prêt-à-porter féminin est synonyme de qualité et d'élégance décontractée. Imposante avec son double escalier et son immense lustre en fer forgé et verre coloré, la boutique de Chelsea offre une gamme étendue de vêtements et d'accessoires pour les femmes et les fillettes dans des couleurs chaudes. Le grand canapé ovale en velours prune, face aux cabines d'essayage, invite à la détente. Jupe 80£, robe 100£, tee-shirts 25£-40£. M° *Sloane Square The Chapel 6 Duke of York Square King's Rd SW3 Tél. 020 7730 4404 www.jigsaw-online.com Ouvert lun.-sam. 10h30-19h, mer. 10h30-19h30, dim. 12h-18h*

☺ **Brora (plan 3)** "Brora, c'est une grande histoire de couleurs", explique Victoria Stapleton, la fondatrice de cette marque de cachemire écossais qui depuis ses débuts, en 1995, a déclaré la guerre au noir et au classicisme. On fond devant les cardigans roses à pois écrus (189£), les cache-cœur vert pomme (159£) et les chandails pour enfants aux boutons multicolores. Les hommes ne sont pas oubliés avec de beaux pulls rayés. Le fin du fin : s'offrir une housse de bouillotte en cachemire. Royal ! M° *Sloane Square 344 King's Rd SW3 Accès bus n°22 Tél. 020 7352 3697 www.brora.co.uk Ouvert lun.-sam. 10h-18h, dim. 12h-17h*

Du côté des créateurs

The Shop at Bluebird (plan 3) Cet ancien garage de 3 000m² abrita les voitures Bluebird avec lesquelles Donald Campbell battit des records du monde de vitesse dans les années 1950 et 1960. Il héberge aujourd'hui le concept store The Shop at Bluebird ouvert à la fin de 2005 par les propriétaires de la chaîne Jigsaw. Un loft carrelé de blanc, dont la déco ultra-design change au fil des saisons, et qui mêle vêtements, bijoux et accessoires de créateurs pointus pour hommes, femmes et enfants, à des livres, des CD et à du mobilier. Les accros du denim y trouveront les marques les plus hype

du moment (Superfine, Acne, Notify...). Si votre budget ne vous permet pas de craquer sur une petite robe du duo britannique Eley Kishimoto ou de l'Australien Richard Nicoll, ne passez pas pour autant votre chemin, mais visitez cette boutique comme un véritable laboratoire déco, mode et *lifestyle*, et offrez-vous un jus de fruits bio au bar. Mention spéciale aux cabines d'essayage, qui ont chacune leur déco particulière : ambiance boudoir ou graffiti, à vous de choisir. M° *Sloane Square 350 King's Rd SW3 Accès bus n°22 Tél. 020 7351 3873 www.theshopatbluebird. com Ouvert lun.-sam. 10h-19h, dim. 12h-18h (live music le sam. et certains dim. entre 15h et 18h)*

World's End (Vivienne Westwood) (plan 3) Sur la façade en ardoise, une horloge géante dont les aiguilles tournent à toute vitesse mais à rebrousse-temps... Bienvenue à World's End, où Vivienne Westwood fit ses débuts avec Malcolm McLaren en 1970. Si la façade de ce lieu historique ne paie pas de mine, les fans y trouveront une collection "World's End" exclusive (tee-shirt 60£) et une sélection des différentes gammes conçues par la pionnière du look punk, qui habilla les Sex Pistols, du plus abordable Anglomania (jupe 110£) au plus classique Red Label, sans oublier des accessoires et des chaussures. Pour un choix plus exhaustif, les aficionados de la créatrice rock'n'roll et avant-garde se rendront aussi dans sa boutique principale, à Mayfair. *M° Sloane Square* 430 *King's Rd W10 Accès bus n°22 Tél.* 020 7352 6551 *www. viviennewestwood.com* **Vivienne Westwood** *M° Oxford Street* 44 *Conduit St W1 Tél.* 020 7439 1109 *Ouvert lun.- mer. et ven.-sam.* 10h-18h, *jeu.* 10h-19h

Home sweet home

☺ **Cath Kidston (plan 3)** Depuis 1993, elle décline ses imprimés acidulés, pétillants et vaguement rétro sur une multitude de matières (tissu, papier peint, toile cirée) et d'objets (vaisselle, accessoires, vêtements...). Et son succès ne se dément pas, puisqu'elle possède neuf boutiques dans Londres et vingt-et-une dans le Royaume-Uni. Bavoir bleu semé de fraises (6£-8£), *mugs* roses à pois blancs (7£), sac en toile cirée vert constellé d'étoiles (22£), parapluie (20£-22£) ou tente de camping à motif western, de 0 à 99 ans on est sûr d'y trouver un cadeau abordable qui égaiera son quotidien. *M° Sloane Square* 322 *King's Rd SW3 Accès bus n°22 Tél.* 020 7351 7335 *www. cathkidston.co.uk Ouvert lun.-sam.* 10h- 19h, *dim.* 11h-18h

Designers Guild (plan 3) Voilà plus de trente-cinq ans que Tricia Guild a imposé son nom (et son image de marque) dans le textile haut de gamme. Les amateurs connaissent bien ses tissus d'ameublement et son linge de maison qui rivalisent d'imprimés et de couleurs chatoyantes. Un arrêt dans la maison mère de King's Road permet de découvrir tout l'univers Designers Guild, qui se

SHOPPING

décline aussi bien dans le textile que la papeterie, la vaisselle, les trousses de toilette, les bougies parfumées et les accessoires colorés (porte-iPod en cuir 23£)... Mentions spéciales au *cappuccino bar* du sous-sol et au petit jardin sur cour où l'on peut faire une pause au vert. *M° Sloane Square* 267 *(boutique)* & 277 *(maison mère) King's Rd SW3 Tél.* 020 7351 5775 *www. designersguild.com Ouvert lun.-sam.* 10h-18h, *dim.* 12h-17h, *maison mère fermée le dim.*

Shopping gourmand

Rococo (plan 3) Les accros au chocolat ne manqueront pas cette enseigne au décor rétro à souhait et sa profusion de tablettes joliment emballées dans de l'alu coloré. Votre cœur balance entre le noir à la lavande, au gingembre, au thé Earl Grey, à l'orange et au géranium, ou encore le chocolat au lait au sel de mer et le blanc à la cardamome ?

Rococo vous propose des assortiments de minitablettes (5,25£ les trois) pour vous permettre de mieux apprécier ces chocolats extrafins qui surprennent les papilles. *M° Sloane Square 321 King's Rd SW3 Accès bus n°22 Tél. 020 7352 5857 www.rococochocolates.com Ouvert lun.-sam. 10h-18h30, dim. 12h-17h*

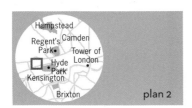

plan 2

Notting Hill

Devenu un repaire huppé, Notting Hill a su garder une âme bohème autour de Portobello Road dans ses petites rues animées qui regorgent de devantures prometteuses. Ici, une institution locale comme Paul Smith côtoie des disquaires mythiques, des boutiques de vintage chic et, le week-end, des stands de jeunes créateurs plus abordables. Une ambiance de charme, idéale pour flâner.

Du côté des créateurs

☺ **Paul Smith (plan 2)** Il a bâti un empire en faisant de son nom le synonyme d'une élégance *British* teintée de fantaisie. Impossible d'aller à Londres sans découvrir l'univers chic et facétieux de Sir Paul Smith, qui a su décliner sa créativité dans neuf boutiques à la déco toujours étonnante. Son *flagshipstore* occupe une demeure victorienne cossue qui se visite comme un musée : entourée d'un jardin, Westbourne House se déploie sur trois niveaux et chaque pièce a sa thématique. Le 1er étage présente les collections femmes, tandis que le département dédié au *bespoke*, le sur-mesure, se situe au 3e étage. Paire de richelieus roses 220£, chaussettes rayées 14£. *M° Notting Hill Gate Westbourne House 122 Kensington Park Rd W11 Tél. 020 7727 3553 www.paulsmith.co.uk Ouvert lun.-ven. 10h-18h, sam. 10h-18h30*

Portobello Green (plan 2) Le vendredi et le samedi, de jeunes créateurs de vêtements et d'accessoires s'installent sous le Westway et se mêlent aux vendeurs de fripes et de babioles. S'ils sont moins nombreux qu'à Spitalfields (cf. L'East End), l'ambiance de ce "marché" en plein air est très agréable quand il fait beau. La balade promet de bonnes affaires, comme cette robe cache-cœur rouge à pois blancs Arami & Jamin vendue 40£ et vue à 85£ dans un magasin branché de la capitale. Portobello Arcade, un passage couvert garni d'une enfilade d'échoppes, vaut aussi le détour. Les *fashionistas* s'arrêteront chez Preen (n°5), dont les coupes asymétriques d'avant-garde ont séduit les plus prestigieux magazines de mode. Les prix s'affichent en conséquence (robe 380£, pantalon 195£). Deux portes plus loin, on réconforte son porte-monnaie chez Euforia Sales Shop (n°7), qui dégriffe les modèles de la saison précédente de la styliste Annette Olivieri – dont la boutique Euforia se trouve à quelques rues de là, et on se fait plaisir avec un jean slim ou un sweat imprimé à 15£. *M° Ladbroke Grove 281 Portobello Rd W10 (sous la rocade)* **Preen** *5 Portobello Green, 281 Portobello Rd W10 Tél. 020 8968 1542 Ouvert mar. et ven. 11h-18h, sam. 10h-18h* **Euforia Sales Shop** *7 Portobello Green Arcade W10 Tél. 020 8968 1903 Ouvert mar. et ven.-sam. 11h-18h* **Euforia** *61B Lancaster Rd W1 Tél. 020 7243 1808 Ouvert lun.-sam. 10h30-18h*

Où dénicher du vintage chic ?

Rellik (plan 2) Riquiqui avec sa devanture bleu ciel face à la terrible et imposante Trellik Tower, Rellik est sans doute la friperie la plus *fashion* de Londres. Clé de son succès : le flair de ses trois fondateurs, des anciens du marché de Portobello Road, qui ont le chic pour dénicher des vêtements et des accessoires de griffes britanniques (Ossie Clark, Galliano, Jean Muir et surtout Vivienne Westwood) ou étrangères (Alaïa, Yves Saint Laurent), en excellent état : de 30£ à 2 000£. Un détour par cette boutique excentrée où il faut sonner pour entrer garantit de tomber sur des trésors des années 1920 à 1980. Peut-être y croiserez-vous Kate Moss, une habituée des lieux. *M° Westbourne Park 8 Golborne Rd W10 Tél. 020 8962 0089 www.rellliklondon.co.uk Ouvert mar.-sam. 10h-18h*

Où écumer les bacs des disquaires ?

☺**Rough Trade (plan 2)** Probablement le disquaire le plus mythique de Londres. Depuis sa création, en 1976, Rough Trade a obtenu ses lettres de noblesse dans le milieu indépendant en se spécialisant dans le punk et la new wave. Immanquable pour tout fan de musique indé (rock, pop, hard-core, post-rock...) qui se respecte, le sacro-saint disquaire reste une référence. Avec son célèbre logo noir et blanc en devanture et sa porte constellée de stickers, rien n'est dépaysant. Dans cet antre tapissé de posters, de petites annonces de musiciens et de vinyles, des platines attendent les galettes et les CD que vous souhaitez écouter. Le top 100 de la maison est scotché sur la vitrine. Les nostalgiques de la boutique parisienne se consoleront avec un tee-shirt siglé (12,99£). Un autre magasin s'est installé en 2007 dans l'est de Londres, sur le marché de Brick Lane, à la fois disquaire, coffee-shop et salle d'expo-performance... Culte. *M° Ladbroke Grove 130 Talbot Rd W11 Tél. 020 7229 8541 www.roughtrade.com Ouvert lun.-sam. 10h-18h30, dim. 12h-17h*

Intoxica (plan 2) Il n'y a rien de toxique dans ce petit magasin à la devanture jaune et rouge décoré comme une paillote hawaïenne. Mais assez de vinyles – les CD n'y ont pas droit de cité – pour se rafraîchir les oreilles. Des pépites soul, jazz, funk, psychédéliques, blues des *sixties* et des *seventies*, un peu de punk et de hardcore, sélectionnés par le patron, Nick Brown, depuis une vingtaine d'années (au départ, son magasin s'appelait Vinyl Solution). Les collectionneurs vont devenir fous ! *M° Ladbroke Grove 231 Portobello Rd W11 Tél. 020 7229 8010 www.intoxica.co.uk Ouvert lun.-ven. 10h30-18h30, sam. 10h30-18h30, dim. 12h-16h30*

Honest Jon's (plan 2) En 2002, Damon Albarn, leader de Blur et de Gorillaz, s'est associé à ce disquaire spécialisé depuis 1974 dans les musiques noires pour créer le label éponyme.

Toc de Docs ?

Addict aux Docs Martens ? Alors c'est ici, à la **British Boot Company** (cf. p.84), qu'il faut venir les chercher : à semelle rose ou vernies, à 8 ou à 10 trous, vos nouvelles Docs, celles de vos rêves, s'y trouvent forcément !

On y trouve donc toutes les sorties "Honest Jon's" (Mali Music, Candi Staton, Tony Allen...). On y vient aussi pour la sélection reggae, dub, ska, soul, funk, Rn'B, hip-hop, jazz, world et folk, et pour le cadre coloré et agréable, à deux pas de Portobello Green. M° *Ladbroke Grove* 278 Portobello Rd W10 Tél. 020 8969 9822 *www.honestjons.com Ouvert lun.-sam. 10h-18h, dim. 11h-17h*

Où chiner ?

Portobello Market (plan 2) Le marché le plus célèbre de Londres et la principale attraction touristique de Notting Hill. Le marché alimentaire qui se tient en semaine sur Portobello Road laisse place, le samedi, à des puces extrêmement fréquentées, même quand il pleut : meubles, argenterie et bibelots anciens, timbres, vêtements vintage, bijoux... Les antiquaires et brocanteurs qui tiennent une boutique dans cette rue ou dans Westbourne Grove et Elgin Crescent ouvrent du lun. au sam. M° *Ladbroke Grove* Portobello Rd Lun.-sam. 8h-18h30 (jusqu'à 13h jeu.)

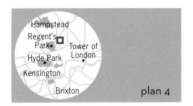

plan 4

Camden

Son marché aux puces, son effervescence et ses magasins où se faire une panoplie de parfait punk ou gothique à petits prix. Changement d'atmosphère, et de style, dans les chics artères arborées de Primrose Hill, à quelques encablures.

London calling

British Boot Company (plan 4) Le temple des "Docs" ! Aux mains de la même famille depuis 1958, British Boot Company se targue de posséder le plus grand stock des célèbres godillots du docteur Martens de tout le Royaume-Uni. Ce petit magasin mythique – au-dessus duquel le groupe Madness aurait habité – propose un choix presque illimité de paires à la célèbre couture jaune, des classiques (basses et 8 trous) aux plus fantaisistes (à fleurs et semelle rose), en passant par les modèles pour enfant. Les inconditionnels savent qu'ils trouveront des éditions limitées (dorées, vernies...) suspendues à une chaîne au-dessus du comptoir. M° *Camden Town* 5 Kentish Town Rd NW1 Tél. 020 7485 8505 *www.britboot.co.uk Ouvert tlj. 10h-19h*

Darkside (plan 4) Des vendeurs maquillés, piercés, ultralookés... bienvenue au paradis des gothiques ! Manteaux à la Matrix, chemises à jabot, robes en dentelle à motif toile d'araignée, chaussures "underground" : les corbeaux établis ou aspirant(e)s goth trouvent ici de quoi parfaire leur look. Les punks, eux, fréquentent **Chaos**, juste à côté (c'est la même maison), où ils dégotent des pantalons écossais zippés avec chaînes et épingles de nourrice (39,99£), des tee-shirts destroy, des cravates à damier rouge et noir (8,99£), des ceintures cloutées... au 100% Londres. M° *Camden Town* 245 Camden High St NW1 Tél. 020 7284 2174 *www.darksideofcamden.co.uk Ouvert lun.-ven. 10h-18h30, sam.-dim. 9h30-19h*

Où chiner ?

Camden Markets (plan 4, B1) Les marchés de Camden sont les plus courus de Londres. À tel point que les rues du quartier, surtout Camden High Street et Chalk Farm Road, sont impraticables le week-end. Touristes et Londoniens se bousculent dans les allées de **Camden Lock Market**, établi depuis 1974 sur la rive nord de Regent's Canal. Vêtements neufs tendance "alternative" et fripes, bijoux, artisanat, jeux de société, vieux 33 tours, livres d'occasion, on y trouve un peu de tout ! Et pour alimenter commerçants et chalands, une pépinière de cantines antillaises, chinoises et indiennes. Sensiblement la même offre à **Canal Market**, de l'autre côté du pont. Plus au nord, sur Chalk Farm Rd (au niveau de Hartland Rd), **Stables Market** se consacre surtout au mobilier et aux menus objets, des "antiquités" à la brocante. Si vous recherchez une pure tenue gothique, punk ou funky, faites le tour des boutiques de vêtements de **Camden High Street** et ne manquez pas l'Electric Ballroom (*ouvert ven.-dim.*). Et si vous ne trouvez toujours pas votre bonheur, poussez jusqu'aux étals de **Buck Street** et d'**Inverness Street**. *Camden* **M°** *Camden Town Camden Lock Place/Camden High St NW1 www. camdenlock.net Ouvert sam.-dim. 11h-18h (marché aux puces), tlj. 10h30-18h (boutiques)*

Primrose Hill

☺ **Shikasuki (plan 4)** Cette adorable boutique blanche évoque plus celle d'un créateur qu'une friperie. À Londres, où le vintage figure sur la *toplist* de toutes les bêtes de mode, les boutiques de vêtements de seconde main chic et *fashion* fleurissent à tout va. Ouverte en 2004, Shikasuki mêle des pièces des années 1930 à 1980 triées sur le volet – du plus abordable (broche papillon 8£) au très haut de gamme (robe Ossie Clark plus de 900£) – et quelques œuvres d'art récentes. Son point fort : les accessoires (chaussures, sacs et ceintures). Au sous-sol, les habits pour hommes et femmes sont classés par couleurs et dotés d'une véritable carte d'identité, une étiquette détaillant leur année d'origine, leur état et donnant des *helpful hints*, des suggestions pour le porter. *M° Camden Town ou Chalk Farm 67 Gloucester Ave. NW1 Tél. 020 7722 4442 www.shikasuki.com Ouvert lun.-sam. 11h-19h, dim. 12h-19h*

Miss Lala's Boudoir (plan 4) Des dessous de stars des années 1950. C'est après avoir passé six ans à Hollywood que l'actrice danoise Fine Reese a ouvert cette bonbonnière où la lingerie de créateurs (souvent britanniques), pleine de fantaisie, donne du rose aux joues. Culottes à volants (29£), balconnets pigeonnants (39£) aux tons acidulés (le noir est banni) et aux imprimés rigolos, bref de quoi se prendre pour Betty Boop ou la pin-up de Tex Avery. Gwen Stefani et Helena Bonham-Carter ont été conquises. So glamour ! *M° Chalk Farm 144 Gloucester Ave. NW1 Tél. 020 7483 1888 Ouvert lun.-jeu. et sam. 10h-18h, ven. 10h-19h, dim. 11h30-17h30*

SHOPPING

Horaires d'ouverture

En général, les commerces ouvrent du **lundi** au **samedi** de **10h** à **18h**, le **dimanche** de **11h-12h** à **17h-18h**. Une **nocturne** jusqu'à **20h-21h** a lieu le **jeudi** (dans le West End) ou le **mercredi** (dans les quartiers de Chelsea et de Knightsbridge)

GÉOADRESSES

Sucré-salé, accompagné de sandwichs ou de muffins, à chacun son *tea time.*

CAFÉS, BARS, PUBS & PAUSES GOURMANDES

Envie d'un break, d'une pause gourmande ? Optez pour un café, un *caff* ou, *why not*, osez le *tearoom* ! En famille, en tout cas, n'oubliez pas que l'accès au pub est réservé aux adultes (sauf exception). Et si vous êtes amateur de traditions inaltérables, de *public houses* pluricentenaires et de lagers mousseuses, sachez qu'il y a des changements profonds dans le monde du zinc londonien : en attendant le retour en grâce de l'acajou, attendez-vous donc à pas mal de béton brut, de papier peint argenté et de cocktails en tous genres ! So *classy* !

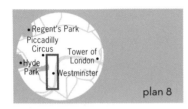

plan 8

Trafalgar Square et Westminster

Passage quasi obligé au cœur de Londres, Trafalgar Square draine une myriade de touristes aux abords de la National Gallery et l'on est presque étonné d'y trouver des bars select fréquentés par de jeunes et chics Londoniens. Tant mieux, car le quartier du Parlement, lui, n'est pas réputé pour son offre pléthorique en la matière...

Trafalgar Square

Où s'offrir une soupe fumante, un *pie* ?

☺ **Café in the Crypt (plan 8)** Péché de gourmandise dans la crypte voûtée de l'église St. Martin-in-the-Fields, tout juste rénovée... L'endroit idéal pour manger sainement, vite et à bon compte : il suffit de faire son choix parmi les soupes du jour fumantes, des plats épicés, des tourtes et des pâtisseries variées. L'été, mention spéciale pour les salades affriolantes mêlant le poivré de la roquette à la douceur de la figue, le blanc de poulet grillé aux zestes d'orange et d'autres saveurs sucrées/salées. Vins au verre, jus de fruits frais. Plats autour de 7£ ; soupe du jour à 3,25£. Possibilité de commander par Internet sandwiches et salades à emporter. M° *Charing Cross* Duncannon St WC2 Tél. 020 7839 4342 www.stmartin-in-the-fields. org Ouvert lun.-mer. 8h-20h, jeu.-sam. 8h-22h30, dim. 12h-18h30

Où assister à un *lunchtime concert* ?

St. Martin-in-the-Fields (plan 8) L'église bien connue des mélomanes accueille quelque 350 concerts par an ! M° *Charing Cross* Trafalgar Square WC2N Tél. 020 7766 1100 Ouvert tlj. 7h45-18h (sam. à partir de 8h45, dim. jusqu'à 19h30) www. stmartin-in-the-fields.org **Concerts** (de 6£ à 25£ ; plus 1,50£ avec réservation) jeu., ven., sam. et un mar./mois à 19h30 *"Lunchtime concerts"* (gratuits): lun.-mar. et ven. à 13h *"Concerts by candlelight"* ("à la lueur des chandelles", payants) mar., jeu., ven. et sam. à 19h30 **Concerts de jazz** (8£ ; plus 5£ avec réservation) mer. à 20h

Où prendre un *drink* ?

Albannach (plan 8) "Écosse et modernité" : le sujet peut laisser un peu sec au premier abord. Pour vous hydrater et vous donner de quoi enrichir votre réflexion, direction l'Albannach, un bar à cocktails *very hype* et écossais (si, si) donnant sur Trafalgar Square. Serveur en kilt design, cerf en papier, lustres en bois et cocktails recherchés (coriandre et Grand Marnier !) : on est loin du décor des auberges du Loch Ness, et c'est tant mieux. Au sous-sol, carmin, il y a même des soirées rock le week-end. Deux bémols : ambiance chic (pas très rigolote) et prix en conséquence (pas rigolos non plus). Cocktail env. 9£. *M° Charing Cross 66 Trafalgar Square WC2 Tél. 020 7930 0066 Ouvert lun.-sam. 12h-1h*

Westminster

Où assister à un *lunchtime* concert ?

St. John's Concert Hall (plan 9) Ce chef-d'œuvre du baroque anglais abrite aussi une salle de concert réputée. *M° Westminster Smith Square SW1 Tél. 020 7222 1061 www. sjss.org.uk Concerts à 13h ou 19h30 Box Office : lun.-ven. 10h-17h (jusqu'à 18h les jours de représentation)*

Où savourer une pinte et un bon *pie* ?

The Albert (plan 8) Ce pub victorien typique, tout en acajou patiné, verre taillé et grosse moquette, a accueilli pendant des années les MPs en goguette. Le patron y avait même une cloche pour leur signaler le moment de retourner sous la perruque ! Sachez toutefois que désor-

mais, ce sont plutôt les touristes qui viennent profiter des bières pas chères et des *pies* de qualité. Le sympathique moustachu en photo un peu partout sur les murs ? C'est évidemment feu Albert, époux de la reine Victoria. Pinte 3 à 3,50£. *M° Victoria 52 Victoria St SW1 Tél. 020 7222 5577 Ouvert lun.-jeu. 8h-23h, ven.-sam. 8h-0h, dim. 8h-22h30*

Où siroter un cocktail à deux ?

Cinnamon Club (plan 8) Pas l'ombre d'une pancarte ou de la moindre vitrine pour ce restaurant de nouvelle cuisine indienne et son bar fort recommandable. Juste une discrète plaque de cuivre sur le mur du vaste immeuble de l'ancienne bibliothèque d'Old Westminster. En journée, vous pouvez y déguster des sublimes cocktails à la sauce indienne (avec ou sans alcool) dans la bibliothèque en acajou pour une ambiance très *British*. Le soir, le bar du sous-sol vous accueille dans une atmosphère nettement plus moderne, avec murs tendus de cuir et projection de films *made in Bollywood* en fond. Un endroit chic et décalé à apprécier en amoureux. Cocktail env. 9£. *M° Westminster 30-32 Great Smith St SW1 Tél. 020 7222 2555 Restaurant ouvert lun.-ven. 7h30-10h, 12h-14h30 et 18h-22h45 ; brunch le sam. 12h-14h30 Bar Ouvert lun.-sam. 11h-0h Club bar du sous-sol ouvert lun.-sam. 18h-0h*

Lunchtime concerts

Les nombreux *lunchtime concerts* ont lieu à l'heure de table en semaine dans les églises, les théâtres ou les centres culturels : ces récitals et concerts de musique de chambre, donnés par de jeunes professionnels, sont le plus souvent gratuits. Profitez d'un *break* pour vous y ressourcer entre deux courses !

CAFÉS, BARS, PUBS & PAUSES GOURMANDES

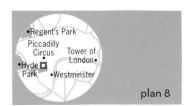

plan 8

St. James's

Le long du Mall qui mène à Buckingham, les bars se font bien rares. À croire qu'ils se cachent. Eh bien oui, dans une galerie d'art groovy par exemple ! Sinon, pour profiter des écrins de verdure londoniens, optez pour un *take away* à savourer dans un transat de Green Park ou attablez-vous au restaurant niché au cœur du magnifique parc voisin (cf. "Restaurants")

Où manger sur le pouce ?

Chubbie's (plan 8) Une petite cantine populaire, toute carrelée de jaune, aux tables recouvertes d'une simple toile cirée. Nous la signalons pour son atmosphère unique et sa clientèle bigarrée portant parfois mallette et cravate ! *English breakfast* roboratif (œufs, saucisses, bacon, haricots noirs, champignons, etc.) autour de 5£. À moins de 4£ également, les sandwiches œuf bacon et les fish & chips. Très simple et pas cher. Palais délicats, s'abstenir ! *M° Green Park 10 Crown Passage SW1 Tél. 020 7839 3513 Ouvert lun.-ven. 6h-16h, sam. 6h-14h*

Où faire une pause arty ?

ICA - Institute of Contemporary Arts (plan 8) Relaxez-vous au milieu des étudiants en arts d'avant-garde – en essayant de comprendre de quoi ils parlent. Vous pouvez aussi en profiter pour lâcher votre pinte (vide) et aller faire un tour pour voir les expos. De temps en temps, le week-end, un DJ se met aux platines, mais ne vous attendez

Tea time !

Five o'clock tea, small tea, high tea, cream tea, Champagne tea... Cherchez l'erreur : parmi plusieurs *tearooms* tout ce qu'il y a de plus traditionnel, se cache une adresse plus délurée où vous pourrez opter pour un verre de vin – si, finalement, c'est plutôt ça votre tasse de thé...

pas à une ambiance de rave déjantée : il ne s'agirait pas de réveiller la voisine la reine... Quant à la cinémathèque de la galerie d'art contemporain, elle fait la part belle aux films étrangers en VO et au cinéma expérimental. Tarif cinéma : 7-8£ (selon horaire) ; séances à 5£ le lundi Bière à partir de 3,20£. *M° Charing Cross 12 Carlton House Terrace, The Mall SW1 Tél. 020 7930 3647 Ouvert lun. 12h-23h, mar.-sam. 12h-1h, dim. 12h-22h30*

Où prendre un *drink* ?

Bbar (plan 8) La proximité de Buckingham a dû donner aux propriétaires de ce bar à cocktails la nostalgie de l'Empire sur lequel jamais le soleil ne se couche. On se retrouve donc, à deux pas de St James's Park, dans un curieux décor pseudo-africain avec lampes en porc-épic, cuirs simili-croco et photos de savane partout. Cet aspect chic et toc semble rebuter les touristes passant en masse sur le trottoir. Dommage, car les prix s'avèrent très raisonnables pour le quartier, et on vous propose une belle collection de cocktails sans alcool. Maintenant, vous savez où aller vous désaltérer après avoir regardé les impassibles Horse Guards. Cocktail à partir de 7£. M° *Victoria 43 Buckingham Palace Rd SW1 Tél. 020 7958 7000 Ouvert lun.-ven. 11h30-23h*

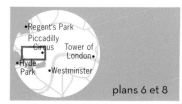

plans 6 et 8

Piccadilly et Mayfair

Chic, chic, chic. Cravates, robes de créateurs, clubs privés, hôtels de luxe... attention à votre tenue pour passer les cerbères !

Où prendre l'*afternoon tea* ?

Impossible de ne pas sacrifier au rituel de l'après-midi... Mais pourquoi ne pas vous la jouer décalée, au milieu de touristes ultra hype ?

Ritz (plan 8) Certes, le plus célèbre, le plus convoité... et le plus exclusif des salons de thé londoniens : il faut y réserver une table six semaines d'avance ! Dans les fastueux salons de Palm Court, ce rituel raffiné est assuré cinq fois par jour à heure fixe

et bercé par les notes d'un piano ou d'une harpe. Pas d'impair, respectez le *dress code* : veste et cravate pour les hommes, jeans et tennis prohibés... *Afternoon tea 37£, Champagne afternoon tea* (5e service, à 19h30) 48£. M° **Green Park** *Ritz, Palm Court, 150 Piccadilly W1 Tél. 020 7493 8181 www.theritzlondon.com Services tlj. à 11h30, 13h30, 15h30, 17h30, 19h30*

St. James's Restaurant at Fortnum & Mason (plan 8) On y réservera une table plus facilement qu'au Ritz : pas d'impératif vestimentaire – hormis le pantalon pour les hommes – dans ce grand salon guindé, au 4e étage du magasin, où de vénérables *ladies* côtoient des touristes. L'*afternoon tea* comprend, comme il se doit, des canapés (au saumon fumé, au concombre et au fromage frais, etc.), des pâtisseries et scones maison. Comptez de 30 à 40£ selon le thé (coupe de champagne brut ou rosé comprise à partir de 34£). Le *high tea*, servi seulement l'après-midi, inclut un plat chaud (de 32 à 42£). Réservation fortement conseillée. M° **Piccadilly Circus** *St James's Restaurant, 4e étage, 181 Piccadilly W1 Tél. 020 7734 8040 www.fortnumandmason.co.uk Afternoon tea, high tea : lun.-sam. 12h-19h*

☺ **The Parlour at Sketch (plan 6)** Ici, on a voulu dépoussiérer le rituel ! Le capharnaüm maîtrisé – vieux bouquins "oubliés" sur les tables, mobilier rétro et dépareillé – et le doux bercement de la musique lounge invitent avant tout à un moment de détente. Des touristes japonaises au look déjanté trempent leurs lèvres dans leur tasse de thé ou leur verre de vin (servi tout au long de la journée). Le thé est proposé version "*small*" (scones, confiture et *clotted cream*) ou "*afternoon*" (sandwiches variés, scones et pâtisseries). Aussi une carte de restauration légère non-stop : *raviolini*, risotto, salades, etc. *Afternoon tea* 19,50£, *small tea* 9,50£. Réservation conseillée. M° *Bond Street* 9 *Conduit St W1 Tél. 087 0777 4488 www.sketch. uk.com Ouvert lun.-ven. 8h-21h, sam. 10h-21h (thé servi lun.-sam. 15h-19h30)*

Où siroter un cocktail ?

Mo Tea Room (plan 6) Un thème maro-cain à Londres, le Français ne s'en rend pas forcément compte, mais on frise là le plus fou des dépaysements. Dans cette annexe du resto (toujours bondé) Chez Momo (cf. "Restaurants"), le décor se montre évidemment de circons-tance : poufs en cuir, lampes en cuivre, tables basses et une musique pleine de darboukas un peu forte. Si on veut la jouer musulman, préférer les cocktails sans alcool, excellents. Un bel endroit confort à un jet de datte de Regent St. Cocktail 8,50£. M° *Piccadilly Circus 25 Heddon St W1 Tél. 020 7434 4040 Ouvert lun.-sam. 12h-1h, dim. 12h-0h*

Met Bar (plan 8) Il n'y a pas si long-temps, ce petit bar d'hôtel était un imprenable bunker à VIP, couru par toutes les demi-stars (ici on dit *"A-list" personalities*) et évidemment inac-cessible aux simples mortels. L'eau de la Tamise a coulé sous les ponts, les vedettes ont changé de crémerie et la porte est grande ouverte même si, après 21h, c'est officiellement réservé aux membres. Vous pourrez donc boire un excellent Martini (la spécialité), installé sur une des larges banquettes en cuir rouge, en vous disant que David Beckham y a posé son auguste postérieur. Si l'ambiance reste trop chic pour vous, il y a tou-jours possibilité de pousser dans le quartier de Shepherd Street voisin, nettement plus décontracté. Cocktail 10,50£. M° *Marble Arch Metropolitan Hotel 18-19 Old Park Lane W1 Tél. 020 7447 1000 Ouvert tlj. 10h-21h*

The Bar at The Dorchester (plan 8) Le Dorchester fait partie de la crème des palaces londoniens et des bons pourvoyeurs de bars d'hôtel. The Bar, rénové durant l'été de 2006, vient concurrencer le China Tang asiatisant un peu plus haut dans le hall et le salon de thé tout en dorures. Autant dire que le décorateur n'a pas lésiné : on traverse une forêt de stalagmites de verre carmin pour aller se lover dans un des canapés géants en velours violet. Parfait pour un rendez-vous amoureux. À noter que tout ce luxe n'empêche pas l'équipe d'être étonnamment cha-leureuse. Enfin, la liste des cocktails surprendra les plus blasés tant par l'imagination du barman que par leurs prix stratosphériques ! Cocktail 15£. M° *Hyde Park Corner 53 Park Lane W1 Tél. 020 7629 8888 Ouvert lun.-sam. 12h-1h, dim. 12h-0h*

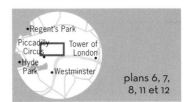

plans 6, 7, 8, 11 et 12

Soho, Covent Garden et Holborn

Autant les clubs de Soho sont toni-truants, autant ses bars se classent plutôt dans la catégorie lounge apaisé : le calme de l'apéro avant la tempête...

Soho

Où faire une pause ?

Maison Bertaux (plan 7) Envie d'une pause gourmande ? Cette pâtisserie d'origine française a pignon sur Greek

Street depuis 1871. Quatre tables et un piano se disputent la minuscule boutique emplie d'un sympathique capharnaüm. Pas de carte, il vous suffit de pointer du doigt l'une des pâtisseries en vitrine. Des tartes renversantes (env. 4£) et d'exquis jus de fruits pressés. Également une petite salle à l'étage et trois tables sur le trottoir quand le temps le permet. Thé (2,80£), café (3£) et *iced coffee* (2,80£) en été. *M° Tottenham Court Road* 28 Greek St W1 Tél. 020 7437 6007 Ouvert lun.-sam. 8h30-23h, dim. 9h-20h

Bar Chocolate (plan 6) Miracle. À une rue d'Oxford Street et de son agitation un peu usante, un petit bar tranquille. On y retrouve toutes les caractéristiques du rade des années 2000 : un mobilier dépareillé (acheté sans doute à une école), des loupiotes discrètes, des murs chocolat (d'où le nom ?), une musique électro-lounge inoffensive et une carte des cocktails solidement pourvue. La population oscille entre touristes malins (vous !) et jeunes Londoniens. Un bon repaire pour s'octroyer une pause au calme – c'était inespéré ! – après un shopping marathon dans le quartier. Cocktail 8£. *M° Tottenham Court Road* 27 D'Arblay St W1 Tél. 020 7287 2823 Ouvert lun.-sam. 7h-23h, dim. 12h-22h30

Two Floors (plan 6) L'âge d'or de Carnaby Street créative et rebelle est bien révolu mais le quartier reste curieusement branché. Où vont les jeunes gens habillés vintage une fois qu'ils ont acheté leurs baskets de collection ? Eh bien ils filent s'en jeter un dans ce bar qui leur ressemble. Serveurs filiformes

So arty

Pubs traditionnels

Du bois ciré, des moquettes hideuses, un jeu de fléchettes et des clients tout droit sortis d'un épisode de *Chapeau melon et Bottes de cuir* : voilà ce que vous cherchez pour boire un coup.

mal rasés, déco évidemment minimale, à base de gros fauteuils achetés aux puces et de photos des copains artistes. Mais la terrasse sur la calmissime allée s'avère un excellent coin pour déguster leur bon mojito. Le soussol se retrouve, lui, avec une curieuse touche calypso (bambou, hutte). Car n'oublions pas que le kitsch, c'est *in*. Cocktail 6£. *M° Regent Street 3 Kingley St W1 Tél. 020 7439 1007 Ouvert lun.-jeu. 11h-23h30, ven.-sam. 11h-0h*

Où manger sur le pouce ?

Bar Italia (plan 7) Ici, qu'il s'agisse de politique ou de football, on suit l'actualité italienne avec passion. La nuit, la terrasse et le minuscule comptoir sont pris d'assaut par les noctambules en quête d'un expresso serré (2£) ou d'un panini (5-6£). Simplissime et très animé, avec sa déco de bric et de broc, son éclairage au néon et son personnel italien au verbe haut. *M° Tottenham Court Road 22 Frith St W1 Tél. 020 7437 4520 www.baritaliasoho.co.uk Ouvert lun.-sam. 24h/24, dim. 7h-16h*

Pâtisserie Valérie (plan 7) La maison mère, fondée en 1926, n'a pas survécu au Blitz, mais la deuxième pâtisserie de la chaîne belge, devenue une institution de Soho, a conservé son décor des années 1950. Espace salon de thé au rdc, repas légers servis à l'étage. Croque-monsieur (4,50-6,50£), sandwiches (6,95£), salades (8£), pâtes, steak minute, omelettes, quiches (8,50-9,95£). *M° Tottenham Court Road ou Leicester Square 44 Old Compton St W1 Tél. 020 7437 3466 www.patisserie-valerie.co.uk Ouvert lun.-mar. 7h30-20h, mer.-sam. 7h30-23h, dim. 9h-20h*

Gaby's (plan 7) Traiteur aux influences juives méditerranéennes et aux prix conciliants : falafels, sandwiches au bœuf séché, *mezze*, assortiments de salades autour de 4£. La formule entrée (salade de thon, falafel) et plat du jour (poulet à l'orientale, lasagnes végétariennes) est à 8,50£. Clientèle mélangée de familles nombreuses, de jeunes au budget serré et de couples sortant des théâtres alentour. *M° Leicester Square 30 Charing Cross Rd WC2 Tél. 020 7836 4233 Ouvert tlj. 12h-0h*

☺ **Abeno Too (plan 7)** La spécialité : l'*okonomiyaki*, sorte de grosse crêpe de sarrasin garnie de "ce qu'il vous plaira" et cuite devant vous sur une

Le temple du jazz

Ronnie Scott's, le mythique club de jazz des années 1960, s'est offert un lifting complet signé J. Garcia – le décorateur de l'hôtel Costes, à Paris. Côté légende : des photos des artistes qui ont joué sur la petite scène (Dizzy Gillespie, Chet Baker...). Côté club : des banquettes caramel et des loupiotes qui vont bien avec l'atmosphère intime de ce temple musical. Et côté jazz, enfin : une programmation (toujours) haut de gamme. Mais fini la bohème des *Swinging Sixties* : on ne croise ici presque que des quinquagénaires chics, et pour assister aux concerts (quasi quotidiens), il faut débourser entre 15 et 30£, parfois davantage. **Ronnie Scott's (plan 7)** *M° Tottenham Court Road 47 Frith St W1 Tél. 020 7439 0747 Programmation sur www.ronniescotts.co.uk Ouvert lun.-sam. 18h-3h (y compris les bank holidays) dim. 18h30-0h.*

plaque. À la garniture de base (chou émincé, oignons hachés et un soupçon de gingembre), on ajoute les ingrédients de votre choix : tofu, crevettes, bacon, viande, etc. Après avoir aspergé la crêpe de sauce, on la retourne sur des œufs battus et on la laisse cuire le temps qu'il faut. Les "mixes" les plus copieux s'accompagnent de *yakisoba*, les nouilles japonaises. Comptez 10-20£ selon le "mix" choisi. M° *Leicester Square* 17-18 *Great Newport St WC2 Tél. 020 7379 1160 www.abeno. co.uk Ouvert tlj. 12h-23h (dim. 22h)*

Où profiter d'une ambiance jazzy ?

Ray's Jazz & Café at Foyles (plan 7) Au 1er étage de la librairie Foyles, au milieu des rayons de CD de jazz, un café avec vue sur Charing Cross Road. Savoureux sandwiches chauds (3,50£), salades colorées (4,50£), jus de fruits frais (1,50-3£). Un agréable lieu de détente, avec du jazz et du blues en fond sonore. La librairie, tenue par la même famille depuis plus d'un siècle, est une institution londonienne (cf. GEOShopping, Soho). M° *Leicester Square* 113-119 *Charing Cross Rd WC2 Tél. 020 7440 3205 Ouvert lun.-sam. 9h30-21h, dim. 12h-18h*

Où prendre l'apéro ?

Milk & Honey (plan 6) Petite recette pour impressionner votre partenaire durant ce petit voyage en amoureux : téléphonez discrètement à ce bar (minimum 5h avant l'ouverture, c'est obligatoire pour avoir une table... pendant 2h pour les non-membres) et, à l'heure convenue, dirigez-vous plein de confiance vers cette porte sans inscription au cœur de Soho. Sonnez, entrez et laissez-vous accueillir. C'est tout un concept : le club privé où tout le monde peut aller, faisant mentir l'adage de Groucho Marx : "Je n'irais jamais dans un club qui m'accep-

terait comme membre." Vous voilà dans une petite salle crépusculaire (on ne voit vraiment rien), tapissée de carreaux d'aluminium, bercé par un jazz feutré... Un moment à part. C'est assez cher et les cocktails mériteraient un dosage plus subtil, mais ça vaut vraiment le coup. Après 23h, il faut laisser la place aux vrais membres du club. Cocktail 7,50£. M° *Oxford Circus* 61 *Poland St W1 Tél. 070 0065 5469 Ouvert lun.-ven. 18h-23h, sam. 19h-23h*

Covent Garden

Où craquer pour un fish & chips ?

☺ **Rock & Sole Plaice (plan 7)** Voici sans doute le fish & chips le plus couru de Londres... Les touristes et les *shopping addicts* chargées de sacs se lèchent les doigts dans sa petite salle carrelée de blanc ou sur la terrasse déployée sous les arbres en été. Poisson du jour et frites maison que les Londoniens aiment arroser copieusement de vinaigre. Une salle au sous-sol, au décor sous-marin. À emporter également. De 10 à 12£. M° *Leicester Square* 47 *Endell St WC2 Tél. 020 7836 3785 Ouvert lun.-sam. 11h30-23h30, dim. 12h-21h30*

Où manger vite et bio ?

☺ **Food for Thought (plan 7)** Une cantine végétarienne, installée depuis des lustres dans ce quartier "hippie chic" et dont le succès ne s'est jamais démenti. À l'heure du déjeuner, il faut jouer des coudes pour passer sa commande au comptoir. Suivant le marché du jour, on peut choisir entre des légumes croquants arrosés de sauce soja, des quiches et des tartes de toutes sortes, des salades géantes, des beignets de légumes, des jus de fruits bio... On récupère son assiette et l'on prie pour qu'une place se libère ! Également à emporter. Plat à 4,70£ ; quiche à 3,80£ et repas à 7,50£.31 Neal St WC2 M° *Covent Garden ou Leicester Square* Tél. 020 7836 9072 ou 020 7836 0239 *Ouvert lun.-sam. 12h-20h30, dim. 12h-17h*

Où boire une pinte ?

Porterhouse (plan 11) Si on cherche à cerner la notion d'usine à bière, il faut sérieusement penser à aller jeter un coup d'œil à Porterhouse : ce pub immense tout en briques et acier, avec son labyrinthe de demi-niveaux et ses tuyaux de cuivre qui courent partout, évoque une brasserie démente dessinée par un architecte sous acide. Il y a toujours un monde fou (beaucoup de touristes et d'étudiants), à tous les étages, pour tester l'impressionnante carte des bières, une centaine disponibles (certaines inédites en Angleterre comme la Chouffe française, sans parler de la bière éthiopienne...). Le sous-sol accueille des concerts grand public et si vous voulez prendre l'air, vous pouvez toujours vous "parquer" sur la terrasse. Pinte 3,20£. M° *Covent Garden 21-22 Maiden Lane WC2* Tél. 020 7836 9931 *Ouvert lun.-jeu. 11h-23h, ven.-sam. 11h-23h45, dim. 12h-22h30*

Lamb & Flag (plan 7) Éloignez-vous de la fourmilière de Covent Garden via Floral Street : sur votre gauche, une minuscule allée mène à ce pub tout en cuivre et bois, loin de l'agitation touristico-consumériste du quartier. Vous pensez : on boit ici depuis le XVIIe siècle, ce n'est pas quelques milliers d'étrangers en short qui vont tout changer ! Attention, cela n'empêche pas une foule compacte de passer vider des pintes dès 17h, mais on y croise plutôt des cadres en cravate et des vendeuses du coin (et le

contraire). Tout ce beau monde débordant joyeusement dans la rue dès qu'il fait plus de 12 °C. Pour plus de tranquillité, essayez le 1er étage, mais on ne vous promet rien. Pinte à partir de 2,80£. M° *Covent Garden 33 Rose St WC2* Tél. 020 7497 9504 *Ouvert lun.-ven. 11h-23h, dim. 12h-22h30*

Où siroter un cocktail ?

☺ **Freud (plan 7)** On ne dirait pas comme ça, en empruntant l'escalier de fer qui descend sous terre, mais on entre là dans un lieu historique. Voici en effet le premier rade qui, dès 1986, a osé la déco minimale dans un pays coincé entre la moquette et l'acajou ! Ici, ambiance new-yorkaise, donc : du béton nu, de la lumière crue, des expos au mur et de l'électro minimal dans les oreilles. Au moins, ça vieillit mieux que les pseudo-décors branchés. Pour preuve : la faune reste toujours aussi branchée qu'aux premiers jours. La liste des cocktails offre l'embarras du choix et on peut même prendre un expresso après 22h. Cocktail 4,20-6,85£. M° *Covent Garden 198 Shaftesbury Ave. WC2* Tél. 020 7240 9933 *Ouvert lun.-mer. 10h-23h, jeu. 11h-1h, ven.-sam. 11h-2h, dim. 12h-22h30*

Du côté du Strand

Où goûter au *carrot cake* ?

Somerset House (plan 11) Le Deli, dans le Seamen's Waiting Hall, vend des sandwiches, salades, muffins, *carrot cakes*, boissons chaudes et fraîches à emporter. L'été, des buvettes installées dans la cour centrale proposent des en-cas, glaces et rafraîchissements, tandis que le River Terrace Café dresse ses tables face à la Tamise et sert de petits plats malins autour de 10-12£. Pour un vrai repas, cf. The Admiralty ("Restaurants").

M° Temple www.somersethouse.org.
uk **Courtyard Bar** *Ouvert mi-mai-sept. tlj. 12h-22h (dim. 20h)* **River
Terrace Café** *Tél. 020 7845 4646
ouvert mi-mai-sept. tlj. 8h30-19h30*
Deli *Ouvert tlj. 8h30-18h (à partir de
10h le week-end)*

Où prendre l'*afternoon tea* ?

Savoy (plan 12) Un must, comme
on dit, l'endroit par excellence où
s'initier à la sacro-sainte cérémonie
de l'*afternoon tea* ! Le majestueux
Savoy se fait refaire une beauté,
sous la direction du designer français Pierre-Yves Rochon. Pour goûter
au raffinement *so British* de son salon
autour de quelques pâtisseries, il
faudra certes prévoir de débourser
une somme coquette, mais sachez
qu'une pause dans le Thames Foyer
remplacera largement un repas.
M° Temple Strand WC2 *Tél.* 020 7836
343 www.fairmont.com/savoy *Réou-
verture de l'hôtel et du salon de thé
prévue pour 2010*

Où déguster un verre de vin ?

☺ **Gordon's Wine Bar (plan 12)** Dans
le ressac des *commuters* pressés, il
existe un havre poussiéreux et inestimable où le temps et le client s'oc-
troient une pause. Une cave immé-
moriale qui abrite, depuis plus de
110 ans, un bar à vins imperméable à
toutes les modes. Pas de musique ni
de mobilier design ici. On se courbe
sous les voûtes couleur nicotine,
on va se chercher un verre de vin
vieilli en fût au bar et on essaye de
caser ses jambes sous les petites
tables éclairées à la bougie (l'été,
sur une terrasse toute calme). Dites-
vous que Laurence Olivier, ancien
habitué, faisait pareil. Au cœur de
la ville en perpétuelle agitation, un
moment précieux de calme, hors du

monde. Alors *why not* ? Verre à partir
de 3,50£ (voir aussi "Restaurants").
*M° Charing Cross 47 Villiers St WC2
Tél. 020 7930 1408 Ouvert lun.-sam.
11h-23h, dim. 12h-22h*

Holborn

À l'écart des boutiques, des théâtres
et des artères trop courues du West
End, on trouve, du côté de Holborn,
des pubs parmi les plus authentiques
de la ville...

Où apprécier l'atmosphère d'un vieux pub ?

Princess Louise (plan 11) Pas de
doute, les Anglais savaient y faire,
question pubs ! Le décor, de 1891,
n'a pas bougé d'un iota et ce magnifique endroit, grand comme un hall
de gare, en met plein les yeux du
continental : bar immense, faïence
omniprésente, plafond laqué de
rouge, miroirs ouvragés, cuivres asti-
qués... Même les toilettes valent le
coup d'œil ! En plus, alors que la très
touristique New Oxford Street n'est
qu'à un jet de *sausage*, on n'y croise
presque que des Londoniens pur jus
venant s'hydrater après le boulot.
Ultime bon point : on y sert l'une des
pintes les moins chères de Londres.
Un regret ? Bon d'accord, l'ambiance
mériterait d'être un poil plus enjouée.
Pinte à partir de 2£. *M° Holborn 208
High Holborn St WC1 Tél. 020 7405
8816 Ouvert tlj. 12h-23h*

Ye Olde Cheshire Cheese (plan 11)

Vous en voulez du vieux pub ? En
voilà ! Fondé en 1667 (et, pour sou-
ligner l'exploit, on trouve à l'entrée
la liste des souverains auxquels ce
vénérable bâtiment a survécu). Une
fois repérée l'entrée (dans la toute
petite allée se jetant dans Fleet
Street), inutile de vous perdre dans
le dédale de ce lieu immense : can-

Pubs et bars

Attention, branché !

Marre des comptoirs en acajou ? Ne vous inquiétez pas, des bars à la déco extravagante, Londres en a plus qu'il n'en faut. Pour en avoir plein les yeux et plein le verre.

Devant la cheminée

Les pubs chauffés au bois se font rares. Dommage, car une flambée apporte un vrai supplément d'âme...

En terrasse

Eh non, il ne pleut pas toujours à Londres. L'été, il peut même faire un soleil de plomb. Ouf, car quoi de meilleur qu'une bière à la fraîche ?

Pour une bière artisanale

Contre l'hégémonie des brasseurs industriels et le goût unique, la résistance s'organise. Vous trouverez dans ces pubs des *real ales* brassées chez des petits indépendants. Et pour même pas plus cher.

Pour un cocktail

Londres n'est pas uniquement la capitale de la pinte de blonde. La ville accueille aussi les meilleurs barmen de la planète... capables de vous concocter des cocktails d'anthologie !

En bande

Une des spécialités locales : des lieux immenses occupant plusieurs niveaux et pouvant recevoir sans sourciller quelques équipes de cricket.

Sur fond de musique live

Tous les groupes anglais, même les plus connus, ont commencé en jouant dans des pubs... Prêt à découvrir les stars de demain ?

Ici, ça danse

Des DJ animent les moindres pubs un peu branchés. Mais seuls les meilleurs arrivent à faire groover les clients.

tonnez-vous plutôt à la première salle à droite. Une cheminée, un bar en bois noir, des tableaux poussiéreux, des lumières chiches et un vieil habitué enquillant les gins comme des verres d'eau : on se croirait au XIXe siècle et Dickens pourrait débarquer (c'était un habitué). Bière à partir de 1,80£. *M° Blackfriars 145 Fleet St EC4 Tél. 020 7353 6170 Ouvert lun.-ven. 11h-23h, sam. 12h-23h, dim. 12h-16h*

Cittie of Yorke (plan 11) Rome a la chapelle Sixtine, Paris Notre-Dame et Londres, me direz-vous : St Paul's ? L'abbaye de Westminster ? Non ! Le Cittie of Yorke, véritable cathédrale vouée à la bière ! Dans l'immense "nef" du fond, le plafond et son entrelacs de poutres culminent à quelque 6m de haut et le pèlerin assoiffé peut siroter sa bière à l'écart, dans une sorte de confessionnal en bois. En guise de statues, un impressionnant poêle en fonte et, pour retable, la collection d'énormes tonneaux trônant au-dessus du long bar. Et à 1,78£ la pinte, on frôle l'obole symbolique. *M° Holborn 22 High Holborn WC1 Tél. 020 7242 7670 Ouvert lun.-ven. 11h30-23h, sam. 12h-23h*

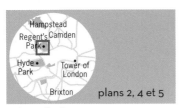

plans 2, 4 et 5

Marylebone et Regent's Park

À la lisière de Mayfair, le quartier propose des bars haut de gamme. Mais plus au nord, autour de Regent's Park, on dégote des lieux attachants.

Où trouver une vraie boulangerie ?

☺ **De Gustibus (plan 5)** Des pains de toute provenance, de la *ciabatta* à la baguette parisienne en passant par le pain au quinoa des Aztèques, confectionnés dans les règles de l'art, des sandwiches dont on sélectionne les ingrédients à partir de 3,95£ sur place (2,95£ à emporter), des soupes, des salades de première fraîcheur, des assiettes composées et de délicieux j252plats chauds, dont un couscous qui a conquis les employés du quartier. *M° Baker Street 53 Blandford St W1 Tél. 020 7486 6608 www.degustibus.co.uk Ouvert lun.-ven. 7h-16h*

Où siroter un cocktail ?

DeVigne (plan 5) Un joli petit bar d'hôtel. Les profonds canapés taupe sont *very* confortables, les tabourets gainés de cuir pistache ou bisque se marient parfaitement avec le sol en marbre et les murs anthracite. Pour la touche *British*, on a rajouté des lèvres fluo aux portraits pseudoélisabéthains encadrés dans du Plexiglas. Bref, un endroit parfait, design (et central) pour un cocktail au calme à deux. Le Mai-Tai est excellent. Cocktail 9,75£. *M° Bond Street Mandeville Hotel 8-14 Mandeville Place W1 Tél. 020 7935 5599 Ouvert lun.-sam. 10h-23h45, dim. 10h-22h45*

Où déguster un bon whisky ?

Salt Whisky Bar (plan 2) Sur le papier, c'est l'archétype du club anglais. De profonds canapés en cuir ? Il y a. Une décoration discrète ? Il y a. Des centaines de whiskys à déguster ? Il y a. Mais si vous vous attendiez à une ambiance cosy où seul le tic-tac du carillon dérange le gentleman, vous vous mettez le doigt dans l'œil. On est au XXIe siècle, et on dirait qu'une assourdissante bande-son Eurodance devient indispensable pour les jeunes boursicoteurs en *baggy*. Dommage, car la carte des whiskys révèle des merveilles comme ce Laphroaig 40 ans d'âge (98£ le verre !). Le mieux reste encore la petite terrasse pour regarder vivre le quartier libanais. Cocktail 8£, whisky à partir de 6£. *M° Marble Arch* 82 Seymour St W2 *Tél.* 020 7402 1155 *Ouvert lun.-sam. 12h-1h, dim. 12h-0h*

Autour de Regent's Park

Où faire une pause bucolique ?

Garden Café (plan 4) Un café-restaurant au milieu de Regent's Park, particulièrement appréciable quand on peut profiter de sa terrasse fleurie. Sandwiches, *crostini*, *bruschetta*, assiettes de crudités, tartes salées, viandes et autres plats de 4,25£ à 13,95£ ; menus à 13,50£ (2 plats) et 17,50£ (3 plats) le midi. Également d'exquises douceurs pour accompagner dignement un petit déjeuner ou un *afternoon tea*. Regent's Park (Inner Circle) NW1 *M° Regent's Park* ou *Baker Street Tél.* 020 7935 5729 *www.companyofcooks.com Ouvert été : tlj. de 9h à la tombée de la nuit (soit autour de 21h l'été et de 16h-17h l'hiver !)*

Où boire un verre et savourer des tapas ?

Queen's Head & Artichoke (plan 4) On ne pourrait vraiment pas s'imaginer dénicher un pub agréable dans ces parages coincés derrière Regent's Park – et pas glamours pour un penny. Comme quoi, il ne faut jurer de rien dans cette ville ! Une belle salle victorienne savamment restaurée, avec une bonne dose de sofas en cuir, ainsi qu'une carte des vins abon-

dante, attirent une faune chic et relativement décontractée. Mais ce pub vaut le voyage surtout pour son menu de tapas à la fois abordables et goûtues. À explorer donc plutôt pour un apéro dînatoire. Verre de vin 3£ environ. *M° Great Portland Street* 30-32 Albany St NW1 *Tél.* 020 7916 6206 *Ouvert tlj. 11h30-23h*

Où boire un verre ?

☺ **The Clifton (plan 4)** Anecdote typiquement anglaise : Édouard VII y retrouvait sa maîtresse, Lily Langtry, pendant que la reine Alexandra poireautait à Buckingham... Aucune raison de se sentir intimidé : dans ce décor en boiseries tout calme, entre le petit salon et sa télé, la véranda et la cheminée, on a l'impression d'être chez quelqu'un. Un vieil habitué feuillette son journal sur un billot qui sert de table pendant que le chat pionce dans un coin. Non, vraiment, le roi savait choisir de ces lieux ! Dommage qu'il y ait si peu d'animation dans ce quartier très résidentiel. Bière 3£. *M° St John's Wood* 96 Clifton Hill NW8 *Tél.* 020 7372 3427 *Ouvert lun.-sam. 12h-23h, dim. 12h-22h30*

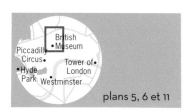

plans 5, 6 et 11

Bloomsbury

Classique à proximité du British Museum, plus chic au sud et plutôt *roots* vers King's Cross, voilà un quartier protéiforme mais non moins typique.

Où prendre une bonne dose de Londoniens "pur jus" ?

Museum Tavern (plan 5) Idéalement situé pour le repos et l'hydratation des visiteurs épuisés par leur visite du British (Museum), ce pub réussit l'exploit de ne pas être un attrape-touriste. Il a gardé cette touche d'authenticité bien agréable et une bonne dose de Londoniens pur jus. La moquette est hideuse comme il se doit, le bois sombre et patiné comme il faut, la vitrine ciselée comme dans la tradition et l'offre en *real ales* impeccable. Bière 3£. M° *Tottenham Court Road* 49 *Great Russell St WC1 Tél. 020 7242 8987 Ouvert lun.-sam. 11h-23h, dim. 12h-22h*

Lamb (plan 11) Dans l'ombre d'un grand hôpital, le quartier n'engendre pas une folle hilarité. Heureusement que ce joli pub fleuri se trouve là pour se remonter le moral. Ce petit bijou victorien n'a pas bougé depuis le XIXe siècle. On y trouve même des vestiges originaux comme le Polyphon, sorte d'ancêtre du juke-box, ou le bar en acajou équipé de panneaux en verre pivotant pour préserver l'intimité des bourgeois d'alors. Les historiens de la période pourront même essayer de se souvenir des actrices dont les photos ornent les murs (Gladys Cooper, ça vous dit quelque chose?). Les autres se contenteront de siroter leur bière, tranquilles, au milieu des habitués –plutôt quadras chics. Bière 2,90£. M° *Russell Square* 92 *Lamb's Conduit St WC1 Tél. 020 7405 0713 Ouvert lun.-mer. 12h-23h, jeu.-ven. 12h-0h, dim. 11h-0h*

Où boire une pinte ?

The Social (plan 6) Ne vous fiez pas à ce long couloir de béton nu au sol de carreaux de verre, qui fait penser à une entrée de métro : vous voilà dans l'un des bars les plus pointus de Londres. Dans la salle du haut ressemblant à un sauna réhabilité avec ses murs lambrissés de bois clair, vous pouvez prendre un apéro dans les canapés en demi-cercle en choisissant, luxe ultime, votre musique (il y a un juke-box bourré de rock indé dans un coin). La salle du bas accueille régulièrement des concerts des habitués des pages "découvertes" du NME (cf. encadré) ainsi que des DJ électro *über* cool (lun.-mar., entrée 4-5£). Pas de doute, c'est le rade ultime. La preuve : des Japonais surlookés s'y pressent. À noter qu'il existe une autre adresse de la même enseigne à Islington. Pinte 3,10£. M° *Oxford Circus* 5 *Little Portland St W1 Tél. 020 7636 4992 www.thesocial. com Ouvert lun.-mer. 12h-0h, jeu.-sam. 12h-1h, dim. 17h-0h*

NewMan Arms (plan 5) Voilà un petit pub très propre. Trop propre même. Ses murs grège, ses banquettes claires, ses petits tableaux vous font davantage penser à un lobby d'hôtel qu'à un pub chargé d'histoire. Parce que des histoires, il y en a, attention. Un certain Orwell était un habitué (et on nous avance que le lieu est mentionné dans *1984*, mais au moins une demi-douzaine de pubs revendiquent la même chose !) et la petite allée attenante apparaît dans le classique *Peeping Tom* réalisé dans les années 1960. Et à part cela, quoi de (plus) neuf, demandez-vous ? Essentiellement un 1er étage où déguster un excellent *pie* à la viande. Bière 3,20£. M° *Goodge Street* 23 *Rathbone St W1 Tél. 020 7636 1127 Ouvert lun.-ven. 12h-23h*

Où prendre un *shot* de vodka japonaise ?

☺ **Shochu Lounge (plan 5)** Ne faites pas semblant : vous ne connaissez pas le *shochu*. Bon, autant l'avouer, avant d'aller dans ce bar en sous-sol, nous non plus. Figurez-vous que c'est l'équivalent japonais de la vodka, en moins fort (25°) : un alcool blanc de riz ou de patate douce. Mais pour un exposé nettement plus en profondeur, posez-vous contre le bar en bois massif et écoutez les explications des barmen (italiens !). Regardez-les vous couper un énorme glaçon à la scie et appréciez le goût subtil de cette boisson. Le décor se montre pas mal non plus dans le genre moderne et traditionnel, un peu comme un QG de *yakusa* dans un James Bond. Cocktail env. 7£. *M° Goodge Street Sous-sol du restaurant Roka 37 Charlotte St W1 Tél. 020 7580 9666 www. shochulounge.com Ouvert lun. et sam. 17h-0h, mar.-ven. 12h-0h, dim. 18h-0h*

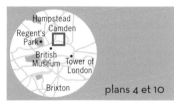

plans 4 et 10

Islington

Encore un coin repéré par la nouvelle bourgeoisie cool. Du coup, bars et pubs dernier cri ont poussé comme des champignons dans Upper Street pour hydrater cette clientèle montante.

Où boire un verre ?

☺ **Angelic (plan 10)** Le pub traditionnel avec son 5 à 7 très alcoolisé évolue. Symbole de cette mutation, l'Angelic, qui se rapproche des troquets français tout en gardant les impressionnants volumes anglais : on se sent tout de suite bien dans la grande salle très lumineuse agrémentée de meubles en bois clair. La population de jeunes trentenaires en tee-shirt vient aussi bien casser une graine à deux, prendre un café en solitaire vautré dans un sofa ou s'en mettre une bonne avec les copains. Petit détail : ils passent des extraits de comédie dans les toilettes (ne vous étonnez pas si ça rigole autour de vous devant la faïence). Bière 3£. *M° Angel 57 Liverpool Road N1 Tél. 020 7278 8433 Ouvert dim.-jeu. 12h-0h, ven.-sam. 12h-1h*

Keston Lodge (plan 10) Les quartiers qui bougent poussent à Londres comme les champignons après la... pluie. Upper Street est devenu ainsi particulièrement branchouille et ce bar s'impose comme le havre emblématique de la nouvelle population en tee-shirt d'importation et baskets vintage. On se retrouve donc évidemment dans un grand espace pseudo-industriel où se côtoient béton nu, poutres métalliques et mobilier dépareillé, chiné dans les brocantes. Si ce genre d'endroit, où l'on croise artistes dans le vent et gens dans la com', vous agace d'habitude, pas besoin de vous déplacer, mais si vous, c'est votre tasse de thé, alors vous allez adorer. Bière 3,50£.

Upper Street, la rue qui monte !

Les quartiers qui bougent poussent à Londres comme les champignons après la... pluie. Dans la famille des rues qui montent, Upper Street regorge de restaurants pris d'assaut – le soir –, de bars et de pubs branchés. À l'écart de son agitation, Camden Passage est une charmante rue piétonne où il fait bon flâner (cf. p.70 et Keston Lodge, p.103).

M° *Highbury and Islington* 131 Upper St N1 Tél. 020 7354 9535 Ouvert lun.-mer. 12h-0h, jeu. 12h-1h, ven. 12h-2h30, sam. 12h-3h, dim. 12h-23h30

☺ **Wenlock Arms (plan 10)** On a trouvé là-bas la recette pour un nectar de pub familial : distillez votre subtile alchimie de bien-être à partir de grosse moquette à fleurs, de bières artisanales pas chères, de bois sombre. Évidemment, pour que la fragrance enivrante du bar de quartier se dégage avec toute sa force, il faut aussi une bonne rasade d'habitués : des vieux, des jeunes, des rockers et des travailleurs, des instituteurs et des ouvriers, des femmes, des hommes. Ajoutez la touche finale : une patronne édentée (et charmante) qui baragouine le français. Dégustez sans modération : ce genre de pépite se fait rare à Londres. Bière 2,50£. M° **Old Street** 26 Wenlock Rd N1 Tél. 020 7608 3406 Ouvert dim.-jeu. 12h-0h, ven.-sam. 12h-1h

King's Cross

Envie de pain, de gâteaux, de fromages français ?

Pâtisserie Deux Amis (plan 4) Voici une adresse de quartier où acheter de l'excellent pain, des sandwiches, des feuilletés et des gâteaux bon marché. À dévorer sur place ou à emporter. M° **King's Cross** St. Pancras 63 Judd St WC1 Tél. 020 7383 7029 Ouvert lun.-sam. 9h-17h30, dim. 9h30-14h

Villandry (plan 5) Une épicerie fine bien fournie : primeurs fermières, *antipasti* italiens, fromages français, cidres bio, vins, chocolats... Le rayon traiteur comblera les gourmets avec ses spécialités du monde entier, des crudités anchoïade (5,50£) aux gambas grillées façon thaïe (12£) et au cassoulet (15£). On peut aussi s'y faire préparer une assiette de charcuterie ou de fromages, ou commander une quiche ou une pâtisserie au rayon boulangerie, et les déguster au bar. M° *Great Portland Street* 170 Great Portland St W1 Tél. 020 7631 3131 www.villandry.com Boutique ouverte lun.-sam. 8h-22h, dim. 9h-16h Bar ouvert lun.-ven. 8h-23h, sam. 9h-23h

Où grignoter des tapas ?

06 St Chad's Place (plan 10) Ce bar sympa s'avère une des rares bonnes nouvelles si vous logez dan s l'un des hôtels autour de la gare de King's Cross et que vous cherchez autre chose qu'un fast-food pour l'apéro. Caché dans une petite allée pavée au-dessus des voies du métro, cet ancien entrepôt (donc haut de plafond) accueille plein d'étudiants venus picorer tapas (un peu chères) et vider des pintes sur une musique gentiment électro et qui ne couvre pas les conversations. Un lieu cosy et design juste ce qu'il faut. Attention, c'est privé le week-end. Bière 3,50£. M° *King's Cross* 6 St Chad's Place WC1 Tél. 020 7278 3355 www.6stchadsplace.com Ouvert lun.-jeu. 8h-23h, ven. 8h-1h (DJ ven. soir)

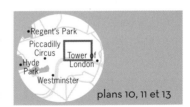

plans 10, 11 et 13

La City et Clerkenwell

C'est une tradition : après le travail, les Anglais se paient une mousse. Les *golden boys* envahissent donc pubs (classiques) et bars (plus branchés)...

CAFÉS, BARS, PUBS & PAUSES GOURMANDES

Au cœur de la City

Où s'octroyer une pause de businessman ?

K10 (plan 13) Le minuscule rez-de-chaussée de ce restaurant japonais est réservé à la vente à emporter (9 sushis env. 5,75£, sashimi env. 4,50£, soupe miso 1,45£, plats de riz 5,50£, desserts 2,95£). Au sous-sol s'étend une grande salle qui offre, au premier coup d'œil, un étrange spectacle : un bataillon d'hommes en costume-cravate sagement alignés devant une espèce de train miniature dans un décor de production SF (murs blancs illuminés par des néons bleus). Mais pas de quoi s'inquiéter : sur le petit tapis roulant défilent sushis, sashimis, soupes miso et desserts japonais, parmi lesquels on fait son choix (la couleur de l'assiette indique son prix) tout en craignant de se faire piquer le plat qu'on a repéré depuis un moment ! La qualité est plutôt au rendez-vous. *M° Bank ou Moorgate 20 Copthall Ave. EC2 Tél. 020 7562 8510 www.k10.net Ouvert lun.-ven. 11h30-15h*

Où lui faire tourner la tête ?

☺ **Vertigo 42 (plan 13)** N'y allons pas par quatre chemins : si vous prévoyez une escapade londonienne en amoureux, il faut absolument faire un saut au Vertigo 42. Perché au 42e étage de l'une des plus hautes tours (d'où le vertige) de la City, on profite d'une vue fantastique sur toute la ville. Comme ce bar se limite à un corridor vitré courant autour de la tour, on peut promener sa flûte de champagne sur les 360° de panorama. Afin de profiter des meilleures places (donnant sur la Tamise) à la meilleure heure (au coucher du soleil), il faut absolument réserver. Sinon, ne vous offusquez pas des mesures de sécurité et des rayons X : c'est pareil pour tout le monde. Flûte de champagne 10,25£. *M° Bank Tower 42, 25 Old Broad St EC2 Tél. 020 7877 7842 Ouvert lun.-ven. 12h-15h et 17h-23h*

Clerkenwell

Où faire une pause gourmande ?

Flâneur Food Hall (plan 11) Une épicerie-restaurant aux allures de marché provençal, fort appréciée des employés de la City à l'heure du déjeuner. Le décor n'est pas londonien mais, pour se restaurer, l'affaire est bonne : salades variées, aubergines grillées, tomates séchées, tartes salées, charcuterie, fromages et pâtisseries telles qu'on en trouve au bord de la Méditerranée permettent de se constituer une jolie

Enclaves branchées autour de la City

Au nord du marché de Smithfield (plan 11, C2), le grand café Smiths of Smithfields et les bars et restaurants de St. John's Street perpétuent la tradition bohème du quartier. Autre enclave branchée, le petit quartier de Clerkenwell, au nord-est, garde des allures de village et des témoignages de son histoire contestataire... On pourra y faire une agréable pause ou un bon repas, car les cafés et les restaurants y sont nombreux, sympathiques et bon marché ! *M° St. Paul's ou Farringdon*

En face de la Lloyd's, Leadenhall Market, lieu de détente du trader...

assiette gourmande (vente au poids et à emporter, comptez 5£ la portion). Dommage que l'espace restaurant manque d'intimité. Menus 21£ (2 plats) et 26£ (3 plats). Petit déjeuner tous les matins (env. 10£), brunch les sam. et dim. midi (comptez 20£). M° *Farringdon* 41 *Farringdon Rd EC1 Tél.* 020 7404 4422 **Magasin** *Ouvert lun.-ven. 8h-23h, sam. 10h-23h, j. fér. 10h-17h* **Restaurant** *Ouvert lun.-ven. 8h30-10h30, 12h-15h et 18h-22h, sam. 10h-16h et 18h-22h, j. fér. 10h-16h*

The Real Greek Souvlaki & Bar (plan 11) Sympathique alliance d'une musique groove et du crépitement des grillades dans l'*open kitchen*. Le décor, tout d'aluminium, de lustres design et de tables oblongues, est *trendy*, mais la cuisine grecque reste bien fidèle à la tradition : *mezze* (tarama, feuilles de vigne farcies, *tzatziki*, poulpe grillé... de 3,25£ à 5,75£), souvlaki (le fameux "kebab" des Hellènes de 4,85£ à 5,85£) et, en dessert, baklava, yaourt au miel, loukoums (1,50£-3,50£). Menu à 10,50£ environ. Attention, comme on dit ici, "après un bon souvlaki, il faut changer de chemise !". Vente à emporter. M° *Farringdon* 140-142 St. *John St EC1 Tél.* 020 7253 7234 *www. therealgreek.com Ouvert lun.-sam. 12h-23h*

Où prendre l'apéro ?

Smiths of Smithfield (plan 11) À l'ouverture le dimanche, on y croise souvent les soutiers de la nuit qui sortent de leur travail à la Fabric juste à côté et se paient une dernière bière ou un premier café dans la grande salle-réfectoire du rdc au look industriel recherché. Sinon, le reste du temps, c'est l'endroit idéal pour l'apéro du midi en regardant s'agiter le marché à la viande de l'autre côté de la rue. Détail amusant : plus on gravit les étages, plus c'est chic. Au 1er, on

trouve un bar à vin (une vingtaine de choix au verre et quelques en-cas) et, au dernier, un restaurant haut de gamme avec une magnifique vue sur les toits de la ville (cf. "Restaurants"). Bière 3£. M° *Farringdon* 67 *Charter house St EC1 Tél.* 020 7251 7950 *www. smithsofsmithfield.co.uk Ouvert lun.-mer. 7h-23h, jeu.-ven. 7h 0h30, sam. 10h-0h30, dim. 9h30-22h30*

Où savourer une *real ale* ?

☺ **Jerusalem Tavern (plan 11)** Ni moderne ni classique, ce pub de poche dégage une ambiance particulière et, disons-le, envoûtante. Une alchimie subtile propre aux lieux de caractère, complètement imperméable aux modes, fait que l'on s'y sent bien immédiatement. On aime le calme qui règne ici, à peine troublé par les habitués (très mélangés) qui feuillettent le journal. On aime la patine du bois vert pâle, l'espace biscornu, la petite cheminée, le zinc lilliputien... On aime surtout les savoureuses bières artisanales servies dans des fioles médicinales. Bref, on aime ! Bière 2,90£. M° *Farringdon* 55 *Britton St EC1 Tél.* 020 7490 4281 *Ouvert lun.-ven. 11h-23h*

Où apprécier l'atmosphère d'un vieux pub ?

☺ **Ye Olde Mitre (plan 11)** Au concours du pub le mieux caché de Londres, on tient le gagnant ! Vu qu'il est niché au milieu d'une allée large comme un homme, on ne tombe pas dessus par hasard. Mais une fois qu'on a goûté à ce concentré de pub cosy, on y retourne les yeux fermés. Gros fauteuils usés par des générations de coudes (depuis 1546 quand même), moquettes dont on ne voudrait pas ailleurs et brochettes d'arsouilles à rouflaquettes sont au programme. Les serveurs efficaces et gentils comme tout montrent que la vieille école reste indépassable. En été comme en hiver, on sort des tonneaux et hop ! voilà une terrasse au calme. Bière 3£. *M° Farringdon 1 Ely Court par le 8 Hatton Gardens EC1 Tél. 020 7405 4751 Ouvert lun.-ven. 11h-23h*

Où siroter un cocktail ?

Match EC1 (plan 11) Vous ne le saviez peut-être pas, mais Londres est, depuis quelques années, la capitale du cocktail. Un des artisans de ce changement de braquet au pays de la bière ? Dale DeGroff, surdoué américain du *shaker* qui officie dans ce bar pionnier du quartier. La carte pléthorique comporte pour une bonne partie des inventions du maître et de ses disciples. N'hésitez pas à demander conseil, les barmen sont intarissables sur le sujet (s'il n'y a pas trop de monde). Ces délices des papilles font rapidement oublier la déco moderne, quelconque, et la clientèle de cadres, pas folichonne. Disons au bout de deux verres. Cocktail 6,50£. *M° Farringdon 45-47 Clerkenwell Rd EC1 Tél. 020 7250 4002 Ouvert lun.-jeu. 12h-0h, ven. 12h-1h, sam. 18h30-1h*

The Castle (plan 11) Ce lieu sympathique est un véritable "pub de nouvelle génération" : on y trouve aussi bien de la déco minimale (à base de murs noirs et de meubles chinés) que des barmen tatoués, un DJ (ven.-sam.), une population de trentenaires décontractés et des cocktails à la mode. C'est un excellent endroit pour un *warm up*. À plusieurs : restez dans la grande salle du bas ; en couple, foncez au premier,

---

---

nettement plus lounge. Bière 3,10£. *M° Farringdon 34-35 Cowcross St EC1 Tél. 020 7553 7621 Ouvert lun.-mar. 12h-23h, mer.-jeu. 12h-0h, ven.-sam. 12h-1h, dim. 12h-23h*

Autour du Guildhall

Où avaler un snack, une soupe ?

The Place Below (plan 11) L'anagramme était tentante : The Place Below ("au-dessous") est installé dans la crypte de l'église St. Mary-le-Bow ! Drôle d'endroit pour un snack : avec ses voûtes et piliers en granit et ses plats très simples, on se croirait dans le réfectoire d'un monastère ! Soupes env. 3,20£, quiches à partir de 6,10£, sandwiches 4,50£, salades 7,75£, plats chauds ou végétariens env. 7£. On peut aussi emporter sa commande ou s'attabler, quand il fait beau, sur le parvis de l'église. *M° St. Paul St. Mary-le-Bow Church Cheapside EC2 Tél. 020 7329 0789 www.theplacebelow.co.uk Ouvert lun.-ven. 7h30-15h*

Plus au sud

Où boire une bière ?

Black Friar (plan 11) Incroyable déjà est la survie de ce dernier vestige d'un Londres ancien coincé entre chemin de fer et voies rapides. Et l'intérieur, dans le genre vestige, se pose là : murs en marbre polychrome, mosaïque dorée au plafond, lampes en pâte de verre, etc. Rien n'a bougé depuis 1905.

Foncez vous installer dans la petite alcôve du fond pour siroter votre bière au milieu des statues de moines, lointain écho d'un ancien monastère voisin. À noter que ce pub formidable est non-fumeur depuis des années. Bière 2,70-2,85£. *M° Blackfriars 174 Queen Victoria St EC4 Tél. 020 7236 5474 Ouvert lun.-mer. et sam. 10h-23h, jeu.-ven. 10h-23h30, dim. 12h-22h30*

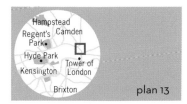

plan 13

L'East End

C'est là, du côté de Brick Lane et de Hoxton, plus au nord, que tout se passe. Les modes naissent et meurent autour d'un mojito, dans les recoins des bars à la déco ultra-soignée, au DJ obligatoire et à la faune sûre de son look. À voir absolument.

Spitalfields

Où goûter à une ambiance cottage ?

Market Coffee House (plan 13) Dans l'angle d'une des jolies rues qui donnent sur Spitalfields Market,

un troquet d'un autre âge : parquet, boiseries, gravures anciennes, luminaires tulipes et cookies sous cloche de verre. Un décor approprié pour un *English breakfast* (toasts, œufs, muffins, marmelade, *marmite*, *crumpets*, etc., à partir de 1,30£) ou un *afternoon tea* (1,70£ le *mug*, 5£ la théière avec crème fraîche et scones). Et pour un déjeuner léger : soupe du jour (4£), sandwiches (2-5,50£), salades (7£). Attention, la salle ne contient que quelques tables. Petite terrasse aux beaux jours. *M° Liverpool Street 50-52 Brushfield St E1 Tél. 020 7247 4110 Ouvert lun.-ven. 8h-18h, sam. 10h-18h30, dim. 9h-18h30*

Où boire une bière à la fraîche ?

☺ **The Big Chill Bar (plan 13)** Ce grand lieu fait partie (avec le Vibe Bar et le 93 Feet East voisins) de la réhabilitation très réussie de l'immense brasserie Truman. Inutile de se voiler la face, on va surtout dans ce bar pour en sortir. Dès qu'il fait plus de 20 °C, la bohème solvable investit en masse la petite allée piétonne pour boire des pintes à la fraîche et rigoler la tête dans les étoiles, en entendant le lointain mix du DJ coincé, lui, dans le bar surchauffé. Une ambiance de liberté incroyable tous les week-ends, digne d'un festival rock. Pas courant en pleine ville... Bière 3,25£. *M° Aldgate East Old Truman Brewery, Dray Walk, off Brick Lane E1 Tél. 020 7392 9180 Ouvert lun.-jeu. 12h-0h, ven.-sam. 12h-1h, dim. 11h-0h*

Un bagel sur Brick Lane

Brick Lane Beigel Bakery (plan 13) Dans le quartier ultracosmopolite de Brick Lane se cache une petite boulangerie, temple (plus si) secret du bagel où calmer une fringale entre deux courses dans l'East End... *M° Aldagte East ou Liverpool Street 159 Brick Lane Ouvert 24h/24*

The Vibe Bar (plan 13) Quelle terrasse ! Protégée du peu de circulation de Brick Lane par une vaste grille, cette cour pavée, d'où partaient les carrioles de l'ancienne brasserie Truman, accueille aujourd'hui une dizaine de grandes tables pour de précieux apéros sans fin. Jongleur à dreadlocks, jeunes travailleurs relâchés de la cravate, artistes en goguette, tous se retrouvent là l'été venu. L'hiver, l'intérieur du Vibe Bar vaut aussi une visite. Un mur décoré de graffitis, une collection de Chesterfields défoncés, une piste qui déborde et des infrabasses à faire sauter les plombages : nous voilà bien dans un lieu à la pointe. Bière 3,40£. M° *Aldgate East* 91-95 *Brick Lane E1 Tél. 020 7377 2899 Ouvert lun.-jeu. 11h-23h30, ven.-sam. 11h-1h, dim. 11h-23h30*

Hoxton et Shoreditch

Goûter à l'ambiance cosy d'une échoppe à l'ancienne

☺ **Jones Dairy Café** (plan 13) Derrière la vitrine décorée de carreaux émaillés, rien n'a changé depuis 1902 : comptoir en bois, vieille balance, fromages vendus à la coupe, paniers débordant d'œufs et de légumes, étagères garnies de pots de confiture et de boîtes de thé et jolis présentoirs à gâteaux. Pour rejoindre la salle à manger, tout aussi rustique que la crémerie avec son réchaud en fonte et sa collection de théières en inox, il faut traverser une cuisine des années 1950 qui met en appétit ! Au menu, café (2£) ou thé (1,25£), bol de müesli ou porridge (2,25£), haddock fumé avec œuf poché (5£), œuf frit (2£), fromage, *kippers* ou *baked beans* et toasts (3,40£). Petit déjeuner complet 6,50£. Pour le *lunch*, soupe maison (4£), omelette au fromage (4,75£).

Pour lui conter fleurette...

Les pubs géants envahis de rugbymen chantants et de cadres en goguette ne sont pas les meilleurs endroits pour conter fleurette. Heureusement, il existe aussi des petits havres plus glamours.

Attention, les places sont chères, d'autant que les heures d'ouverture sont limitées et que, le dimanche, le beau marché aux fleurs de Columbia Road déborde jusque dans l'entrée. M° *Old Street* puis bus 55 (ou bus 26 et 48 à partir de Liverpool Street Station) 23 Ezra Street E2 Tél. 020 7739 5372 www.jonesdairy.co.uk Crémerie Ouverte ven.-sam. 8h-13h, dim. 9h-14h Café Ouvert ven.-sam. 9h-15h, dim. 8h-15h

Leila's Shop (plan 13) À force de circuler dans la ville, on oublie que les boulangeries y abondaient jadis, et cette échoppe à l'allure de *bakery*

ancienne fait office de rescapée ! Paniers d'œufs, miches de pain frais, vieilles casseroles et fourneaux d'antan se prêtent délicieusement à la dégustation d'un authentique *English breakfast* avec thé (1,50£), müesli (2,60£) et œufs frits et toasts (5£). Également du pain et des pâtisseries à emporter (le brownie est vendu au kilo !) M° *Old Street* 17 *Calvert Ave. E2 Tél. 020 7729 9789 Ouvert mer.-sam. 10h-18h, dim. 10h-17h*

Food Hall (plan 13) À deux pas de Hoxton Square, cette grande épicerie "à l'ancienne", assez bobo dans l'esprit, regorge de pots de confiture, de boîtes de thé ou de haricots et de bouteilles de vin. Jolie sélection de salades et de tartes salées bio à emporter (3,50£). Entre 12h et 15h, on peut s'y attabler et profiter, selon les arrivages, d'un plateau de charcuteries espagnole et italienne (8£), d'une tortilla (7£) ou d'une sélection de fromages anglais et français (8£). En dessert, d'appétissants brownies (2,25£), muffins (2£) et *carrot cakes* (3,75£). Salon de thé l'après-midi (chocolat chaud 2,40£). M° *Old Street* 374-378 *Old St EC1 Tél. 020 7729 6005 Ouvert lun.-ven. 9h-19h, sam.-dim. 10h-17h*

Où boire une bière ?

Bar Kick (plan 13) Le thème de ce bar rigolo : le baby-foot. Sur les deux niveaux, les amateurs trouveront une dizaine de tables pour s'affronter entre potes (roulette interdite évidemment ; téléphoner pour réserver sa table). Les moins sportifs se contenteront de s'enfoncer dans de gros canapés et d'inventorier tous les éléments de déco : joueur géant au mur, fanions, rampe d'escalier en plastique, tables en formica... L'ambiance cool et cosmopolite (très East End) monte d'un degré lors des matchs de vrai football retransmis sur les écrans

plats. Bière 3£. M° *Old Street* 127 *Shoreditch High St E1 Tél. 020 7739 8700 Ouvert lun.-mer. 10h30-23h, jeu.-sam. 10h30-0h, dim. 12h-22h30*

Dreambagsjaguarshoes (plan 13) Ce nom, qui ferait un malheur au Scrabble, est en fait la juxtaposition de ceux de deux anciens magasins (un de sacs et un de chaussures, donc) réunis pour former ce bar à la pointe de la hype. La déco se situe à des années-lumière de l'acajou des pubs. Ici, c'est béton brut, meubles de récup' et peintures signées par des grapheurs du coin. Mais avouons que ça marche. Au milieu de cette foule de jeunes branchés (profitez-en pour y glaner les prochaines tendances), à écouter un mix forcément second degré de *surf music* des *sixties*, on se sent vraiment au cœur du Londres des années 2000. Bière 3,30£ (la pinte). M° *Old Street* 34-36 *Kingsland Rd E2 Tél. 020 7729 5830 Ouvert lun. 16h-0h, mar.-ven. 12h-0h30, sam. 16h-1h, dim. 12h-0h30*

T Bar (plan 13) Cet ancien entrepôt de thé converti en 2003 en agence de design, galerie d'art contemporain et bar *so in* résume bien la transformation radicale de Shoreditch, ancien quartier popu borgne. Désormais fréquenté par des jeunes à coupe asymétrique, le T Bar, grand loft tout en béton brut et meubles subtilement dépareillés, pourrait être insupportable de branchitude et pourtant...

Pourtant, les soirées, quasi quotidiennes, sont gratuites et rigolotes (rare), la musique électro éclectique agréable (rare aussi) et les videurs souriants (rarissime !). Bref, un bon plan, tout branché qu'il soit. Bière 3,20£. M° **Old Street** 56 Shoreditch High St E1 Tél. 020 7729 2973 www.tbarlondon.com Ouvert lun.-mar. 9h-23h, mer. 9h-0h, jeu. 9h-1h, ven. 9h-2h, sam. 8h-2h, dim. 16h-0h

Où siroter un cocktail ?

Loungelover (plan 13) Trop de déco tue la déco, disait le philosophe (à moins que ce ne soit Raymond Barre ?). Dans ce très vaste entrepôt s'entrechoquent au moins une dizaine d'idées qui suffiraient à elles seules pour un bar : une alcôve toute dorée, une tête de cerf couverte de diamants, une baie vitrée rose comme une devanture de boucherie, des vases géants, des lustres seventies... Un inventaire à la Prévert sous acide. Dans ce capharnaüm hype (appartenant aux patrons du restau Les Trois Garçons voisin) s'encanaillent des cadres de la finance venus siroter des cocktails. Un avant-goût de l'East End qui s'embourgeoise à grande vitesse, mais qui mérite quand même le coup d'œil. Cocktails de 8 à 12£. M° **Old Street** 1 Whitby St E2 Tél. 020 7012 1234 Ouvert lun.-jeu. et dim. 18h-0h, ven.-sam. 18h-1h

Pour un *warm up*

Bar Music Hall (plan 13) Dans cette frénésie de création de lieux où sortir à Shoreditch, voici le dernier en date. Tous les soirs, dans cet immense bar au design "loft pas fini" très recherché (on aime bien ce mur confié à des grapheurs), il se passe quelque chose de gratuit. Par exemple, les lundis sont jazz, les vendredis plutôt électro, et les samedis accueillent des soirées funky house courues par de nom-breux fêtards plus ou moins gays, toujours remontés comme des horloges et maquillés comme des voitures volées. Une excellente adresse pour commencer une soirée, quitte à finir au 333 voisin. Bière à 3,60£. M° **Old Street** 134 Curtain Rd EC2 Tél. 020 7613 5951 Ouvert lun.-jeu. 11h-0h, ven.-sam. 23h-2h, dim. 11h-0h

Plus au nord, plus à l'est

Pour l'ambiance des bars de quartier

Prince George (plan 13) Vous désespérez de trouver un quartier populaire, bigarré et bon esprit ? Hackney est la solution, Prince George son pub. Rien de plus que du classique en bois sombre, des lumières chiches, une cheminée et des habitués rubiconds. Les travaux de rénovation n'ont donc pas changé grand-chose. Après enquête, il paraît que le quiz du lundi a perdu de son intérêt avec le nouvel animateur et qu'un juke-box a fait son apparition. Rien de grave. Le mouvement gastropub, lui, n'a pas droit de cité ici. On ne se nourrit que de houblon jusqu'à la fermeture, et ça suffit bien. M° **Dalston Kingsland** 40 Parkholme Rd E8 Tél. 020 7254 6060 Accès bus Dalston Kingsland Ouvert lun.-sam. 17h-23h, dim. 12h-22h30

Camel (plan 13) Une belle histoire. Ce joli petit pub a servi d'orphelinat lors du Blitz et, il y a peu, le quartier s'est mobilisé pour empêcher sa démolition. Mais ne vous attendez pas à une maison tenue par des dames patronnesses. Décoré avec goût, en noir et rouge, bénéficiant d'une bande-son onctueuse et ayant habilement pris le virage gastropub (les pies maison sont excellents), c'est un lieu couru par les couples très bobos, nouveaux habitants des lieux. Bière 3£.

M° *Bethnal Green* 277 Globe Rd E2 Tél. 020 8983 9888 Ouvert lun.-jeu. 16h-23h, ven. 13h-23h, sam. 12h-23h, dim. 12h-22h30

plans 12 et 14

Bankside, Southwark

L'arrivée récente de créateurs de mode a dopé l'ambiance autour de London Bridge, l'ensemble de la rive sud restant malgré tout très calme, même du côté de la Tate Modern.

Bankside

☺ Où s'arrêter pour un *take away* ?

El Vergel (plan 12) Au rez-de-chaussée d'un vieil entrepôt, à 10min à pied au sud de la Tate Modern, une véritable *cantina latina*, hélas fermée le week-end ! On peut prendre sa place dans la file (souvent longue) pour acheter un plat à emporter ou s'installer à la grande table de la salle du fond. La commande peut se faire en espagnol pour ceux qui maîtrisent mal l'anglais, l'ambiance est chaleureuse et décontractée. Au menu, toutes les spécialités sud-américaines, dont le *churrasco* (viande grillée servie avec tomates et piments) et surtout les *empanadas*, l'équivalent mexicain des *pies* anglais. Le tout relevé de coriandre fraîche ou d'épices qui chatouillent délicieusement le palais ! Soupe du jour 3£, sandwiches 2-4,50£, tacos 3,95£, *empanadas*

2,70£, salades env. 4,50£. Et d'originaux petits déjeuners latino-anglais (de 8h à 11h) avec chorizo, thé, tortilla, *beans*, galette de maïs et toast à la confiture (4,70£). **M°** *Borough* 8 Lant St SE1 Tél. 020 7357 0057 www.elvergel.co.uk Ouvert lun.-ven. 8h30-15h, sam. 10h30-15h

Où siroter un *drink* au bord de la Tamise ?

Zakudia (plan 12) Promouvoir un lieu pour la vue qu'il offre alors qu'il culmine à un petit 1er étage (bas de plafond en plus), ils sont forts ces Anglais ! Mais il faut admettre que ce bar à cocktails (à deux pas de la Tate Modern), avec sa baie vitrée donnant sur les quais, en jette. Le flot de la Tamise, des péniches et des joggers sur fond de cathédrale Saint-Paul a quelque chose d'apaisant. Ou alors ce sont les cocktails solidement dosés. Sinon, la déco reste dans la moyenne de ce genre d'endroit pour cadres en décompression : chic mais sans ostentation. Cocktail 6,50£. **M°** *London Bridge* River Level 2a Southwark Bridge Rd SE1 Tél. 020 7021 0085 Ouvert mar.-mer. 16h-23h, jeu.-ven. 16h-0h, sam. 12h-0h, dim. 12h-20h30

Southwark

Où s'offrir une pâtisserie, grignoter ?

Konditor & Cook (plan 14) Face à Borough Market, un bel endroit où acheter de bonnes pâtisseries : biscuits variés, brownies et cookies (1,20-1,90£) et gros gâteaux crémeux, dont les *magic cakes*, des bouchées en forme de lettres avec lesquelles on peut écrire, pourquoi pas, "*I love you*". Pour le déjeuner, petite restauration bien commode : soupes (2£), parts de pizza (2,40£), plats (pâtes 4,50£)... *M° London Bridge* ou *Borough* 10 Stoney St SE1 Tél. 020 7407 5100 www. konditorandcook.com Ouvert lun.-ven. 7h30-18h, sam. 8h30-17h Plats chauds 12h-15h

Où boire une bière ?

Market Porter (plan 14) Deux atouts pour ce pub tout en bois, à première vue semblable aux milliers d'autres des environs. D'abord, son voisinage avec le marché de Borough le fait ouvrir dès 6h : pas mal pour l'ultime bière d'après-soirée (ou la première, c'est selon) quand on ne peut vraiment pas aller se coucher comme ça – en plus, on y croise des maraîchers rigolos. Ensuite, il offre un très beau choix de mousses de tous les horizons, dont onze à la pression (respect !) que les gentils barmen vous feront goûter avec le sourire. Bière 3£. *M° London Bridge* 9 Stoney St SE1 Tél. 020 7407 2495 Ouvert lun.-ven. 6h-8h30 et 11h-23h, sam. 12h-23h, dim. 12h-22h30

Garrison (plan 14) Si vous en avez marre des pubs encaustiqués et sombres où Shakespeare avait ses habitudes, voici le rade qu'il vous faut. Moderne, clair et de bon goût, avec ce qui convient de meubles de brocante joliment grattés, on se croirait dans un reportage sur le nouveau style anglais (Laura Ashley déstructuré pour faire court). Cette atmosphère cool en fait un endroit couru par les créateurs en goguette (en gilets sans manches et grosses lunettes). Si vous arrivez assez tôt, vous pourrez squatter le superbe faux salon de grand-mère (en toile de Jouy) au fond du pub et être aux premières loges pour l'apéro de l'avant-garde londonienne. Veinards. Bière 3,50£. *M° London Bridge* 99-101 Bermondsey St SE1 Tél. 020 7089 9355 Ouvert lun.-ven. 8h-23h, sam. 9h-23h, dim. 9h-22h30

Royal Oak (plan 14) Ah ! enfin une vraie taulière anglaise. Elle tient d'une main de (dame de) fer ce pub tout en boiseries et immémorial où s'accroche une brochette de ventrus habitués. Attention, ici ne plaisante pas avec la bière : ce sera de la *real ale* ou rien ! Elle vient spécialement d'une brasserie indépendante et est régulièrement primée pour sa qualité. Commandez donc une pinte de *mild* et trouvez-vous un rocking-chair pour apprécier ce moment d'Angleterre liquide. Bière 2,30£. *M° London Bridge* 44 Tabard St SE1 Tél. 020 7357 7173 Ouvert lun.-ven. 11h-23h, sam. 18h-23h, dim. 12h-18h

plan 1

Brixton

C'est l'un des rares quartiers à garder bon an, mal an son côté populaire. Du coup, les bars conservent un esprit *roots* assez plaisant.

Où boire un verre ?

Brixton Bar & Grill (plan 1) Si vous voulez une preuve que le quartier s'embourgeoise à grande vitesse, ne cherchez pas plus loin. Situé sous les arcades du train (on passe dessus en Eurostar), ce bar voûté tout en

CAFÉS, BARS, PUBS & PAUSES GOURMANDES

tons crème et bois clair, s'éclaire à la bougie et invite des DJ pour la soul le soir. Bref, voilà le lounge pour amoureux par excellence. La population, exclusivement blanche lors de notre visite, aime y déguster vins, cocktails et tapas, tout en faisant des parties de backgammon. Luxe, calme et volupté : elles semblent bien loin les émeutes de Brixton de 1981... Bière 3,25£. *M° Brixton 15 Atlantic Rd SW9 Tél. 020 7737 6777 Ouvert mar.-jeu. 17h-23h30, ven.-sam. 16h30-2h*

Mango Landin' (plan 1) Au milieu d'une cité HLM pas très folichonne et dans un préfabriqué sans âme, voilà une étonnante parenthèse tropicale chaleureuse et sautillante. Tous les soirs, les amateurs de salsa cubaine et de reggae jamaïcain (ou le contraire) vont y chercher leur dose de musique des îles distillée par un DJ ou un groupe live. Le barman, un peu cintré, fait ses (très bons) mojitos en chantant à tue-tête. Les habitués, des trentenaires gentiment altermondialistes, chaloupent doucement ou jouent au baby-foot. Les week-ends de beau temps, le patron organise des parties de barbecue bio sur sa terrasse. Cocktail 5,50£. *M° Brixton 40 St Matthew's Rd SW2 Tél. 020 7737 3044 Ouvert lun.-jeu. 17h-0h, ven.-sam. 13h-3h, dim. 13h-23h30*

☺ **Dogstar (plan 1)** Il paraît que cette institution du quartier souffre de la concurrence du Brixton Bar & Grill voisin. On se demande bien pourquoi, tant les deux bars sont différents. Dans cet immense espace pas vraiment décoré (de la peinture noire, ça compte ?), on écoute du rock, enfoncé dans les moelleux canapés en dégustant sa pinte, on mange avec sa bande sur les grandes tables. Le week-end, on ouvre une salle et la musique oscille entre dance (ven-

dredi) et pop indé (samedi) jusqu'à tard. Pas très cher et plutôt popu : on aime bien ! Bière 3,50£. *M° Brixton 389 Coldharbour Lane SW9 Tél. 020 7733 7515 Ouvert mar.-jeu. 16h-2h, ven. 16h-4h, sam. 12h-4h, dim. 12h-2h*

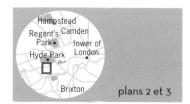

plans 2 et 3

Knightsbridge et South Kensington

Discrétion et distinction sont les deux caractéristiques des *venues* établis dans ces quartiers très, très chics de l'Ouest londonien. Assez vu de chaussures cirées ? Plus à l'ouest, au bord de la Tamise, l'ambiance se relâche nettement.

Où déguster un verre de vin ?

Swag and Tail (plan 3) Vous débordez d'émotion après la visite du mémorial de la princesse Diana chez Harrods et un petit remontant ne serait pas de trop ? Poussez la porte de ce pub fleuri caché dans cette allée toute calme, à un jet de chapeau melon du célèbre grand magasin. Un intérieur en bois clair, beau comme un yacht club, un petit fond jazzy, des gentlemen avec des pulls noués sur les épaules (en été), une carte des vins onctueuse : détendez-vous, il ne va rien vous arriver de désagréable ici. Sauf l'addition peut-être. Verre de vin 4,25£ (blanc) et 4,40£ (rouge). *M° Knightsbridge 10-11 Fairholt St SW7 Tél. 020 7584 6926 Ouvert lun.-ven. 11h-23h*

Où prendre un *drink* ?

Mandarin Bar (plan 2) Pas facile de réinventer le bar d'hôtel. Et pourtant, certains y arrivent. Ici, la bonne idée vient du mur en verre dépoli derrière lequel les barmen réalisent leurs cocktails alors que les clients sont accoudés de l'autre côté. Un jeu d'ombres chinoises réinventé et adapté à ce Mandarin, par ailleurs bien peu oriental. Pour le reste, on est dans du classique classieux : des hommes d'affaires, du cuir et des tons crème. Entrée 5£ (après 22h30), cocktail 14£. *M° Knightsbridge* Hotel Mandarin Oriental 66 Knightsbridge SW1 Tél. 020 7201 3724 Ouvert lun.-sam. 10h30-1h30, dim. 10h30-23h30

One Ninety (plan 3) Ce bar du très chic hôtel Gore a des airs de vieux manoir : panneaux de bois sombre, plafond ouvragé, chandeliers et gros canapé en cuir. Pittoresque et rassurant. Le préposé aux cocktails, retranché derrière son immense bar en acajou, connaît son affaire (même dans les modèles sans alcool). Un peu de musique lounge sur tout ça, et vous voilà relaxé en un rien de temps. L'achat d'une bouteille de champagne (à partir de 48£) vous livre l'accès à l'alcôve tout en dorures et velours, digne d'une maîtresse de Napoléon (qui trône au bout de la pièce), et à partir de 100£ vous pourrez déguster vos consommations dans le carrosse de Cendrillon. Voilà une bonne adresse dans un quartier d'ambassades triste comme un quartier d'ambassades. Cocktail 9,50£. *M° South Kensington* 190 Queensgate SW7 Tél. 020 7584 6601 Ouvert tlj. 12h-0h (1h le sam.)

Où boire une bière ?

Anglesea Arms (plan 3) La culture pub est tellement ancrée chez les Anglais qu'on réussit à trouver des endroits sympathiques et sans chichis pour descendre une pinte, même dans les quartiers les plus huppés de la ville. À "South Ken", par exemple, c'est ce pub fleuri, lové au milieu des résidences georgiennes. Ni musique, ni meubles design, mais seulement du classique, une belle collection de bières et une adorable terrasse. Évidemment, la clientèle est à l'image du quartier : très chic. À voir les soirs de match… parmi les porteurs de Barbours encourageant leur équipe. Bière 2,80£. *M° South Kensington* 15 Selwood Terrace SW7 Tél. 020 7373 7960 Ouvert lun.-sam. 11h-23h, dim. 12h-22h30

Du côté de Chelsea

Où dévorer un falafel ?

Al Dar (plan 3) Sur King's Road, un snack libanais pour un sandwich à 3-4£ (*shawarma*, falafel ou kebab). À dévorer sur un coin de table entre un ouvrier du BTP, une vendeuse de prêt-à-porter et un businessman. Plutôt qu'un Coca, goûtez les excellents jus de fruits pressés (mangue, ananas, pomme, orange, etc.). *M° Sloane Square* 74 King's Rd SW3 Tél. 020 7584 1873 Ouvert tlj. jusqu'à 0h30

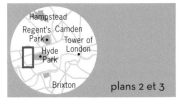

plans 2 et 3

Kensington et Notting Hill

Pour un village bohème, Notting Hill propose plutôt des bars design huppés. À fréquenter en amoureux, plutôt qu'en bande.

Où prendre l'*afternoon tea* ?

Kensington Palace Orangery (plan 2) Construite en 1704 pour la reine Anne, l'orangerie du palais de Kensington a vraiment de la classe. Avec sa vaste salle à manger d'un blanc immaculé, ses colonnes et ses statues, c'est le cadre parfait pour jouer les princes et les princesses en prenant un thé, une pâtisserie ou un lunch entre 12h et 15h (de 13 à 19£). Belle terrasse en été. *M° Bayswater Kensington Palace W8, High St. Kensington ou Queensway Tél. 020 7376 0239 www.digbytrout. co.uk Ouvert nov.-fév. : tlj. 10h-17h ; mars-oct. : tlj. 10h-18h*

Où manger sur le pouce ?

Mr Christian's (plan 2) De la qualité, s'il vous plaît ! Cette épicerie fine regorge de produits alléchants : charcuteries, fromages, pâtes fraîches, pains, conserves maison (miels, confitures, chutneys...). Elle vous ouvre surtout son rayon traiteur : sandwiches, soupes, salades composées, tartes, assiettes de charcuterie et plats chauds à déguster sur place (salade et plat : 7-10£) ou à emporter (1,60£ les 100g). Mr Christian sert aussi des brunchs et sa cave à vins est bien fournie ! *M° Ladbroke Grove ou Latimer Road 11-13 Elgin Crescent W11 www.mrchristians.co.uk Tél. 020 7229 0501 Ouvert lun.-ven. 6h-19h, sam. 6h30-18h30, dim. 7h30-17h*

Ottolenghi (plan 2) Voilà une excellente pâtisserie-café. Des macarons, des croissants, des meringues, des tartes au citron, des brownies et autres délices concoctés dans les règles de l'art, mais aussi des soupes, des salades et des petits plats d'inspiration méditerranéenne, tous d'une exquise fraîcheur (4,50-9,50£). *M° Westbourne Park 63 Ledbury Rd W11 Tél. 020 7727 1121 www.ottolenghi. co.uk Ouvert lun.-ven. 8h-20h, sam. 8h-19h, dim. 8h30-18h*

Où boire une bière, un verre de vin ?

☺ **Windsor Castle (plan 2)** Tout est beau dans ce pub. Même le trajet par la jolie Peel Street. L'extérieur dévoré par le lierre donne envie d'y rentrer. L'intérieur cloisonné façon frégate tout en chêne massif, envie d'y rester. La cheminée fait regretter les jours de grand froid. Et le jardin avec son immense platane et sa tonnelle fleurie appelle le retour rapide du printemps. Dans ce pub haut de gamme, pas d'étudiant aviné ni de musique tonitruante, mais des quadras très comme il faut qui choisissent des vins avec une moue approbatrice. En plus, la bière n'est même pas chère... Un défaut ? Ça ferme trop tôt. Bière 2,70£. *M° Notting Hill Gate 114 Camden Hill Rd W8 Tél. 020 7243 9551 Ouvert lun.-sam. 12h-23h, dim. 12h-22h30*

Où déguster des huîtres autour d'une pinte ?

The Cow (plan 2) Ce gastropub détenu par le fils de Terence Conran vaut le coup pour deux choses : sa superbe terrasse qui donne sur une rue calme et la possibilité, assez rare par chez nous, d'accompagner

---

☺ Sous la tonnelle...

S'offrir un verre sous la tonnelle, ou devant la cheminée s'il fait froid... Tous les prétextes sont bons pour aller se réfugier à l'intérieur du très beau pub **Windsor Castle** (cf. ci-dessus).

sa pinte de Guinness d'une demi-douzaine d'huîtres d'Irlande (à plus de 7£, elles pourraient venir du Japon en classe affaires, mais bon...). Sinon, ce pub est pénible pour deux choses : un personnel pas toujours très aimable et sa faune très m'as-tu-vu pas toujours passionnante. Si les huîtres ne vous intéressent pas, vous pouvez toujours traverser la rue pour rallier le Westbourne et sa terrasse concurrente. Bière 3,50£. *M° Westbourne Park 89 Westbourne Park Rd W2 Tél. 020 7221 0021 Ouvert lun.-sam. 12h-23h, dim. 12h-22h30*

Où prendre un *drink* en amoureux ?

Ruby & Sequoia (plan 2) Notting Hill, un quartier populaire ? Dans les films, ou juste le temps du carnaval alors ! Car les publicitaires, musiciens et autres fusées de la nouvelle économie sont depuis des années les maîtres du coin. La preuve ? Le Ruby & Sequoia, gastropub emblématique (caricatural ?) de cette population smart mais forcément décalée. On prend donc un verre de chardonnay dans un décor improbable de papier peint argenté, avec lustre vintage et canapé en serpent olive. Le must reste le sous-sol carrelé entièrement chocolat où sévit un DJ onctueux (jeudi, vendredi et samedi). Verre de vin 5,90£ et vin maison 5,50£. *M° Ladbroke Grove 6-8 All Saints Road W11 Tél. 020 7243 6363 Ouvert lun.-mer. 18h-0h, jeu 18h-0h30, ven. 18h-2h, sam. 11h-2h, dim. 11h-0h30*

Au sud-ouest

Où descendre une pinte ?

☺ **Troubadour (plan 3)** Vers Earl's Court. Mi-taverne médiévale, mi-coffee shop new-yorkais, ce bar tranche nettement avec les pubs environnants. La déco, à base d'accumulation d'instruments de musique, de vieilles réclames émaillées et de tasses à café, n'y est pas étrangère. Sur les murs, des jeunes artistes s'exposent et, pour ajouter à l'ambiance bohème, on donne au sous-sol des lectures de poésie et des concerts de blues. Jack Kerouac s'y sentirait comme chez lui ! Que ce soit autour des bougies, à l'intérieur, ou dans le jardinet, à l'arrière, le Troubadour est un inestimable endroit pour conter fleurette au calme. Bière 3,50£. *M° West Brompton 263-267 Old Brompton Rd SW5 Tél. 020 7370 1434 Ouvert tlj. 9h-0h*

White Horse (plan 3) À Fulham. Ce serait dommage de passer à côté de ce bar très bourgeois dans ce quartier très bourgeois, car ce grand pub ne se résume pas au serre-tête de ses clientes. Déjà, avec ses grands canapés et sa cheminée, il s'impose comme le havre cosy du coin. Et surtout, il propose le meilleur éventail de bières des alentours, le patron y organisant même un Old Ale Festival (de bières ambrées *of course* !), en novembre. Et le White Horse n'a pas laissé passer la révolution gastropub :

☺ Bastions du rock

Boire une bière sur un incroyable toit-terrasse, mettre ses pas dans ceux des Madness, de Jimi Hendrix ou des Pink Floyd... : c'est (aussi) en éclusant ses rades que vous capterez l'âme de Camden ! Cf. **Lock Tavern** (cf. p.119), **Dublin Castle** (cf. p.120).

le menu (on conseille la bière s'accordant le mieux avec le plat), plutôt orienté fruits de mer, fait très envie. Bière 2,50-4£. *M° Parsons Green* 1-3 *Parsons Green SW6 Tél. 020 7736 2115 Ouvert dim.-mer. 9h30-23h30, jeu.-sam.* 10h-0h

Encore plus loin, à l'ouest

Où boire un verre au bord de l'eau ?

☺ **The Old Ship (plan 3)** La Tamise à vos pieds, un immense jardin, une pinte fraîche, un barbecue qui grésille et pas l'ombre d'une voiture aux alentours : osez dire que vous vous sentez encore à Londres une fois installé dans cette oasis ! Dès les premiers beaux jours, les étudiants viennent en masse écluser des pichets, la tête au frais. Cette grande maison couverte de chèvrefeuille se trouve, certes, un peu loin de la station de métro, mais comme on dit dans les guides : vaut vraiment le détour. Bière 3,20£. *M° Hammersmith 25 Upper Mall W6 Tél. 020 8748 2593 Ouvert lun.-jeu. et dim. 8h-23h, ven.-sam. 8h-0h*

The Dove (plan 3) Encore un pub avec une terrasse incroyable sur la Tamise. Mais gros avantage du lieu sur la tripotée des autres établissements répartis sur l'Upper Mall : on y croise moins d'étudiants avinés et il reste tout aussi recommandable l'hiver venu. Sa petite cheminée et son intérieur biscornu en bois sombre en font un refuge douillet inestimable. Hemingway et Graham Greene semblaient d'ailleurs penser la même chose ! Détail inutile donc indispensable : The Dove possède le plus petit bar d'Angleterre, homologué par le Guinness Book. Bière 3,25£. *M° Hammersmith 19 Upper Mall W6 Tél. 020 8748 9474 Ouvert lun.-sam. 11h-23h, dim. 12h-22h30*

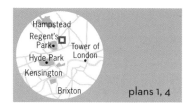

Hampstead
Regent's
Park
Hyde Park Tower of London
Kensington
Brixton
plans 1, 4

Camden

La Tamise coule sous les ponts mais Camden reste résolument rock et c'est très bien comme ça. Avec l'East End, c'est l'autre quartier à "rades de caractère" de Londres. Rock, jazz ou électro pointu, vous trouverez forcément votre bonheur. *Yeah* !

Où s'offrir une petite mousse ?

☺ **Lock Tavern (plan 4)** Un coup de peinture noire, un décor minimal (de la brique nue, quelques fauteuils en cuir fatigués, de la photo *arty* au mur), des DJ pointus invités régulièrement et des serveurs moustachus : il n'en faut pas plus pour créer un îlot de branchitude dans l'océan touristique de Camden, et attirer toute la frange des trentenaires avides de lieux où arborer lunettes vintage et habits de créateur (ou le contraire). Il faut admettre que l'espace est vraiment plaisant avec son grand patio où bruncher au calme et surtout un incroyable toit terrasse donnant sur le marché. Bière 3£. *M° Camden Town 35 Chalk Farm Rd NW1 Tél. 020 7482 7163 www. lock-tavern.co.uk Ouvert lun.-jeu. et dim. 12h-0h, ven.-sam. 12h-1h*

Barfly (plan 4) Rock je suis, rock je reste. Ici, la clientèle se fiche de la déco comme de son premier tatouage de tête de mort. Des banquettes en bois, des murs noirs et des affiches des groupes à venir, et c'est tout. Il s'agit de ne pas se distraire de la musique (beaucoup, forte) et de la bière (beaucoup, pas si forte). C'est donc un bon coin pour arborer sans chichis votre tee-shirt Motörhead acheté aux puces d'en face. Le week-end, on se partage entre live (souvent bourru) et mix (bourrus aussi). M° *Camden Town* 49 *Chalk Farm Rd NW1 Tél.* 020 7691 4244 *Ouvert dim.-jeu.* 19h30-0h *(parfois jusqu'à 2h le jeu.), ven.-sam.* 19h30-3h

☺ **Dublin Castle (plan 4)** Le nom évoque immanquablement un antre à Guinness sonorisé à la harpe. Tout faux. Ce grand pub, qui a été rénové en 2007, faussement tranquille avec ses banquettes rondes, s'avère un des lieux de pèlerinage des amateurs de rock indé londonien. Les Madness y avaient leur rond de serviette en 1979, Blur y a joué en douce et les Cardigans y donnèrent leur premier concert, dans les années 1990. Bière env. 4£. M° *Camden Town* 94 *Parkway NW1 Tél.* 020 7485 1773 *Ouvert lun.-jeu.* 12h-1h, *ven.-dim.* 12h-2h

Pour une ambiance plus lounge...

Bartok (plan 4) Imaginons que vous en avez soupé du rock, de la house, de la pop... Eh bien vous pouvez quand même profiter de ce bar lounge décalé, puisqu'en général vous n'y entendrez que du jazz ou du classique (mais pas que du Bartok, rassurez-vous). Et comme les tauliers ciblent quand même les trentenaires de la hype, on y retrouve les caractéristiques du genre : plantureuse carte des cocktails et des vins, canapés dépareillés achetés dans une brocante, murs flashy et DJ en faction aux platines, mixant musique concrète et jazz moderne. Cocktail 5,50£. M° *Chalk Farm* 78-79 *Chalk Farm Rd NW1 Tél.* 020 7916 0595 *Ouvert lun.-jeu.* 17h-1h, *ven.* 17h-2h, *sam.* 12h-2h, *dim.* 12h-0h

Peachykeen (plan 4) Il faut s'éloigner franchement du quartier de Camden, et se rendre dans un coin pas très glamour, pour tomber sur ce bar lounge. Certes, on ne se trouve pas dans le lieu le plus branché de la ville mais avec sa déco pseudo seventies pas trop chargée, ses serveurs sympathiques et ses bons cocktails pas (trop) chers, ce bar mérite largement une virée entre amis. Notez qu'il y a un lit en bas si vous êtes vraiment épuisé. Dommage que ce soit fermé le dimanche, le plus gros jour des puces. Cocktail 3,50£ (non alcoolisé)-6,50£ (alcoolisé). M° *Camden Town* 112 *Kentish Town Rd NW1 Tél.* 020 7482 2300 *Ouvert mar.-jeu.* 17h-23h30, *ven.-sam.* 17h-1h

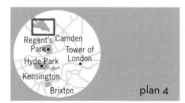

plan 4

Hampstead et Highgate

Shopping ou pas shopping, ça vaut le déplacement : vrai poumon vert de la ville, Hampstead possède, en plus de ses pubs magnifiques, une ambiance "village" singulière.

Où prendre un copieux petit déjeuner ?

Base (plan 4) Ce bistrot sert en journée de copieux petits déjeuners (4,95-5,95£), des sandwiches, des jus de fruits pressés, de généreux plats de pâtes et quelques suggestions du jour plus raffinées. Le soir, place à une honnête cuisine d'inspiration méditerranéenne – appréciée par Thierry

Henry, ancien habitué des lieux. Mention spéciale aux plats de poisson (moules marinières, steak de thon, mixte de poissons grillés). Comptez 15£ à midi et 20£ le soir. *M° Hampstead 71 Hampstead High St NW3 Tél. 020 7431 2224 Bistrot ouvert tlj. 8h-18h Restaurant ouvert mar.-sam. 18h-22h45*

Où déjeuner léger, savourer des cakes faits maison ?

Brew House Kenwood (plan 4) Dans une aile de Kenwood House, l'adresse idéale pour un petit déjeuner ou un déjeuner léger à Hampstead Heath. Des sandwiches inventifs, des plats du jour (de 4,50 à 10,95£) et d'excellentes pâtisseries maison à déguster, si le temps le permet, sur la délicieuse terrasse, entre rosiers et lavande. *M° Golders Green puis bus 210 ou M° Hampstead puis à pied à travers le parc Hampstead Lane NW3 Tél. 020 8341 5384 Ouvert avril-sept. : tlj. 9h-18h (petit déjeuner servi jusqu'à 11h30, menu du jour servi jusqu'à 14h30 en hiver et 15h en été), oct.-mars : tlj. 9h-16h*

Où prendre le *five o'clock tea* ?

Louis Pâtisserie (plan 4) Un classique de Hampstead, à deux pas du métro, fameux pour ses pâtisseries hongroises et ses *afternoon teas*. Également des sandwiches. *M° Hampstead 32 Heath St NW3 Tél. 020 7435 9908*

Où boire une bière à la fraîche ?

Spaniards Inn (plan 4) Des tonnelles, des arbres, une vingtaine de tables et même une fontaine... À ce niveau, on ne parle plus de terrasse mais de jardin ou même de terrain. Et perdu au milieu du parc de Hampstead Heath, on ne parle plus de Londres

mais de campagne. Si le temps se montre trop... anglais, l'intérieur n'est pas mal non plus avec ses alcôves en bois sombre, son plafond bas et son poêle en cuivre. Si, contrairement à la bourgeoisie à chapeau qui fréquente l'endroit, vous n'avez pas de voiture, ce pub se mérite. Du métro, ne vous lancez pas à pied, prenez le bus 210, il vous dépose à la porte. Bière 2,80£. *M° Hampstead Spaniards Rd NW3 Tél. 020 8731 6571 Ouvert lun.-sam. 11h-23h, dim. 12h-22h30plan 15*

Où boire un verre au calme ?

☺ **Holly Bush (plan 4)** On ose ? Allez : voilà un des pubs les plus attachants de Londres. Caché derrière son mur de lierre, dans une rue sans voitures, au cœur d'un des quartiers les plus verts et les plus chics de la ville, le Holly Bush ressemble à un décor de cinéma tant il est parfait. Difficile d'expliquer pourquoi cet archétype de pub procure un tel sentiment d'intimité et de sérénité. Les habitués poivre et sel qui lisent en silence leurs journaux ? l'intérieur tout en bois ? les jeunes qui se bécotent dans un coin ? Un peu tout ça sans doute... Bière 3£. *M° Hampstead 22 Holly Mount NW3 Tél. 020 7435 2892 Ouvert lun.-sam. 12h-23h, dim. 12h-22h30*

GÉOADRESSES

La cathédrale St. Paul vue de la Tate Modern.

RESTAURANTS

GEO**QUARTIERS**

Les restaurants de Londres battent des records de fréquentation, et pour cause : ils offrent une alléchante diversité ! Des spécialités de la Vieille Europe aux saveurs les plus exotiques, vous aurez maintes occasions de voyager. À condition d'éviter les heures de pointe (19h30-21h30) ! Pour ne pas avoir à attendre qu'une table se libère, misez, la journée, sur des plats simples, bon marché mais copieux – *caffs* et *greasy spoons* sont là pour ça. À peine le temps de vous arrêter entre deux emplettes ? Optez pour un fish and chips, un *take away* : vous trouverez dans notre carnet "Cafés, bars, pubs & pauses gourmandes " des adresses où faire un break rapide (cf. "Resto ou pause gourmande" p.125).

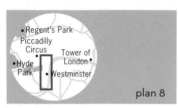

plan 8

Trafalgar Square, Westminster et Pimlico

Dans ce secteur, l'offre se limite peu ou prou aux restaurants et aux cafétérias des musées et à quelques sandwicheries. Pour plus de choix, il vous faudra faire quelques pas en direction de Leicester Square, de Covent Garden et même du Strand. Quant au quartier de Westminster, on y trouve surtout des restaurants chics, qui accueillent les parlementaires, à l'heure du déjeuner, en semaine ; vous pourrez plus facilement manger sur le pouce dans le quartier de Pimlico, autour de la gare Victoria et de la Tate Britain !

Mais le poisson pané remporte toujours le même succès ! Filets d'églefin, de cabillaud, de raie et de saumon, et frites croustillantes pour env. 10-11£. Si vous prenez le temps de vous attabler, commandez une soupe de poisson (5,15£), une des spécialités de la maison. *M° Pimlico 80-81 Wilton Rd SW1 Tél. 020 7828 0747 www.fishandchipsinlondon.com Ouvert lun.-ven. 12h-15h et 17h-22h30, sam. 12h-22h30*

☺**Chimes (plan 9)** À deux pas du marché de Tachbrook, une salle coquette tout en bois et plantes vertes et une minuscule terrasse sur le trottoir. Grand choix de cidres britanniques pour accompagner une tourte (10,50-11,50£), un hachis Parmentier (7,25£) ou une salade colorée... le menu change tous les jours. Pour un en-cas, soupe du jour (3,50£) et *ciabatta* fourrée aux herbes, avocat, blanc de poulet et pousses d'alfalfa. Réservation conseillée le soir. *M° Pimlico 26 Churton St SW1 Tél. 020 7821 7456 www.chimes-of-pimlico.co.uk Ouvert tlj. 12h-15h et 17h30-23h*

🍴 petits prix

Seafresh Fish Restaurant (plan 9) Une institution ! La clientèle n'est plus tout à fait celle des débuts (les années 1960), et les touristes qui séjournent à proximité se mêlent désormais aux chauffeurs de taxi.

🍴 prix moyens

Texas Embassy Cantina (plan 8) À côté de Canada House, un gigantesque complexe sur deux étages, voué à la musique country et à la culture tex-mex. Pour l'apéritif, à prendre au

RESTAURANTS

Resto ou pause gourmande ?

Pâtisseries, boulangeries

Sandwicheries, snacks

Épiceries, traiteurs

Pauses sucrées, salées, take aways...

Sur le pouce

Des restaurants (souvent) bon marché, parfaits pour un repas rapide et léger.

RESTAURANTS

"Saloon", on peut commander une bière mexicaine, accompagnée de *nachos* et de sauces épicées. Le restaurant sert des *fajitas*, T-bone steaks, *enchiladas*, *burritos* et autres classiques d'un répertoire sans grande surprise. Plats 10,75-15,95£. **M° Charing Cross** 1 Cockspur St SW1 Tél. 020 7925 0077 www.texasembassy.com Ouvert tlj. 12h-23h (jeu.-sam. jusqu'à 0h, dim. jusqu'à 22h30)

☺ **National Dining Rooms (plan 8)**
Ce restaurant de la National Gallery, installé à l'étage de l'aile Sainsbury, domine agréablement Trafalgar Square et son animation. Chaque mois, le menu du chef met à l'honneur un terroir différent du Royaume-Uni et ses petits producteurs. À la carte, peuvent figurer une *Wensleydale tart* (tourte au fromage du Yorkshire) servie avec des feuilles

RESTAURANTS

de moutarde et des tuiles de bette-rave rôtie, des médaillons d'agneau de l'Elwy Valley à l'épeautre et aux carottes, et des côtes de porc Old Spot aux pommes et à la sauge. De quoi dissiper les préjugés persistants sur la cuisine d'outre-Manche... Menu env. 23,50£ (2 plats) et 28,50£ (3 plats). M° *Charing Cross* Sainsbury Wing, The National Gallery, Trafalgar Square WC2 Tél. 020 7747 2525 www. thenationaldiningrooms.co.uk Ouvert tlj. 10h-17h (10h-20h30 mer.)

Tate Britain Restaurant (plan 9) Dans un secteur où les restaurants sont rares, celui-ci n'a qu'un seul défaut : il n'est pas ouvert le soir. Son décor peint par Rex Whistler est aussi renommé que sa cave à vins. Deux excellents prétextes pour s'installer sur ses banquettes en cuir noir ou à une table du jardin et déguster une cuisine britannique plutôt inspirée : asperges anglaises accompagnées d'un œuf de cane poché, poisson du jour en provenance de Newlyn, agneau du pays de Galles rôti et sa salade tiède de haricots blancs à la menthe... Une restauration légère et un *afternoon tea* sont proposés de 15h à 17h. Plats autour de 16£. M° *Pimlico* Tate Britain Millbank SW1 Tél. 020 7887 8825 www.tate.org.uk Ouvert tlj. 10h-17h (déjeuner 11h30-15h) Petit déj. sam.-dim. 10h-11h30

¶¶ prix élevés

Shepherd's (plan 9) Dans les parages de Westminster, un restaurant cossu fréquenté par des parlementaires en costume-cravate. L'accueil est assuré par des hôtesses en tailleur, le décor feutré et le service aussi discret que diligent. Pas de carte, mais des menus de deux ou trois plats à choisir parmi les spécialités du chef : *black pudding* (boudin noir), *pies* aux poireaux ou aux champignons, saucisses

du Cumberland. Menus à 31£ et 35£. M° *Pimlico* Marsham Court, Marsham St SW1 Tél. 020 7834 9552 www.langansrestaurants.co.uk Ouvert lun.-ven. 12h-23h

Cinnamon Club (plan 8) Le Cinnamon Club a l'ambition de jouer dans la cour des grands. Si l'on s'en sort difficilement le soir à moins de 30-35£ (sans le vin), le *set lunch menu* (au déjeuner, 18h-18h45 et 21h30-22h30 en semaine, à partir de 22h le samedi, 19£ ou 22£) permet de goûter la nouvelle cuisine anglo-indienne élaborée par le chef : consommé de tomates au curry et moules des Shetland, truite du pays de Galles sauce mangue et noix de coco, tiramisu au gingembre et oranges épicées. Le cadre est formidable : une ancienne bibliothèque publique de l'ère victorienne reconvertie de manière résolument moderne. On s'attable dans la grande salle blanche ou sur la mezzanine, près d'étagères garnies de livres. Également un bar de jour tout en boiseries – l'ancienne salle de lecture – au rez-de-chaussée et un bar à cocktails furieusement design au sous-sol. M° *Westminster ou St. James's Park* The Old Westminster Library 30-32 Great Smith St SW1 Tél. 020 7222 2555 www. cinnamonclub.com Ouvert lun.-sam. 12h-14h45 et 18h-22h45

plan 8

St. James's

Un quartier avec de nombreuses tables haut de gamme. Pour un repas

simple, optez pour les sandwicheries de Crown Passage, les buvettes de Green Park ou le plaisant restaurant de St. James's Park. Également des établissements de chaîne du côté de Haymarket.

🍴 très petits prix

☺ **Get the Focaccia (plan 8)** Un joli bistrot italien, soigné, tout en longueur, où l'on se pose le temps d'avaler des pâtes fraîches à la sauce du jour (2 recettes au choix) pour 4,75£. Spécialité de la maison : les *focaccie* (2,95£), ces fines parts de pizza garnies d'aubergines, de poivrons, ou encore de jambon et de roquette... Jus de fruit ou de légume frais, café, et un service avenant, 100% italien ! M° *Green Park 7 Crown Passage SW1 Tél. 020 7321 2316 Ouvert lun.-ven. 7h-17h*

🍴 petits prix

Yo ! Sushi (plan 8) Sushis, sashimis et *California rolls* sont préparés sous vos yeux, en mille et une compositions. Attablé au comptoir, vous n'avez plus qu'à choisir parmi les assiettes qui défilent devant vous sur un tapis roulant. Un jeu auquel on prend vite goût ! Pour compléter le repas, eau et thé vert à volonté pour 1,25£, et soupe miso pour 1,75£. Assiettes 1,70-5£. M° *Piccadilly Circus St. Albans House, 57 Haymarket SW1 4QX Tél. 020 7930 7557 www.yosushi.co.uk Ouvert tlj. 12h-23h (22h30 dim.)*

GAMME DE PRIX RESTAURANTS	
Très petits prix	moins de 7£
Petits prix	de 7 à 15£
Prix moyens	de 15 à 30£
Prix élevés	de 30 à 50£
Prix très élevés	plus de 50£

🍴 prix moyens

☺ **Inn the Park (plan 8)** L'endroit idéal pour s'attabler après une promenade dans St. James's Park et profiter d'une cuisine contemporaine de saison à prix doux. Des sols et des murs en teck, des baies vitrées donnant sur la verdure et une terrasse face au lac, on ne peut rêver mieux ! Si l'on est pressé – le service est un peu lent, c'est là la rançon du succès –, on se rabattra sur les plats moins élaborés mais savoureux du self : soupes du jour, saucisse purée, etc. Comptez 14-32£ le plat. Le week-end, menus à 22 et 26,50£ (2 et 3 plats) Petits déjeuners, thés, goûters selon l'heure de la journée. M° *Charing Cross St. James's Park SW1 Tél. 020 7451 9999 www. innthepark.co.uk Ouvert nov.-mars : lun.-ven. 8h-20h, sam. 9h-22h, dim. 9h-17h ; avr.-oct. : lun.-ven. 8h-22h, sam.-dim. 9h-22h Déjeuner 12h-15h (sam.-dim. 12h-16h), dîner 17h-22h*

plans 5, 6 et 8

Piccadilly et Mayfair

Mayfair cache une multitude d'adresses select dans ses ruelles bourgeoises. Des restaurants branchés aux tables gastronomiques, le choix est vaste... quand on dispose d'un budget confortable !

🍴 petits prix

Rocket (plan 5) Une pizzeria nichée dans un passage piéton, à deux pas

RESTAURANTS

RESTAURANTS

du musée Haendel. Au rdc, le bar propose de copieuses assiettes d'été ou des sandwiches élaborés (poulet et viandes au pesto, au chutney d'oignons, à la roquette...). À l'étage, on s'active devant le four au feu de bois d'où sortent des pizzas inventives : *pancetta*, fromage de chèvre, tomates fraîches et sirop balsamique (10£) ; *bocconcini*, tomates fraîches rôties et pesto (12£) ; ou encore gorgonzola, roquette, tomates fraîches et basilic (9,50£). Le cadre est à la fois chic et simple, la clientèle jeune et BCBG. *M° Bond Street 4-6 Lancashire Ct W1 Tél. 020 7629 2889 www.rocketrestaurants.co.uk Ouvert lun.-sam. 12h-15h et 18h-23h*

⑪ prix moyens

Fountain Restaurant at Fortnum & Mason (plan 8) Le grand magasin Fortnum & Mason, célèbre pour son épicerie fine, est doté de trois restaurants. Le Fountain offre le meilleur rapport qualité-prix. Spécialités britanniques peu compliquées et savoureuses : fish & chips, *pies*, *Welsh rarebit*, côtelettes d'agneau à la gelée de menthe, etc. Également des glaces, des thés et des petits déjeuners préparés avec les bons produits de la maison. 18-28£. *M° Piccadilly Circus 181 Piccadilly W1 Tél. 020 7734 8040 www.fortnumandmason.co.uk Ouvert 7h30-23h (petit déj. 7h30-11h, cuisine 12h-23h)*

Rasa W1 (plan 5) À deux pas d'Oxford Street, un petit restaurant indien dont les chefs viennent du Kerala. Une très grande variété de plats végétariens et de currys, à accompagner de chutneys, de riz aux lentilles, à la noix de coco râpée et aux feuilles de curry ou de riz aux noix de cajou, cacahuètes et piment arrosé de jus de tamarin. Si vous êtes indécis, optez pour le *Vadakkan Feast*, un assortiment d'entrées et de plats, avec pain et dessert, à 25£ – que

l'on peut aisément partager à deux. Comptez 15-20£. *M° Bond Street ou Oxford Circus 6 Dering St W1 Tél. 020 7629 1346 www.rasarestaurants.com Ouvert lun.-sam. 12h-15h et 18h-23h*

Truc Vert (plan 5) Un petit traiteur-restaurant aux allures campagnardes, où l'on peut faire une halte à toute heure du jour. Jus de fruits pressés, œufs bio, crêpes au sirop d'érable, müesli ou porridge pour les visiteurs du matin. Cuisine du marché, salades et desserts gourmands pour un repas en bonne et due forme. Quiches, cakes et brownies à grignoter sur place ou à emporter. Comptez 20-25£ le déjeuner. *M° Bond Street ou Marble Arch 42 North Audley St W1 Tél. 020 7491 9988 www.trucvert.co.uk Ouvert petit déj. : lun.-sam. 7h30-11h30 ; déj. : lun.-sam. 12h-15h ; dîner : lun.-sam. 18h-21h ; brunch : dim. 9h-16h*

Sotheby's Café (plan 6) Plongez dans l'univers du luxe de Mayfair, le

---

Besoin de reprendre des forces vite fait bien fait ?

Besoin urgent de poser vos paquets et de reprendre des forces entre deux essayages ? Ne cherchez pas plus loin.

temps d'un repas rapide mais soigné. Les jours de vente aux enchères, la belle salle au décor 1930 est bondée et l'on y entend parler toutes les langues. La petite carte du déjeuner, renouvelée chaque semaine, propose trois entrées, trois plats et cinq desserts (comptez environ 30£). On peut aussi y prendre son petit déjeuner (de 6,50£ à 14,75£) et, l'après-midi, un *small tea* à 5,75£ (avec scones, *tea cake* et confitures). *M° Tottenham Court Road Sotheby's 34-35 New Bond St W1 Tél. 020 7293 5077 Ouvert petit déj. : lun.-ven. 9h30-11h30 ; déj. : lun.-ven. 12h-15h ; thé : lun.-ven. 15h-16h45*

Tamarind (plan 8) Depuis 2000, ce restaurant indien gastronomique collectionne les étoiles et les prix. Les spécialités s'inspirent des traditions mogholes – une large place est faite aux viandes et poissons cuits au four *tandoor*. Les prix aussi sont épicés : pensez au *set menu* ou au *pre-theatre menu*, respectivement à 18,95£ et 24£. Comptez 27-39£. *M° Green Park 20 Queen St W1 Tél. 020 7629 3561 www.tamarindrestaurant. com Ouvert lun.-ven. 12h-14h45 et 18h-23h30, sam. 18h-23h15, dim. 12h-14h45 et 18h30-22h30*

 prix élevés

Momo (plan 6) Après avoir fait du 404 l'un des couscous branchés de Paris, Mourad Mazouz décida en 1997 d'ouvrir outre-Manche un autre "restaurant familial". Plébiscité par Madonna, notamment, Momo est vite devenu la coqueluche des people. On y déguste des tajines, couscous et grillades dans un somptueux décor marocain, à base de poufs et de lanternes en cuivre coloré, et dans une ambiance festive électrique. Également un bar à *kemia* au sous-sol (cf. Mo Tea Room in "Cafés, bars, pubs et pauses gourmandes") et un salon de thé, façon bazar, à côté, avec tapis, *chichas*, thé à la menthe et pâtisseries orientales. Dans une ruelle un peu excentrée, où l'équipe installe des tables en été. Comptez 30-40£. Réservation indispensable *M° Piccadilly Circus ou Oxford Circus 25 Heddon St W1 Tél. 020 7434 4040 www.momoresto.com Ouvert lun.-sam. 12h-14h30 et 18h30-23h30, dim. 18h30-23h Mô tea room ouvert tlj. 12h-0h*

Nicole's (plan 6) Le rendez-vous des dames chics du quartier entre deux galeries ou deux boutiques de créateurs... Le restaurant occupe le sous-sol de celle de Nicole Farhi. Cuisine légère : poisson en papillote, saumon sauvage grillé, gaspacho et salade de crabe, etc. Comptez environ 34£. *M° Green Park 158 New Bond St W1 Tél. 020 7499 8408 Ouvert lun.-sam. 8h-18h*

Nobu (plan 8) C'est l'un des restaurants les plus huppés de la capitale. *Sushi bar* et restaurant japonais se partagent une salle immaculée, au

So British !

Un lèche-vitrines s'impose dans **Burlington Arcade**, pour ses vénérables boutiques, et chez **Fortnum & Mason** où vous attendent emplettes et pauses gourmandes...(cf. "Shopping" et "Cafés, bars, pubs & pauses gourmandes").

RESTAURANTS

design minimaliste, dont les baies vitrées donnent sur la verdure de Hyde Park. Poisson cru d'une exquise fraîcheur, présentation artistique et prix... pour mikados ! Le menu du chef se monte à 70£ le soir et à 50£ pour le déjeuner. Comptez de 12,50 à 28£ environ pour les plats de nouilles ou la *bento box*. Formule déjeuner à 24£ (*sushi lunch*). Réservation conseillée. *M° **Hyde Park Corner** Metropolitan Hotel, 19 Old Park Lane W1 Tél. 020 7447 4747 www.noburestaurants.com Ouvert lun.-ven. 12h-14h15 et 18h-22h15 (ven. 23h), sam. 12h30-14h30 et 18h-23h, dim. 12h30-14h30 et 18h-19h30*

🍴 prix très élevés

Sketch (plan 6) Après avoir abrité le showroom de Christian Dior, cette maison reprise en 2002 par l'infatigable Mourad Mazouz réunit, selon le concept *"food, music and art"*, un bar à cocktails (The Glade), un salon de thé et trois restaurants chapeautés par le chef étoilé Pierre Gagnaire. Les décors audacieux méritent à eux seuls le coup d'œil – des toilettes féeriques ou futuristes à la "gastro-brasserie" du rdc, **The Gallery**, dont les murs blancs accueillent des vidéos *arty* (plat autour de 25£). Si vous en avez les moyens, filez au gastronomique **Lecture Room and Library** de l'étage. Comme pour vous inviter à vous concentrer sur votre assiette, le décor est plus sage et le *tasting menu* retient toute votre attention (à partir de 70£, menu déj. 30-35£ ; rés. indispensable). Carte plus restreinte et moins sophistiquée pour **The Parlour at Sketch**, le salon de thé (cf. "Cafés, bars, pubs et pauses gourmandes"). *M° **Oxford Circus** 9 Conduit St W1 Tél. 087 0777 4488 www.sketch.uk.com* **The Gallery** *ouvert lun.-sam. 19h-2h (seulement pour les membres jusqu'à 22h, 23h le sam. ; DJ jeu.-sam. 22h30-2h)* **Lecture Room and Library** *ouvert mar.-ven. 12h-14h30 et 19h-22h30, sam. 19h-22h30 The Glade ouvert lun.-sam. 12h-17h (dernière commande 15h)* **The Parlour at Sketch** *ouvert lun.-ven. 8h-21h, sam. 10h-21h*

Le Gavroche (plan 5) Ambassadeur de la grande cuisine française depuis plus de 40 ans, Le Gavroche se distingue par ses deux étoiles Michelin et une réputation inaltérée. Depuis une quinzaine d'années, Michel Roux junior, le fils du fondateur, est aux fourneaux. Une salle bourgeoise, un service à la française, une cave convoitée et des plats dont la qualité est à la hauteur des prix ! On peut s'offrir plus facilement ce moment de bonheur culinaire en se rabattant sur le menu de midi... à 48£ (avec 1/2 bouteille de vin). Réservation indispensable. *M° **Marble Arch** 43 Upper Brook St W1 Tél. 020 7408 0881 www.le-gavroche.co.uk Ouvert lun.-ven. 12h-14h et 18h30-23h, sam. 18h30-23h*

plans 6 et 7

Soho

Un choix bluffant pour un périmètre aussi restreint : des cuisines de dizaines de nationalités différentes, un florilège de cantines bon marché comme de restaurants gastronomiques dont les chefs rivalisent d'ingéniosité.

RESTAURANTS

¶¶ très petits prix

☺ **Stockpot (plan 7)** Un étonnant restaurant tout en décontraction, dans la rue la plus prisée de Soho. À la carte, des recettes de ménage à des prix dérisoires : cannelloni aux épinards et ricotta, côtes d'agneau grillées sauce menthe, *fish cake* de thon et omelettes variées. Deux tables débordent sur le trottoir. Comptez 7£, 2 *set menus* de 5,50£ à 5,90£. M° *Tottenham Court Road ou Leicester Square* 18 *Old Compton St W1 Tél. 020 7287 1066 Ouvert lun.-mar. 9h-23h30, mer.-sam. 9h-0h, dim. 12h-23h30*

Ramen Seto (plan 6) Une cantine dépouillée où des jeunes gens lookés avalent un bol de nouilles avant de reprendre leur shopping dans le sec-teur de Carnaby Street... Nouilles japonaises *udon* et *ramen* frites, sau-tées, ou en soupes parfumées, autour de 6,80£. M° *Oxford Circus* 19 *Kingly St W1 Tél. 020 7434 0309 Ouvert lun.-mar. 11h-21h30, mer.-sam. 11h-23h, dim. 13h-20h30*

¶¶ petits prix

Tokyo Diner (plan 7) Un restaurant japonais convivial et bon marché. En plus des traditionnelles soupes claires aux nouilles *soba* (à la farine de sarrasin) et *udon* (à la farine de blé) à 6,90£, la carte décline des currys japonais (10£ avec viande), des *donburi* (grands bols de riz agrémentés de viande et d'œufs brouillés à 8,50£) et des *bento boxes* (plateaux-repas de quatre mets, à 14,80£). M° *Leicester Square* 2 *Newport Pl. WC2 Tél. 020 7287 8777 www.tokyo diner.com Ouvert tlj. 12h-0h*

Masala Zone (plan 6) L'annexe de deux des meilleurs restaurants indiens de la ville : l'étoilé Amaya de Belgravia et le

très primé Chutney Mary de Chelsea. Ici, les préparations sont étudiées pour les "petits" budgets : plats à partir de 7,40£, *set menu* et *pre-theatre menu* à 8,35£. M° *Oxford Circus* 9 *Marshall St W1 Tél. 020 7287 9966 www.realindian food.com Ouvert lun.-ven. 12h-15h30 et 17h30-23h, sam. 12h30-23h, dim. 12h30-15h30 et 17h-22h30*

Chowki (plan 6) Chaque mois, la carte propose un voyage culinaire dans trois nouvelles régions de l'Inde. Une valeur sûre, aux prix raisonnables : formules déjeuner à 9,95£. Rafraîchissants cocktails sans alcool. Cadre soigné. M° *Piccadilly Circus* 2-3 *Denman St W1 Tél. 020 7439 1330 www.chowki. com Ouvert tlj. 12h-23h30*

Jimmy's (plan 7) Depuis 50 ans, on sert au sous-sol de copieuses assiettes grecques, à des prix défiant toute concurrence. Ce n'est certes pas de la grande cuisine, mais d'honnêtes mous-sakas, *keftes* (boulettes de viande), sou-vlakis (brochettes de porc) ou *stifados* (ragoût de bœuf), auxquels les nostal-giques du vieux Soho et les Grecs du quartier demeurent fidèles. Vins grecs et crétois. Orchestre traditionnel ven-dredi et samedi soir. Plats autour de 6-9,50£. M° *Tottenham Court Road* 23 *Frith St W1 Tél. 020 7437 9521 Ouvert lun.-sam. 12h-15h et 17h-23h30*

☺ **Mildred's (plan 6)** Une jolie café-téria végétarienne stylée et branchée. La carte propose une vraie cure aux produits bio pour se désintoxiquer des folles nuits de Soho : salade au

GAMME DE PRIX RESTAURANTS	
Très petits prix	moins de 7£
Petits prix	de 7 à 15£
Prix moyens	de 15 à 30£
Prix élevés	de 30 à 50£
Prix très élevés	plus de 50£

RESTAURANTS

quinoa, fèves, haricots verts, feta et feuilles de menthe ; légumes revenus à l'huile de sésame, à la sauce *teriyaki* et au gingembre ; tajine au fenouil rôti, pois chiches et dattes accompagné de couscous aux pistaches et yaourt à la grecque... Également des vins bio, des jus aux fruits et aux légumes mixés, des *smoothies* au lait de soja et au miel. Comptez 13-18£. *M° Piccadilly Circus* 45 Lexington St W1 Tél. 020 7439 2392 www.mildreds. co.uk Ouvert lun.-sam. 12h-23h

Endurance (plan 6) Une halte sympathique par un jour de marché. Ce gastropub à la touche moderne sert une cuisine du monde à des prix raisonnables : risotto aux champignons sauvages, faux-filet au beurre d'ail, mâche et frites (13,95£)... la carte change tous les jours. Ses baies vitrées donnent sur les étals du marché de Berwick Street. Terrasse à l'arrière, sur Hopkins Street. *M° Oxford Circus* 90 Berwick St W1 Tél. 020 7437 2944 Ouvert lun.-sam. 12h-23h (restaurant 12h30-16h), dim. 13h-17h

🍴 **prix moyens**

Café Bohème (plan 7) La terrasse de cette brasserie française d'Old Compton Street, la rue la plus vivante du quartier, grouille de monde jour et nuit. À la carte, omelette, croque-monsieur, steak frites, steak tartare et, pour la touche *Frenchy*, cuisses de grenouilles à l'ail, coq au vin et escargots au *garlic butter*. Comptez entre 15 et 20£ pour une entrée et un plat. *M° Tottenham Court Road* 13-17 Old Compton St W1 Tél. 020 7734 0623 www.cafeboheme.co.uk Ouvert lun.-sam. 8h-3h, dim. 8h-0h

Andrew Edmunds (plan 6) Une charmante petite salle où trônent un comptoir et quelques tables à peine, bordées de banquettes en bois. On y savoure en toute simplicité une cuisine de marché : soupe de melon, truite de mer sauvage pochée aux salicornes et pommes de terre Jersey Royal, et gâteau au chocolat pour conclure en beauté un repas léger. 20£ (2 plats sans vin), 25-30£ (3 plats avec ou sans vin). *M° Piccadilly Circus* 46 Lexington St W1 Tél. 020 7437 5708 Ouvert lun.-ven. 12h30-15h et 18h-22h45, sam. 13h-15h et 18h-22h45, dim. 13h-15h30 et 18h-22h30

The Gay Hussar (plan 7) Depuis un demi-siècle, cette maison sert de roboratives spécialités hongroises dans son chaleureux petit salon lambrissé. Clientèle de journalistes et d'hommes politiques en complet cravate, dînant dans un joyeux brouhaha. Aux murs, portraits de *MPs* (députés) croqués par le caricaturiste de presse Martin Rowson ; dans l'assiette, des saucisses fumées et grillées, du poulet au paprika et aux *galuska* (gnocchis), des goulaschs de veau ou de bœuf... Environ 17-22£. *Lunch menu* 17£ ou 19,50£. *M° Tot-*

Set (lunch) gagnant

La plupart des restaurants – même gastronomiques – proposent des formules intéressantes pour le déjeuner : le *set lunch menu* servi de 12h à 14h en semaine. De même pour les formules du soir avec le *pre-theatre menu*, proposé de 17h45 à 19h, et le *post-theatre menu*, à partir de 22h-22h30. Comptez environ 17-20£.

tenham Court Road 2 Greek St W1 Tél. 020 7437 0973 www.gayhussar.co.uk Ouvert lun.-sam. 12h15-14h30 et 17h30-22h45

☺ **Randall & Aubin (plan 6)** Cette ancienne boucherie a gardé sa devanture, ses murs revêtus de carreaux de faïence blanche et ses comptoirs en marbre, sur lesquels trônent désormais d'exubérants plateaux de fruits de mer et des seaux de champagne glacé. Plats et bouteilles valsent à un rythme effréné d'un bout à l'autre de la salle et, certains soirs, la clientèle déborde sur le trottoir, pour manger et boire debout, dans la rue. Ambiance survoltée. Rôtisserie, poisson et assiettes de fruits de mer. Comptez 25-35£. M° **Piccadilly Circus** 14-16 Brewer St W1 Tél. 020 7287 4447 Ouvert lun.-sam. 12h-23h, dim. 16h-22h

L'Escargot (plan 7) Une table française originale – raviolis aux escargots, barigoule de moules et pavé de saumon rôti, feuilleté aux rognons de bœuf et duxelles de champignons, etc. – tenue par le chef multi-étoilé Marco Pierre White (cf. ci-après, Quo Vadis). Comptez 20-30£. Set menu et pre-theatre menu 15£ ou 18£. Rés. conseillée. M° **Tottenham Court Road** 48 Greek St W1 Tél. 020 7437 2679 www.whitestarline.org.uk Ouvert lun.-ven. 12h15-14h15 et 18h-23h30

Quo Vadis (plan 7) Cette maison italienne fondée dans les années 1930 est devenue une référence. Reprise par Marco Pierre White, elle s'est encore bonifiée et embourgeoisée : cadre soigné, décoré d'œuvres de Damien Hirsch, et carte inventive, à l'image de la selle d'agneau accompagnée de riz sauvage au thym et de beignets de blette et mangue. 25-35£, set menu 16,50£ (2 ou 3 plats). M° **Tottenham Court Road** 26-29 Dean St

W1 Tél. 020 7437 9585 www.quovadis-soho.co.uk Ouvert lun.-ven. 12h-15h et 17h30-23h, sam. 17h30-23h

☺ **Yauatcha (plan 6)** L'un des établissements d'Alan Yau. Le cadre minimaliste, signé Christian Liaigre, en met plein la vue : une salle sombre, aux éclairages étudiés, à dominante lapis-lazuli, turquoise et noir. Les cuisiniers officient derrière une vitre fumée bleue, tandis que les barmen préparent de splendides cocktails colorés derrière un comptoir aquarium. Dans l'assiette, d'extraordinaires dim-sum servis à longueur de journée : des paniers vapeur au crabe ou au homard, des nems au canard, des côtes de porc caramélisées, du poulet cuit dans une feuille de lotus. Commandez-en 3 ou 4 (à partir de 3,50£, 3 pièces par panier). Salon de thé au rdc. Réservation indispensable. Prévoyez 35£/pers. M° **Oxford Circus** 15-17 Broadwick St W1 Tél. 020 7494 8888 Ouvert lun.-ven. 12h-23h45, sam. 11h45-23h45, dim. 11h45-22h30

🍴 prix élevés

Alastair Little (plan 7) Il y a une vingtaine d'années, Alastair Little fut le précurseur du renouveau de la cuisine britannique. Sa carte réduite et faussement modeste ainsi que la sobriété extrême du décor ont donné le la aux restaurants du quartier. Le chef manie d'une main sûre les influences italienne et française : risotto aux asperges, artichauts et citron ; noix de saint-jacques brai-

GAMME DE PRIX RESTAURANTS	
Très petits prix	moins de 7£
Petits prix	de 7 à 15£
Prix moyens	de 15 à 30£
Prix élevés	de 30 à 50£
Prix très élevés	plus de 50£

Le monde dans votre assiette

L'exception londonienne : vous goûterez là à toutes les grandes gastronomies du monde et à une multitude de cuisines plus rares... Et la cuisine anglaise n'est pas en reste : moderne ou traditionnelle, elle est largement représentée dans la capitale (cf. encadré So British ! p.157).

RESTAURANTS

RESTAURANTS

sées et purée de fenouil ; raviolis à la ricotta et au potiron, sauce à la sauge... Cadre raffiné, service très agréable. Menu 35£ (2 plats) et 40£ (3 plats) ; au dîner, menu à 40£. M° *Tottenham Court Road* 49 Frith St W1 Tél. 020 7734 5183 *Ouvert lun.-ven. 12h-15h et 18h-23h30*

Floridita (plan 6) Le restaurant, cabaret et bar à cocktails glamour du designer Terence Conran occupe le sous-sol du Meza, un bar à tapas. Ambiance *caliente* du lundi au samedi soir, au son d'un petit orchestre cubain – tâchez d'obtenir une table face à la scène et le plus près possible de la piste de danse. Une soirée festive à accompagner de tapas et de cocktails réussis. Au menu, *ceviches* de calmars, accras de morue, *quesadillas*, langoustes ou côtes de bœuf argentin. Comptez 50£ avec le vin. M° *Oxford Circus ou Tottenham Court Road* 100 Wardour St W1 Tél. 020 7314 4000 www.floriditalondon. com *Ouvert lun.-mer. 17h30-2h, jeu.-sam. 17h30-3h*

🍴 prix très élevés

Lindsay House (plan 7) Le restaurant du chef étoilé Richard Corrigan – une célébrité outre-Manche. Deux salons intimes et élégants, installés dans une maison de ville de 1740, pour un dîner romantique au coin d'une cheminée. La carte, qui trahit les origines irlandaises du patron, propose un parcours gastronomique sans faute. Menu 59£, dîner gourmet 70£ (112£

avec les vins) et *pre-theatre menu* 27£. M° *Leicester Square* 21 Romilly St W1 Tél. 020 7439 0450 www.lindsayhouse.co.uk *Ouvert lun.-ven. 12h-14h30 et 18h-23h, sam. 18h-23h*

Chinatown

Une myriade de restaurants bon marché (les tables plus raffinées sont ailleurs dans Soho). La cuisine est le plus souvent cantonaise. Dernière mode, le service continu de *dim-sum* (mets salés ou sucrés en petites portions, cuits à la vapeur et le plus souvent servis dans des paniers en bambou).

🍴 très petits prix

Canton (plan 7) Au cœur de Chinatown, une salle dépouillée, avec pour seule décoration des volailles laquées suspendues derrière la vitrine embuée ; des prix dérisoires – moins de 5£ l'énorme plat de riz ou de nouilles garni de viande et de légumes – et un accueil un peu fruste... comme il convient à une cantine qui n'a d'autre prétention que de nourrir sa clientèle d'habitués, chinois pour la plupart. *Set menu* 10£. M° *Leicester Square* 11 Newport Place WC2 Tél. 020 7437 6220 *Ouvert tlj. 12h-0h (dim.-lun. jusqu'à 23h30, ven.-sam. jusqu'à 0h30)*

🍴 petits prix

New Mayflower (plan 7) Une cantine cantonaise plébiscitée par la communauté chinoise. Autour de grandes tables rondes, on picore dans les assortiments de plats préparés pour 2 ou 4 personnes : soupe, riz cantonais, canard laqué, etc. Prévoyez un peu d'attente – le restaurant est bondé jusqu'à 2h du matin ! Honnête rapport qualité-prix, mais service plutôt rude. Moins de 15£. M°

GAMME DE PRIX RESTAURANTS	
Très petits prix	moins de 7£
Petits prix	de 7 à 15£
Prix moyens	de 15 à 30£
Prix élevés	de 30 à 50£
Prix très élevés	plus de 50£

Leicester Square 68-70 Shaftesbury Ave. W1 Tél. 020 7734 9207 Ouvert tlj. 17h-4h

🍴 prix moyens

☺ **New World (plan 7)** En plein Chinatown, un gigantesque restaurant qu'il faut fréquenter pour ses *dim-sum*. À peine êtes-vous installé que l'on vous sert d'office le thé, on vous apporte un bol et des baguettes, et vous n'avez plus qu'à attendre le passage des serveuses avec leur chariot fumant. Soupes, bouchées au crabe ou au porc à la vapeur, raviolis frits, beignets de crevettes, porc et canard laqués, riz gluant, légumes à l'étuvée... Un régal ! Pratique si l'on souhaite déjeuner rapidement. Le dimanche, ambiance familiale. *Dim-sum* à 2,40-8,50£ (3 unités) ; comptez env. 20£. *M° Leicester Square* 1 Gerrard Place W1 Tél. 020 7734 0396 Ouvert lun.-sam. 11h-23h45, dim. 11h-23h (dim-sum tlj. 11h-17h45)

Bar Shu (plan 7) Le seul dévolu à la cuisine du Sichuan – l'une des plus épicées de l'empire du Milieu. Comptez 30£. *M° Tottenham Court Road* 28 Frith St W1 Tél. 020 7287 6688 Ouvert tlj. 12h-23h

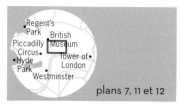

plans 7, 11 et 12

Covent Garden et Holborn

On évite facilement les attrape-touristes à Covent Garden : les abords des halles regorgent d'adresses chics ou branchées, fréquentées par les Londoniens. En revanche, les tables sont rares à Holborn – il faut se rabattre sur le Strand, ses cafés, sandwicheries et restaurants de chaîne où déjeunent les étudiants et employés du quartier.

🍴 très petits prix

India Club (plan 11) Sur le bruyant Strand, au 2e étage d'un hôtel qui ne paie pas de mine. On vous reçoit sans chichis dans une salle fonctionnelle, au mobilier en formica. C'est peut-être cette simplicité désarmante et ses petits prix honnêtes qui valent à ce restaurant indien – l'un des plus vieux de Londres - la faveur des employés du secteur, des étudiants de l'université toute proche et des fonctionnaires de l'Indian High Commission, sur Aldwych. Plats autour de 5,50£ (3,80£ pour les mets végétariens). *M° Covent Garden ou Charing Cross* 2e étage du Strand Continental Hotel 143 WC2 Tél. 020 7836 0650 Strand Ouvert tlj. 12h-14h30 et 18h-22h50

🍴 petits prix

☺ **Gordon's Wine Bar (plan 12)** Un bar à vins encombré de vieux tonneaux et aux murs noirs de suie. Les bouteilles du monde entier font la réputation de cette maison ouverte en 1890, mais le buffet de salades, de viande froide et de petits plats chauds (gratins, tourtes, saumon poché, saucisses grillées) est tout aussi alléchant, d'autant que les portions servies sont copieuses et les prix très doux. Aux beaux jours, quelques tables avec parasol sont dressées sur Watergate Walk, en bordure des Victoria Embankment Gardens. Comptez 7,50-11,95£ le plat + 1 verre de vin. *M° Charing Cross ou Embankment* 47

Villiers St WC2 Tél. 020 7930 1408 www.gordonswinebar.com Ouvert tlj. 11h-23h (dim. 12h-22h)

Woo Jung (plan 7) Notre préféré des trois restaurants coréens de la rue. Une clientèle majoritairement asiatique et des mets simples et bon marché : barbecue coréen de bœuf ou de porc, marmite de lotte, etc. Plats autour de 6-9£. *M° Tottenham Court Road 59 St. Giles High St WC2 Tél. 020 7836 3103 Ouvert lun.-sam. 12h-0h, dim. 17h-0h*

Seven Stars (plan 11) Dans le quartier des juges et des avocats, un vieux pub aux boiseries patinées par les ans. Pas plus d'une vingtaine de couverts dressés sur des nappes en vichy. Le menu, inscrit sur une ardoise, propose des plats savoureux et roboratifs : onglet-frites, salade de pommes de terre et de hareng à l'aneth, *Welsh rarebit* (gratin de mie de pain au fromage, bière et moutarde), assiettes de fromages et charcuteries. À accompagner de ses fameuses *ales* : Adnams, Hophead... Plats 8-15£. *M° Holborn 53 Carey St WC2 Tél. 020 7242 8521 Ouvert lun.-ven. 11h-23h, sam.-dim. 12h-23h*

¶¶ prix moyens

Belgo Centraal (plan 7) Comme le nom l'indique, le royaume des moules frites, préparées à l'échelle industrielle et servies non-stop par des jeunes gens en chasuble de moine dans une salle aux faux airs d'usine, mais aux longues tablées conviviales. Son succès – familial – tient surtout à ses offres spéciales : 2 menus enfants gratuits par adulte, et un menu express de 12h... à 17h (!) pour 6,50£ à peine, le verre de bière ou de vin compris. Large sélection de bières belges. Autour de 12,95£ la marmite, 9,50£

les moules grillées, 10£ pour la rôtisserie (volailles arrosées de bière et de jus de pomme). *M° Covent Garden ou Leicester Square 50 Earlham St WC2 Tél. 020 7813 2233 www.belgo-restaurants.com Ouvert lun.-jeu. 12h-23h, ven.-sam. 12h-23h30, dim. 12h-22h30*

Joe Allen (plan 11) La filiale londonienne du célèbre restaurant new-yorkais. On se croirait presque dans la Big Apple entre ces murs en brique tapissés d'affiches de music-hall et de photos de stars ayant posé un pied à Broadway. Y soupent des comédiens et producteurs du West End. À la carte, de grosses salades, des œufs Bénédict, des sandwiches à l'assiette, des travers de porc au barbecue... À essayer aussi pour les brunchs gargantuesques. Comptez 20-25£. *Set menu* (lun.-ven. 12h-15h) et *pre-theatre* menu (lun.-sam. 17h-18h45) à 15£ ou 17£. Brunch (sam.-dim. 11h30-16h) 18,50£ ou 20,50£, coupe de champagne comprise. *M° Covent Garden 13 Exeter St WC2 Tél. 020 7836 0651 www.joeallen. co.uk Ouvert lun.-ven. 12h-0h45, sam. 11h30-0h45, dim. 11h30-23h30 Petit déjeuner 8h-11h30*

The Admiralty (plan 11) Pour conclure agréablement la visite de Somerset House – quand, à la nuit tombée, des jeux de lumières colorées illuminent la cour. Assiettes d'inspiration française et italienne, à la présentation soignée : risotto de champignons sauvages, canard au foie gras et purée de betteraves. Menu 24,50£, formules *lunch* et *pre-theatre menus* 15,50£. *M° Temple Somerset House, Strand WC2 Tél. 020 7845 4646 www.somersethouse.org.uk Ouvert lun.-sam. 12h-14h30 et 17h30-22h15, dim. 12h-15h30*

The Ivy (plan 7) Le plus people des restaurants londoniens, et par conséquent l'un des plus select. Pour obtenir une table, il faut s'y prendre entre 4-6 semaines d'avance ! Du reste, une valeur sûre qui ne fait pas dans le compliqué (poulet des Landes rôti sauce madère, filet de veau aux girolles) et propose quelques petits plats abordables – saucisses de porc du Berkshire grillées et purée à 13,75£, *Ivy hamburger* à 11,50£.... Mêmes carte et prix que chez J. Sheekey, avec un large choix de produits de la mer – bisque de crabe, terrine de crevettes, poêlée de fruits de mer... Cadre intime. Comptez 30£, *lunch menu* 26,75£. M° *Leicester Square* 1-5 West St WC2 Tél. 020 7836 4751 www.the-ivy.co.uk *Ouvert lun.-sam. 12h-15h et 17h30-0h, dim. 12h-15h30 et 17h30-23h*

🍴 prix élevés

Rules (plan 11) Le plus vieux restaurant de Londres (1798). On ne compte plus les personnalités qui, comme Dickens et Édouard VII, ont usé ses banquettes en velours rouge ou dîné dans ses recoins et salons privés. Aux murs lambrissés d'acajou, entre miroirs, tableaux et gravures, les fusils de chasse et les faisans empaillés donnent le ton : la carte met l'accent sur le gibier, accompagné d'un chutney de fruits. Pour les récalcitrants, *pies*, poisson et crustacés (le Rules fut d'abord un bar à huîtres) et, en dessert, puddings, tarte, glace ou crème brûlée. Avec plus d'une soixantaine de références, la carte des vins lorgne vers la vallée du Rhône. Comptez 35-40£. M° *Covent Garden ou Charing Cross* 35 Maiden Lane WC2 Tél. 020 7836 5314 www.rules.co.uk *Ouvert tlj. 12h-23h30 (dim. 22h30)*

☺ **Simpson's in-the-Strand (plan 11)** Un décor magnifique pour déguster avec classe le traditionnel *roast beef* : celui de l'ancienne Fountain Tavern, berceau du Kit-Cat Club, devenue le Grand Cigar Divan en 1828, puis la propriété du groupe Savoy en 1898. La salle du "Grand Divan" a tout le charme des brasseries d'antan, avec ses tapis moelleux, ses boiseries, ses hauts plafonds à caissons stuqués et ses serveurs à nœud papillon. Des cuisiniers à toque apportent sur un plateau d'argent le rôti de bœuf ou le gigot d'agneau qu'ils découpent à votre table. En accompagnement, du *Yorkshire pudding*, du chou rouge braisé, des carottes caramélisées... Service chaleureux. Comptez 30-35£. *Pre-theatre menu* (appelé Fixed Price) : 24,50£ ou 29,50£ entre 17h45 et 19h du lundi au samedi et de 18h à 19h le dimanche. M° *Charing Cross* 100 Strand WC2 Tél. 020 7836 9112 *Ouvert lun.-sam. 12h15-14h45 et 17h45-22h45, dim. 12h15-15h et 18h-21h*

☺ **Sheekey (plan 7)** Aussi tendance que l'Ivy (même propriétaire), mais en moins snob. Carte variée, mais réputée pour ses spécialités marines : plateaux de fruits de mer, poisson de ligne grillé, homard flambé, sole meunière, *fish cakes*, et des *fish pies* toujours

RESTAURANTS

☺ British Food

Envie d'un vrai roast beef, dans les règles de l'art ? Goûtez au charme de cette brasserie d'antan, institution de la cuisine britannique traditionnelle : **Simpson's in-the-Strand** (cf. ci-dessus).

RESTAURANTS

très appréciés. En dessert, tentez les pêches rôties avec un filet de crème au citron vert ou la tarte aux prunes et aux amandes et sa crème glacée. Formules déjeuner le week-end. Réservation indispensable. Comptez 40-50£ ; *week-end lunch menu 24,75£.* **M° *Charing Cross*** *28-32 St. Martin's Court WC2 Tél. 020 7240 2565 www. j-sheekey.co.uk Ouvert lun.-sam. 12h-15h et 17h30-0h, dim. 12h-15h30 et 18h-23h*

Matsuri (plan 11) Trois espaces – un comptoir à sushis, un salon *teppan-yaki* (grill) et une salle à manger spacieuse – soit de grands volumes gris clair et brun, un éclairage tamisé et, ici et là, des orchidées pour la touche de couleur. Les cuisiniers japonais que l'on voit s'affairer avec une concentration extrême semblent promettre un excellent voyage culinaire. De fait, les tempuras sont croquants à souhait, les légumes juste saisis, les sauces judicieusement relevées, le poisson est d'une extrême fraîcheur... mais l'addition, salée ! Menu soir de 47£ à 77£ ; menu midi de 27£ à 47£ ; *set lunch menu de 16£ à 20£.* **M° *Holborn*** *71 High Holborn WC1 Tél. 020 7430 1970 www. matsuri-restaurant.com Ouvert lun.-sam. 12h-14h30 et 18h-22h*

plans 4 et 5

Marylebone

Traiteurs de luxe, cafés raffinés, bistrots et restaurants stylés... Marylebone est devenu un petit repaire gastronomique avec ses nombreux **établissements, toutes gammes confondues. À la clientèle de bureaux et aux accros du shopping qui les fréquentent à l'heure du déjeuner se substituent, le soir, de fins gourmets plutôt branchés.**

petits prix

Golden Hind (plan 5) Sans doute l'un des plus vieux fish & chips de Londres (1914) et assurément l'un des meilleurs. Six tables et des plats simples mais savoureux à base de produits de la mer frais : cocktail de crevettes, filets de haddock et autres poissons panés ou grillés avec frites et petits pois croquants... De 5£ à 10£. **M° *Bond Street*** *73 Marylebone Lane W1 Tél. 020 7486 3644 Ouvert lun.-ven. 12h-15h et 18h-22h, sam. 18h-22h*

Busaba Eathai (plan 5) Une cantine thaïe stylée, idéale pour un déjeuner rapide si l'on parvient à faire abstraction du brouhaha des conversations. Il suffit de trouver une place à l'une des grandes tables de la salle, tout en bois sombre et lumières tamisées – lustres en papier de riz, stores en bois aux fenêtres. À la carte, un choix intéressant de salades, currys, nouilles, plats revenus au wok et même quelques grillades (5,90-10,90£) à toutes les saveurs : crevettes, poisson, tofu, végétarien, poulet, bœuf... Ajoutez de 1,50£ à 5,60£ pour les accompagnements (riz, haricots verts, calmars thaïs). Les estomacs fragiles s'assureront que leur commande n'est pas

GAMME DE PRIX RESTAURANTS	
Très petits prix	moins de 7£
Petits prix	de 7 à 15£
Prix moyens	de 15 à 30£
Prix élevés	de 30 à 50£
Prix très élevés	plus de 50£

trop *spicy*, certains plats "arrachent" vraiment ! Service rapide. Sans réservation possible. *M° **Bond Street** 8-13 Bird St W1 Tél. 020 7518 8080 Ouvert lun.-jeu. 12h-23h, ven.-sam. 12h-23h30, dim. 12h-22h*

☺ **La Fromagerie (plan 5)** Une excellente cave à fromages, ouverte par un Français membre de la guilde des Fromagers, des produits régionaux (charcuterie, vins, pâtes, etc.) en provenance du continent... Et une salle où prendre un petit déjeuner (5-15£), un déjeuner léger (potage 6£, assiette de fromage 8,75-12,75£, assiette de charcuterie 9,75£-14,50£) ou un *afternoon tea* (env. 6£). *M° **Baker Street** ou **Bond Street** 2-4 Moxon St W1 Tél. 020 7935 0341 www.lafromagerie.co.uk Ouvert lun. 10h30-19h30, mar.-ven. 8h-19h30, sam. 9h-19h, dim. 10h-18h*

 prix élevés

The Providores & Tapa Room (plan 5) À l'heure de l'apéritif, il faut jouer des coudes au bar à vins et à tapas du rez-de-chaussée... mais on ne perdra rien de la conversation des voisins – tout ce que Marylebone compte de trentenaires et de quadras dans le vent – que la sono oblige à hausser le ton. Du coup, compte tenu de la réputation du chef néo-zélandais, Peter Gordon, on est un peu déçu : seul le canapé de betteraves, de feta et de cresson distingue les croquettes de poisson de celles d'un bon fish & chips. Quant aux tapas (de 2,40£ à 5,80£ la pièce, 8-11,40£ l'assiette), on les trouve un peu chiches. Au restaurant de l'étage, on goûtera plus sereinement les recettes inventives de cette cuisine "fusion" qui a rendu le propriétaire célèbre : coquilles saint-jacques sur champignons shiitaké, cornichons et céleri avec bouillon de genmaicha,

feuilles de shiso croustillantes et perles du Japon (14,80£), filet de canard rôti sur beignet d'aubergine épicé, épinards à la harissa et papaye verte (24,40£)... Environ 50£ le repas. *M° **Bond Street** 109 Marylebone High St W1 Tél. 020 7935 6175 www.theprovidores.co.uk Ouvert tlj. 12h-14h45 et 18h-22h30 (22h le dim.) Tapas lun.-ven. 9h-11h30 et 12h-22h30, sam. 10h-15h et 16h-22h30, dim. 10h-15h et 16h-22h*

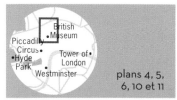

plans 4, 5, 6, 10 et 11

Bloomsbury et Islington

À Bloomsbury, les gens de l'édition et les visiteurs érudits du British Museum n'ont que l'embarras du choix ! Pour la pause-déjeuner, les restaurants de Fitzrovia, le quartier voisin, attirent plutôt une clientèle de bureau et quelques rescapés d'un shopping marathonien dans Oxford Street. Le soir, on s'y retrouve volontiers en tête-à-tête. Quant à Upper Street, la rue qui monte à Islington, elle regorge de restaurants de moyenne gamme envahis le soir par de jeunes et joyeux drilles. Envie de calme ? Optez plutôt pour un gastropub de la zone résidentielle !

 petits prix

Wagamama (plan 5) À deux pas du British Museum, une honnête cantine asiatique de la chaîne fondée par Alan Yau : des soupes et des assiettes de nouilles ou de riz, agrémentées

RESTAURANTS

de crevettes, de viandes et/ou de légumes. Comptez de 6,65£ à 12,50£ le plat, en principe assez généreux. À accompagner d'une bière, d'un saké ou d'un bon jus de fruits pressé. Service rapide. *Mº Tottenham Court Road 4 Streatham St WC1 Tél. 020 7323 9223 Ouvert lun.-sam. 12h-23h, dim. 12h-22h*

🍴 prix moyens

☺ **Truckles of Pied Bull Yard (plan 5)** Avant tout pour le cadre : quand le temps le permet, c'est un vrai plaisir de profiter des tables dressées dans la vaste cour pavée, à l'écart du bruit de la rue. Midi et soir, des menus de 14 à 17£ et des plats chauds à la carte (10-17£), mais les sandwiches (5-7£), les salades (8-14£) et les assiettes à partager (charcuterie, fromages, etc.) font aussi très bien l'affaire. L'établissement appartenant à une chaîne de détaillants en vins (Davy's), l'on y trouve aussi de bonnes bouteilles... *Mº Holborn Pied Bull Yard (une cour cachée au fond d'un passage couvert qui donne sur Bury Place) WC1 Tél. 020 7404 5338 www.davy.co.uk Bar ouvert lun.-ven. 11h-22h (sam. 10h-16h de mai à sept.) Restaurant ouvert lun.-ven. 11h-14h30 et 17h-21h*

Carluccio's Caffè (plan 6) Malgré la multiplication de ses adresses londoniennes, cette chaîne italienne assure toujours une cuisine honnête à base de produits frais. Suggestions du jour (risotto au poulet et épinards, filet de bar poêlé) à 9-13,95£ et plats de pâtes entre 6,85£ et 9,50£. Comptez env. 15£ le repas. Si le temps le permet, ne vous

privez pas d'une table en terrasse. L'endroit convient à merveille aux enfants. *Mº Oxford Circus 8 Market Place W1 Tél. 020 7636 2228 www.carluccios. com Ouvert lun.-ven. 7h30-23h30, sam. 9h-23h, dim. 10h-22h30*

Perseverance (plan 11) Un gastropub convenable pour déjeuner à proximité du British Museum, si possible en terrasse dans la rue piétonne. Les plats du jour sont corrects (veau aux lentilles, filet mignon au miel et purée de céleri...) et pas ruineux : 8-10,95£. Ajoutez 6£ pour une entrée, 3£ pour un dessert. *Mº Russell Square 63 Lamb's Conduit St WC1 Tél. 020 7405 8278 Ouvert tlj. 12h-23h (0h le ven.)*

North Sea Fish Restaurant (plan 4) Banquettes rouges et meubles en bois foncé... Le cadre suranné et l'ambiance tranquille d'une auberge de campagne à proximité de la British Library. Le poisson est d'une extrême fraîcheur et les portions sont généreuses. Et pour les gourmands, de bons desserts classiques (crumble aux pommes, crème brûlée, etc.) ou, plus exotique, une part de brie frit accompagné de confiture de groseilles. Comptez 15-25£. Faute de temps ou d'argent, vous pourrez commander un plat (5,50-6,50£) à emporter au fish & chips attenant, l'un des meilleurs de la capitale. *Mº King's Cross St. Pancras ou Russell Square 7-8 Leigh St WC1 Tél. 020 7387 5892 Ouvert lun.-sam. 12h-14h30 et 17h30-22h30*

🍴 prix élevés

Villandry Restaurant (plan 5) Caché au fond de l'épicerie fine (cf. "Cafés, bars, pubs & pauses gourmandes"), le restaurant joue la distinction, mais pas la prétention. Une salle aux tons clairs, des murs au service de table, et une

GAMME DE PRIX RESTAURANTS	
Très petits prix	moins de 7£
Petits prix	de 7 à 15£
Prix moyens	de 15 à 30£
Prix élevés	de 30 à 50£
Prix très élevés	plus de 50£

cuisine britannique "moderne", originale et savoureuse : risotto d'asperges et parmesan, *fish cake* de saumon, steak tartare, épinards aux herbes... Prévoyez 25-40£. Le bar est aussi hype, mais plus abordable : burgers, assiettes de charcuterie, pâtes, etc. de 9 à 17,50£. Il accueille des concerts de jazz le samedi soir : menu à 20£. *M° Great Portland Street ou Oxford Circus* 170 Great Portland St W1 Tél. 020 7631 3131 www.villandry.com Restaurant ouvert lun.-sam. 12h-15h et 18h-22h30, dim. 11h30-15h30 (brunch) Bar ouvert lun.-ven. 8h-23h, sam. 9h-23h

Islington

🍴 **prix moyens**

Pasha (plan 10) Assis dans un fauteuil moelleux, à savourer un assortiment de mezze au milieu d'un décor orientalisant, il ne manque pas grand-chose pour se croire sur la rive du Bosphore. Voilà bien le meilleur restaurant turc d'Islington. Mais pas le plus cher pour autant : comptez 10-20£ tout au plus à midi. Encore mieux pour le *lunch* du dimanche : 9,95£ (3 plats). *M° Angel ou Highbury & Islington* 301 Upper St N1 Bus 4, 19, 30, 43 (arrêt St. Mary's Church) Tél. 020 7226 1454 Ouvert tlj. 11h-0h (23h le dim.)

☺ **Isarn (plan 10)** Une vraie bonne adresse thaïe au milieu d'Upper Street. Un cadre élégant, tout en noir et blanc, et une cuisine aussi audacieuse que réussie, à l'instar des rouleaux de printemps à la papaye et des crabes frits au piment rouge et aux copeaux de mangue. Carte des vins simple mais honnête. Env. 15 à 20£ le repas, *set lunch menu* à 6,90£. À consommer sur place ou à emporter. *M° Angel ou Highbury & Islington* 119 Upper St N1 Bus 4, 19, 30, 43 (arrêt St. Mary's

Church) Tél. 020 7424 5153 www.isarn. co.uk Ouvert lun.-ven. 12h-15h et 18h-23h, sam. 12h-23h, dim. 12h-22h

🍴 **prix élevés**

☺ **Duke of Cambridge (plan 10)** Une citation du dalaï-lama invitant les citoyens des pays industrialisés à changer leur mode de vie pour assurer la survie de la planète est placardée au-dessus du comptoir. En conséquence, les bières sont bio et goûteuses, comme la cuisine : saumon rôti, fusillis à la tomate et aux légumes provençaux, chili con carne, plateau de fromages... Également un bon choix de vins européens et quelques whiskys... bio, évidemment ! Avec un petit bout de terrasse en été. Prévoyez 25-30£ pour bien manger. *M° Angel* 30 St. Peter's St N1 Tél. 020 7359 3066 www. dukeorganic.co.uk Ouvert tlj. 12h-23h (22h30 le dim.) Restaurant ouvert tlj. 12h30-15h (jusqu'à 15h30 le week-end) et 18h30-22h30 (jusqu'à 22h le dim.)

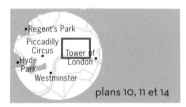

plans 10, 11 et 14

La City et Clerkenwell

Les restaurants du "Square Mile", dont la clientèle est surtout composée d'employés de bureau et d'hommes d'affaires, ferment généralement le soir et le week-end. En revanche, on trouvera une concentration exceptionnelle de tables agréables et d'un bon rapport qualité-prix à Smithfields et Clerkenwell, au nord-ouest de la City. La station de métro la plus proche,

RESTAURANTS

RESTAURANTS

Farringdon, est excentrée et mal desservie, mais on rejoint aisément ces deux quartiers en bus à partir de St. Paul's (le 63, dans Farringdon Street, direction King's Cross).

Au cœur de la City

🍴 prix moyens

☺ **Sweetings (plan 11)** À l'angle aigu de deux rues, une maison spécialisée dans le poisson et les huîtres depuis plus d'un siècle et appréciée des hommes d'affaires. Dans les trois petites salles hautes de plafond, au décor victorien, on s'assoit à 5 ou 6 face à un comptoir derrière lequel s'active un serveur : il ajoute de la mayonnaise dans l'assiette d'un convive, ressert du vin blanc à un autre, bref, veille au bien-être de tous, tout en alimentant la conversation. Entrées 6,50-12,75£ (salade de crevettes), plats 13,50-30£ (sole grillée, scampi frits et salicorne). M° **St. Paul's** 39 Queen Victoria St EC4 Tél. 020 7248 3062 Ouvert lun.-ven. 11h-15h

Novelli in the City/London Capital Club (plan 14) Il existe encore à Londres, comme au XVIIIe siècle, des coteries très fermées. Ainsi, au rdc de ce business club, une grande salle avec boiseries, tentures et fauteuils club, en cuir comme il se doit. Inutile de biaiser, l'accès en est réservé aux membres. En revanche, le restaurant du sous-sol est ouvert à tous à partir de 18h. Un endroit unique pour observer le monde des gentlemen de la City, entre enjeux de cooptation et souci de reconnaissance sociale ! La salle est d'une élégance discrète et la cuisine modern British assez fine (ainsi la cuisse de lapin farcie aux amandes et à la sauge,

avec risotto de pois anglais). Entrée 6,50-10,50£, plat 15-23,50£. Comptez env. 30£. Réservation indispensable. M° **Bank** London Capital Club 15 Abchurch Lane EC4 Tél. 020 7717 0088 www.londoncapitalclub.com Ouvert lun.-ven.

🍴 prix élevés

Le Coq d'Argent (plan 14) Sur le toit du n°1 Poultry, un bâtiment contemporain (1995) qui fait face à la Bank of England. L'accès direct par ascenseur réserve une surprise : on débouche sur un petit jardin méditerranéen agrémenté d'une pergola et de pieds de vigne. Aux beaux jours, on peut y manger avec vue sur les buildings du Square Mile ! La salle porte la marque de Terence Conran : un design étudié, élégant mais sans ostentation ni gadgets. La cuisine, française, est l'une des plus convoitées de la ville. Entrées 9-12,50£, plats 17-28,50£, desserts 6-11£. Réservation indispensable. M° **Bank** N°1 Poultry EC2 Tél. 020 7395 5000 www.conran.com Ouvert lun.-ven. 11h30-15h et 18h-22h, sam. 18h30-22h, dim. 12h-15h Petit déjeuner tlj. 7h30-10h

Clerkenwell

🍴 petits prix

☺ **Little Bay (plan 10)** Bon et pas cher ! Telle est la recette de ce sympathique restaurant. Décor baroque pour la salle du rdc : murs cramoisis rehaussés de bas-reliefs en plâtre représentant des nymphes éthérées, plafond masqué par une tenture en satin, tables dorées. Une salle au sous-sol, plus design et plus froide. Question cuisine, le rapport qualité-prix est remarquable : en entrée, terrine de feta, noix, tomates séchées et pesto (2,25£, 3,25£ après 19h) ; en plat principal, canard en papillote de poireaux, chou rouge braisé, sauce au miel et gingembre (6,45£, 8,45£ après 19h) ; pour finir, tarte aux pommes, fondant au chocolat ou sélection de fromages (2,25£, 3,25£ après 19h). Carte de vins internationaux à partir de 11£ la bouteille. Réservation conseillée. M° *Farringdon* (ou bus 63 arrêt Mount Pleasant) 171 Farringdon Rd EC1 Tél. 020 7278 1234 www.little-bay.co.uk Ouvert tlj. 12h-0h

🍴 prix moyens

Cottons (plan 10) Le petit frère de l'antillais éponyme de Camden. Banquettes capitonnées contre musique jamaïcaine, tables en bois massif contre bouquets de fleurs exotiques, on dirait un vieux club anglais transplanté sous les tropiques ! La cuisine invite elle aussi au voyage. Viande rouge et volailles britanniques rehaussées de notes méditerranéennes (parmesan, roquette) exaltent la coriandre et le curry ; pêle-mêle, poisson mariné et grillé, salade de papaye, riz parfumé à la noix de coco, pudding au gingembre... Une dizaine de rhums à la carte et une superbe palette de punchs et de cocktails (env. 6,50£). À midi, comptez env. 7,50-8£ le plat et 12,50£ le soir. Entrées et desserts à 4,50£. M° *Farringdon* (ou bus 63 arrêt Mount Pleasant) 70 Exmouth Market EC1 Tél. 020 7833 3332 www.cottons-restaurant.co.uk Restaurant ouvert lun.-jeu. 12h-16h et 17h-23h, ven. 12h-15h et 18h-23h30, sam. 18h-23h30, dim. 12h-23h Bar ouvert lun.-jeu. et dim. 12h-0h, ven. 12h-2h, sam. 17h-2h

Coach & Horses (plan 11) Cet excellent gastropub est l'une des cantines des journalistes du *Guardian*, dont le siège est à deux pas. Si le cadre est plutôt banal, les plats sont sans fioritures, goûteux et d'une fraîcheur remarquable ! Avec à peine une dizaine d'entrées et de plats, la carte change chaque jour selon les arrivages : poisson de mer d'Irlande, légumes et viandes de fermes du Lancashire et du Surrey. Les portions sont copieuses et la qualité des produits bien mise en valeur. Entrées et desserts env. 5-6£, plats 8-14£. M° *Farringdon* 26-28 Ray St EC1 Tél. 020 7278 8990 www.thecoachandhorses.com Ouvert lun.-ven. 12h-23h30, sam. 18h-23h, dim. 12h-17h

☺ **Bleeding Heart Bistro & Tavern (plan 11)** Trois adresses en une, autour d'une vieille cour : bistrot à droite, restaurant gastronomique à gauche et taverne au fond, avec quelques tables dressées dehors aux beaux jours. L'une des meilleures adresses françaises de la capitale. Le site devrait son nom de "cour du Cœur saignant" à une gente dame du XVIIe siècle qui y fut assassinée parce qu'elle cultivait des amours coupables. Il se prête à des dîners complices : le restaurant est cosy et élégant, mais notre préférence va au bistrot, moins cher et charmant avec son parquet, ses affiches anciennes, ses miroirs, ses murs de brique et ses chandelles. La cuisine et le service sont assurés en grand style (et avec humour) par des Français. Bon rapport qualité-prix : entrées env. 6,50£, plats env. 12,50£, desserts 4,95£. On peut prendre un petit déjeuner à la Tavern, au décor contemporain et

RESTAURANTS

GAMME DE PRIX RESTAURANTS

Très petits prix	moins de 7£
Petits prix	de 7 à 15£
Prix moyens	de 15 à 30£
Prix élevés	de 30 à 50£
Prix très élevés	plus de 50£

design. Réservation conseillée. M°
Farringdon Bleeding Heart Yard
(accès par Greville Street) EC1 Tél.
020 7242 8238 www.bleedingheart.
co.uk Bistrot et restaurant ouverts
lun.-ven. 12h-14h30 et 18h-22h30, sam.
12h-15h et 18h-23h The Tavern ouvert
lun.-ven. 7h30-10h30 et 11h30-22h30

The Eagle (plan 10) Le premier pub
à s'être converti en gastropub, en
pleine crise de la vache folle ! Les
propriétaires ont changé et The
Eagle s'adonne aujourd'hui à la
cuisine méditerranéenne : le chef
œuvre derrière le bar, dans un joli
décor de couteaux, de gamelles, de
paniers remplis d'œufs, de pâtes,
d'artichauts et de poivrons. Comme
dans un western, il faut pousser des
portes battantes sur lesquelles est
écrit "Saloon-bar" pour entrer. La
salle, parquetée et meublée dans
le même style, est éclairée par de
grandes baies. Jeunes du quartier
et cadres cravatés l'envahissent en
fin de journée. Plats 6,50-14£ et, pour
grignoter, tapas de 3£ à 5£. M° *Far-*
ringdon (ou bus 63 arrêt Mount Plea-
sant) 159 Farringdon Rd EC1 Tél. *020*
7837 1353 Service lun.-ven. 12h30-15h
et 18h30-22h30, sam. 12h30-15h30 et
18h30-22h30, dim. 12h30-15h30

Medcalf (plan 10) Une adresse sédui-
sante, installée dans une boucherie
dont elle a gardé le nom et la belle
devanture de 1912. Le décor se veut
décalé : modestes tables de bistrot
patinées par les ans, murs tantôt
lambrissés, tantôt peints de grands
aplats de gris et de noir et ornés de
toiles contemporaines. Le service
est jeune et agréable et la clientèle
mélangée (du costume-cravate élégant au *baggy*). La carte privilégie
fraîcheur et qualité selon les prin-
cipes chers à la *modern British food* :
salades méditerranéennes, sardines

grillées, tartes aux légumes, bavette,
côte de bœuf... Entrées env. 6£,
plats env. 12-14£, desserts 5,50£. M°
Farringdon (ou bus 63 arrêt Mount
Pleasant) 40 Exmouth Market EC1
Tél. *020 7833 3533 www.medcalfbar.*
co.uk Cuisine ouverte lun.-jeu. 12h-15h
et 18h-21h45, ven. et sam. 12h-15h et
18h-22h15, dim. 12h-16h

☺ **The Quality Chop House (plan 10)**
Une valeur sûre pour qui veut découvrir les classiques de la cuisine britannique ! L'établissement reste un rare
témoin des *working men's cafés* du
XIXe siècle avec son décor de 1870,
classé : hauts miroirs, boiseries, mou-
lures et carrelage noir et blanc. La
carte n'est plus à la portée de toutes
les bourses, mais elle mise sur la qualité et les saveurs naturelles des produits régionaux : mouton écossais,
poisson du marché, magret de pigeon
et haricots verts vapeur ; *apple pie* ou
crumble du jour ; pudding, cheesecake, etc. Entrées 4,95-8,95£, plats
8,95£-19,95£, desserts 5,50£. Pain et
eau payants. M° *Farringdon (ou bus*
63 arrêt Mount Pleasant) 92-94 Far-
ringdon Rd EC1 Tél. *020 783 75093*
www.qualitychophouse.co.uk Ouvert
lun.-sam. 12h-15h et 18h-23h30, dim.
12h-16h et 18h-22h

Moro (plan 10) Une *cantina* hispano-
mauresque, immense et bruyante,
envahie par les cols blancs à midi.
Le décor est minimaliste et *trendy*,
mais la cuisine pétillante. Soupe de
pois cassés marocaine, salade de
seiches et crevettes aux haricots
et cresson (6-8,50£) ; agneau et
aubergines braisées, daurade sauce
à l'orange avec lentilles et épinards
ou mezze de légumes en plat (env.
18,50£) ; glace aux raisins de Málaga
aromatisée au xérès Pedro Xímenez
(desserts 5,50£). Belle carte de vins
espagnols. Si l'on a un petit appétit

(ou une bourse un peu plate), on peut s'installer à l'immense bar et picorer des tapas (3,50-4,50£ la pièce). *M° Farringdon (ou bus 63 arrêt Mount Pleasant) 34-36 Exmouth Market EC1 Tél. 020 7833 8336 www.moro.co.uk Ouvert lun.-sam. 12h-14h30 et 19h-22h30 Tapas servies sans interruption*

The Peasant (plan 10) "Le Paysan" attire la jeunesse bobo du quartier. Derrière une belle devanture ancienne, la salle du pub est chaleureuse avec ses boiseries, ses radiateurs en fonte et ses murs d'un rouge flamboyant. On peut y commander des tapas, des grillades et des salades pour moins de 10£. À l'étage s'ouvre une salle de restaurant plus intime, avec cheminée et parquet. La cuisine est celle d'un bon gastropub : entrées 6,50-7,60£

(salade de calmars frais, poivrons et chorizo), plats 12,50-16£ (agneau rôti et légumes sautés sauce Madère), desserts env. 5,50£, comptez env. 34£ le repas. *M° Farringdon (ou bus 153 arrêt Spencer St à partir d'Old St) 240 St. John St EC1 Tél. 020 7336 7726 www. thepeasant.co.uk Pub ouvert lun.-ven. 12h-23h, sam. 16h-23h, dim. 12h-16h Restaurant ouvert mar.-ven. 12h-15 et 18h-23h, sam. 18h-23h, parfois fermé juil.-août*

☺ **St. John (plan 11)** Véritable puits de lumière avec ses verrières et ses murs d'un blanc immaculé, cet ancien atelier baigne dans une ambiance galerie d'art et nouvelle bohème. On peut s'installer au bar pour goûter de petits plats simples mais originaux : sardines fumées, échalotes rôties au

RESTAURANTS

(English) breakfast

Envie d'un vrai *"brekkie"*, avec des œufs et du bacon ? Et pourquoi pas des croissants, du porridge et des harengs fumés ?

fromage blanc (7,50£), sandwiches et salades (5£). Le restaurant de l'étage propose de solides recettes de terroir revisitées avec brio par Fergus Henderson, l'un des chefs de file de la *modern British food*. Entrées 4-7,30£, plats 13,80-27,80£, desserts 4-7£. Le St. John fait lui-même son pain et l'on peut acheter baguettes et viennoiseries à la *bakery* du rdc. Réservation conseillée. *M° Farringdon 26 St. John St EC1 Tél. 020 7251 0848 www. stjohnrestaurant.com Bar ouvert lun.-ven. 11h-23h, sam. 18h-11h, dim. 12h-17h Restaurant ouvert lun.-ven. 12h-15h et 18h-23h, sam. 18h-23h, dim. 13h-15h*

Smiths of Smithfield (plan 11) L'adresse ultrabranchée de Smithfield, face au marché. Cet entrepôt victorien, qui déploie sur 4 niveaux restaurants et bars (cf. "Cafés, bars, pubs et pauses gourmandes"), est bondé à l'heure de la sortie des bureaux ! Décor de briques, de poutres en fonte et de mobilier design pour le **Dining Room** (au 2e), et pour le **Top Floor**, au 3e, d'immenses baies vitrées qui permettent de toiser la ville. La cuisine est d'inspiration méditerranéenne, agréable sans être exceptionnelle, plus abordable au 2e (entrées 6,50£, plats 11-14£, desserts 5£, menu du jour 11,50£) qu'au dernier étage (entrées 7,50-11£, plats 16,50-28,50£, desserts 4,50-8£). Rés. indispensable. *M° Farringdon ou St. Paul's 67-77 Charterhouse St EC1 Tél. 020 7251 7950 www.smith sofsmithfield.co.uk Fermé sam. midi et dim. soir*

GAMME DE PRIX RESTAURANTS	
Très petits prix	moins de 7£
Petits prix	de 7 à 15£
Prix moyens	de 15 à 30£
Prix élevés	de 30 à 50£
Prix très élevés	plus de 50£

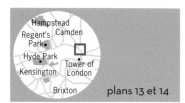

plans 13 et 14

L'East End

Resté longtemps populaire, le quartier regorge d'adresses bonnes, pas chères et pleines d'atmosphère. Un bémol toutefois concernant les *curry houses* de Brick Lane, réputés depuis les années 1970 : le succès de l'East End et l'afflux des touristes leur ont fait perdre leur authenticité et tirer sensiblement leurs prix vers le haut. Récemment se sont ouvertes de nombreuses tables, bohèmes ou plus racées.

Spitalfields

🍴 très petits prix

Sweet & Spicy (plan 13) Le décor de ce *curry house* mérite à lui seul la visite : les murs sont tapissés de posters de lutteurs pakistanais, avec moustache et slip de bain de combat fort seyant ! Les serveurs ne sont pas non plus des tendres : on commande au comptoir vite fait bien fait, et l'on emporte ou l'on déguste sur place, à des tables auxquelles les chaises sont soudées (sachez rester digne si vous vous cognez). Les plats sont donnés (entrées 1-1,50£, tandoori 4-5£, assiette de riz 2£) mais plutôt épicés. Commandez du pain, cela vous aidera à ne pas perdre la face ! *M° Aldgate East 40 Brick Lane E1 Tél. 020 7247 1081 Ouvert tlj. 8h-23h*

S&R Kelly (plan 13) Prêt pour une authentique *East End experience* ?

Ce *pie & mash* vous transportera dans les années 1910 ! Perdu au milieu des taxiphones et bazars de Bethnal Green Road, il a conservé ses murs lambrissés bleu et blanc, ses banquettes en bois et ses petites tables en formica (un ajout des années 1950 ?). La clientèle évoque les journaliers qui fréquentaient jadis ce genre d'établissement. Dans la devanture trônent de grosses gamelles, l'une pour la sauce (aux herbes), l'autre pour la purée, qui accompagnent les *meat pies* (chaussons au steak haché). En toute sincérité, ce n'est pas très bon, mais mémorable et pas cher : 2,20£ le pie ! M° *Bethnal Green* 284 *Bethnal Green Road E2* Tél. 020 7739 8676 Ouvert lun.-jeu. 9h30-14h, ven. 9h30-18h, sam. 9h30-15h

☺ **E. Pellicci** (plan 13) Ce *caffè* traditionnel transporte en Italie ! Le *papà*, né au 1er étage en 1925, règne sur l'affaire avec un bagou inimitable, tandis que son épouse œuvre en cuisine, excellant dans la *pasta*, et que les enfants assurent le service ! La salle, minuscule et ornée d'un beau lambris Art nouveau, est rapidement bondée : entre étudiants, ouvriers et personnes âgées, l'ambiance est conviviale et sans chichis ! Sandwiches à partir de 1,80£, plats à 5,60£ (lasagnes et pâtes maison, poulet grillé, veau en sauce, etc.). *Full English breakfast* à 4,80£. M° *Bethnal Green* (ou bus 8 ou 388 en provenance de Liverpool Street Station, arrêt Polland Row) 332 *Bethnal Green Road E2* Tél. 020 7739 4873 Ouvert lun.-sam. 7h-16h30

🍴 prix moyens

Café Spice Namasté (plan 14) Le mélange des cultures ! Non loin de la Tour de Londres, ce restaurant indien occupe l'ancienne demeure,

à la belle façade néoromane en brique et grande salle de réception, d'un magistrat de l'ère victorienne. À la pause-déjeuner, en semaine, les costumes et tailleurs sombres des employés de la City tranchent drôlement sur les couleurs bollywoodiennes (rose, violet, pistache...) et les fleurs de lotus qui décorent l'endroit ! Le menu détaille l'origine des plats, leur mode de préparation et leurs particularités : curry, tandoori et marinades d'épices transportent aux quatre coins du sous-continent indien... Les *mixes* offrent une sélection variée de viandes et d'assaisonnements. Entrées 5£, plats 12,25-18,55£, desserts 3,75-5,50£. Patio à l'arrière. Vente à emporter. M° *Tower Hill* 16 *Prescot St E1* Tél. 020 7488 9242 www.cafespice.co.uk Ouvert lun.-ven. 12h-15h et 18h15-22h30, sam. 18h30-22h30

🍴 prix élevés

☺ **Les Trois Garçons** (plan 13) L'une des meilleures tables de la ville pour un dîner romantique ! Les boiseries, colonnes sculptées et grands miroirs de la salle rappellent l'esprit canaille de la Belle Époque, accentué par la décoration. Les lustres et les cascades de verroterie évoquent un music-hall tandis qu'une drôle de faune empaillée transporte dans un cirque improbable : un tigre vous accueille, un bouledogue tente de s'envoler d'une console et une girafe couronnée d'un diadème

RESTAURANTS

lorgne dans votre assiette ! Nappes blanches, chandelles, chaises capitonnées et service courtois ajoutent à la féerie du cadre. La cuisine, fine, est d'inspiration française : ravioles de boudin noir au vinaigre de cidre, confit de saumon bio d'Écosse, asperges et gâteau de semoule, carpaccio d'ananas caramélisé aux amandes. Comptez 50£ pour 3 plats. Belle mais ruineuse carte des vins. Réservation indispensable. M° *Liverpool Street* 1 Club Row E1 Tél. 020 7613 1924 www.lestroisgarcons. com *Ouvert lun.-sam. 19h-0h*

Hoxton et Shoreditch

🍴 très petits prix

F. Cooke (plan 13) Au milieu des mini drugstores de Hoxton Street, un authentique *pie & mash* : les murs de la salle sont tapissés de carreaux de faïence blanc et bleu, le sol est couvert de sciure, comme dans une boucherie d'autrefois, et l'on s'installe sur des bancs en bois aux pieds de fer forgé ! Les prix défient toute concurrence : petit *pie & mash* à 2,90£, grand à 4,20£. Nourrissant à défaut d'être délectable ! M° *Old Street* 150 Hoxton St N1 Tél. 020 7729 7718 *Ouvert lun.-jeu. 10h-19h, ven.-sam. 10h-20h*

Sông Que (plan 13) À côté du Geffrye Museum, ce restaurant vietnamien présente un décor on ne peut plus kitsch : les effigies de deux gros chats veillent sur le bar, les murs vert tendre sont ornés de posters de chevaux et de lacs dans la forêt, et les dossiers des chaises évoquent le costume rouge de Bioman ! La qualité est digne du pays, les portions sont copieuses et les prix mesurés : entrées à partir de 3,50£ (nems, rouleaux de printemps, crevettes grillées, raviolis, etc.), soupe *phó* à env. 6,10£, nouilles à 5,70£ à midi

(7£ à la carte), riz au porc, au poulet ou au tofu à 4,20£ à midi (5£ à la carte) M° *Old Street* 134 Kingsland Rd E2 Tél. 020 7613 3222 *Ouvert lun.-sam. 12h-15h et 17h30-23h, dim. 12h-23h*

🍴 prix moyens

Royal Oak (plan 13) Derrière une remarquable devanture, un pub de quartier chaleureux – à la clientèle jeune, et *gay friendly* – dont les fenêtres à guillotine donnent sur les jolies maisons en brique de Columbia Road et, le dimanche matin, sur son marché aux fleurs ! Au grand bar central ou le long des murs lambrissés, on peut se désaltérer d'une bière bien sûr, mais aussi se restaurer à bon compte : entrées env. 6£, plats (grillades) 15£, desserts 5£. M° *Old Street* puis bus 55 *(ou bus 26 et 48 en provenance de Liverpool Street Station)* 73 Columbia Rd E2 Tél. 020 7729 2220 *Pub ouvert tlj. 12h-23h (22h30 dim.) Lunch mar.-sam. 12h-16h Dîner tlj. 18h-22h (21h dim.)*

Princess (plan 13) Un agréable gastropub. Le pub du rdc ne manque pas de cachet ; la salle de restaurant du 1er allie la cheminée, les boiseries et les fenêtres à guillotine d'une vénérable *dining room* à des banquettes en cuir noir et un papier peint plutôt hype. On peut commander une soupe (5,95£), un sandwich (5£), une salade (7,95£) ou une viande (10,95£) au bar ou opter pour les recettes plus élaborées, d'inspiration méditerranéenne, de l'étage : entrées env. 6£ (carpaccio de bœuf au romarin et miel), plats 10-16£ (escalope de veau au thym et artichauts), desserts 5-7£ (fondant au chocolat et glace aux dattes et xérès). M° *Old Street* 76 Paul St EC2 Tél. 020 7729 9270 *Pub ouvert lun.-ven. 12h-23h, sam. 17h30-23h, dim. 12h-20h Restaurant ouvert lun.-ven. 12h30-15h et 18h30-22h30, sam. 18h30-22h30 (et barbecue dim. midi)*

Fifteen (plan 13) Jamie Oliver est l'un des chefs les plus médiatiques de Grande-Bretagne, notamment pour ses prises de position contre la cuisine industrielle proposée dans les cantines scolaires du pays. Si son restaurant reste accessible malgré sa notoriété, c'est parce qu'il y forme des jeunes issus de milieux défavorisés. La carte, italienne, ne ferait pas pâle figure dans la péninsule. Au restaurant du sous-sol (ambiance rétro), on préférera la trattoria du rez-de-chaussée, moins onéreuse et au délicieux décor des années 1970. *Primi* 7-12£ (pennes, lasagnes, tagliatelles...), plats 15-18£ (truite bio, grillée avec sa salade sicilienne de fenouil, roquette, pignons, oranges, etc.). Petit déjeuner complet 8£. Réservation conseillée. *M° Old Street* 15 Westland Place N1 Tél. 0871 330 1515 www.fifteen.net Trattoria ouverte lun.-sam. 7h30-11h, 12h-15h et 18h-21h30, dim. 8h-11h, 12h-15h30 et 18h-21h30

Eyre Brothers (plan 13) Le décor n'a rien de méditerranéen (le restaurant occupe un étonnant parallélépipède en bois, aux lignes assez froides), mais les produits de la péninsule Ibérique sont à l'honneur, sur fond de musique *latina* : entrées 7,50-16£ (chorizo grillé à la coriandre ; foie gras mariné au madère et au porto), plats 15-25£ (rognons de veau et oignon poché au vin rouge ; dorade grillée aux légumes de saison et vinaigre de cherry), desserts env. 6£ (fromages espagnols, glace au chocolat et xérès Pedro Xímenez). Vins espagnols et portugais (à partir de 15£ la bouteille, 25-30£ en moyenne). Tapas au bar 5£. *M° Old Street* 70 Leonard St EC2 Tél. 020 7613 5346 www.eyrebrothers. co.uk Ouvert lun.-ven. 12h-15h et 18h30-22h45, sam. 19h-22h45

plans 12 et 14

South Bank, Bankside et Southwark

Depuis l'an 2000, la renaissance de la rive sud, sous l'égide de la Tate Modern, est aussi culinaire, avec l'ouverture de restaurants qui offrent un grand choix d'ambiances et de saveurs. Quelques adresses bon marché autour du pittoresque Borough Market, où l'on peut remplir son panier gourmand.

South Bank

prix moyens

☺ **Anchor & Hope (plan 12)** À 5min de la Tate Modern, un excellent gastropub. Armez-vous de patience : faute de pouvoir réserver, il faut inscrire son nom au tableau et attendre qu'une table se libère, en sirotant, pourquoi pas, une bonne bière. Puis on vous installe en général sur un coin de table, le nez dans l'assiette des voisins : c'est très convivial ! À la carte, renouvelée chaque jour en fonction du marché, une vraie cuisine de terroir, copieuse et savoureuse : entrées 5-7£ (soupes, terrines, salades, etc.),

GAMME DE PRIX RESTAURANTS	
Très petits prix	moins de 7£
Petits prix	de 7 à 15£
Prix moyens	de 15 à 30£
Prix élevés	de 30 à 50£
Prix très élevés	plus de 50£

RESTAURANTS

RESTAURANTS

plats autour de 11-15£ (canard, agneau ou bœuf rôti avec des lardons braisés et des légumes de saison), desserts env. 5£ (pudding à la rhubarbe, *cheesecake*, etc.). *M° Southwark 36 The Cut SE1 Tél. 020 7928 9898 Ouvert lun. 17h-22h30, mar.-sam. 12h-14h30 et 18h-22h30, dim. 12h30-17h Bar ouvert tlj. 11h-23h*

Livebait (plan 12) Carreaux émaillés blancs et verts aux murs, grandes banquettes et larges baies : on se croirait dans un fish & chips des années 1950, le décor d'un film où le héros déjeune en regardant passer les berlines chromées dans la rue. Mais plus qu'une cantine raffinée, voilà un vrai petit royaume pour les amateurs de poisson : saumon d'Écosse fumé avec câpres, échalotes et crème fraîche (entrées 6-11,25£), brochettes de gambas grillées au citron, tomates, ail et feta (plats 11-20£, fish & chips 13,45-15,45£). En dessert (env. 5£), pudding banane et caramel chaud ou *cheesecake* au chocolat. *De 12h à 19h, 2 plats à 16,95£, 3 plats à 19,95£. Menu enfant 6,95£. M° Southwark 43 The Cut SE1 Tél. 020 7928 7211 www.santeonline.co.uk/ livebait Ouvert lun.-sam. 12h-23h, dim. 12h30-21h*

Baltic (plan 12) Un lieu fort agréable : à l'écart de la rue, la grande salle se déploie sous la verrière à la belle charpente en bois d'un ancien atelier. Banquettes et chaises beige et gris, murs blancs et nus... le décor évoque la Baltique et l'on retrouve à la carte les spécialités des pays riverains de cette mer septentrionale : Allemagne, Pologne, Russie. Entrées autour de 6£ (blinis, bortsch ukrainien, anguille fumée, tartare de saumon...), plats env. 16£ (bœuf Stroganoff, goulasch de gibier épicé et sa purée, canard rôti au chou rouge et aux pommes). En dessert, goûtez la tourte aux pommes (*szarlotka*) ou les crêpes froides au fromage blanc, raisins et noisettes (*nalesniki*) : 5£. *Set menu : 22,50£, 25£ et 27£ (3 plats). Concerts de jazz tous les dim. 19h-22h. M° Southwark 74 Blackfriars Rd SE1 Tél. 020 7928 1111 www.balticrestaurant.co.uk Ouvert lun.-sam. 12h-15h et 18h-23h50, dim. 12h-22h30*

Oxo Tower Restaurant, Bar & Brasserie (plan 12) Au 8e et dernier étage d'Oxo Tower, une fenêtre unique sur la ville ! En s'ouvrant, les portes de l'ascenseur dévoilent la mer de briques du Sud londonien et, côté nord, les gratte-ciel flamboyants de la City. Aux beaux jours, on peut s'attabler en terrasse, sous un large auvent qui paraît faire des clins d'œil amoureux à la Tamise, jetée à ses pieds comme un petit bassin. Hélas, la clientèle est très m'as-tu-vu. Trois options : le bar et sa carte d'appoint (frites, pitas, salade thaï 6,50£-7,95£), le restaurant (côté est), assez cher, ou la brasserie (côté ouest), le meilleur choix. La cuisine "fusion" y est à l'honneur, croisant tempura japonaise, viandes britanniques, chèvres français, falafels et

---

Londres au balcon

Dîner aérien au-dessus de la Tamise : suspendue au 8e étage d'Oxo Tower, la brasserie du même nom offre, l'été, un cadre parfait pour un repas à la fraîche.
Oxo Tower Restaurant, Bar & Brasserie (cf. ci-dessus).

autres spécialités méditerranéennes. Bon, mais pas toujours à la hauteur du cadre... Entrées 7,25-11,50£, plats 17-31£. Réservation indispensable. M° *Waterloo* South Bank Oxo Tower Wharf, Barge House Street SE1 Tél. 020 7803 3888 www.harveynichols. com Ouvert lun.-sam. 12h-14h30 et 18h-23h, dim. 12h-15h et 18h30-22h

Bankside

petits prix

Tas Pide (plan 12) Départ pour les plaines anatoliennes, à deux pas du Shakespeare's Globe Theatre. Le décor est moderne, avec une touche "ethnique" : sol pavé, murs blancs rehaussés de panneaux de bois sculpté, vieilles lanternes en fer et bocaux remplis de pois chiches. Les cuisiniers qui s'affairent derrière le bar ont l'air de lutins. Au menu, toutes les spécialités du pays (houmous, tarama, yaourt aux herbes, feuilles de vigne farcies), et surtout une large sélection de *pide*, l'équivalent turc de la pizza, garnies d'aubergines, d'abricots secs, de tomates, de sardines, de lentilles, etc. Le tout permet de se restaurer à bon compte : env. 7£ la pide, menus de 8,95£ à 17,75£. M° *Southwark* 20-22 New Globe Walk SE1 Tél. 020 7633 9777 www.tasrestaurant.com Ouvert lun.-sam. 12h-23h30, dim. 12h-22h30

Southwark

très petits prix

M Manze's (plan 14) Le plus authentique des pie & mash de la ville, créé en 1902 par le grand-père de l'actuel propriétaire ! Carreaux émaillés, bancs de bois, serveurs en tablier

---

Restaurants avec vue

Marre de le (la) regarder dans le blanc des yeux ? Voici des lieux qui offrent une vue sur la Tamise, un panorama sur la *skyline* de la City ou une échappée sur un écran de verdure...

vert : le décor idéal pour remonter le temps après la découverte des puces de Berdmonsey. La recette du *pie & mash* ("tourte-purée" en bon français, 2,85£) est restée inchangée depuis un siècle. Également l'un des derniers endroits où l'on sert de l'anguille en gelée (*jellied eel*), une spécialité de l'Est londonien menacée de disparition ! Comme disent les autochtones : *"an essential slice of Old London"*... M° *London Bridge* 87 Tower Bridge Rd SE1 Bus 42 à partir de Tower Bridge Tél. 020 7407 2985 www.manze.co.uk Ouvert lun. 11h-14h, mar.-jeu. 10h30-14h, ven. 10h-14h30, sam. 10h-15h

petits prix

Tapas Brindisa (plan 14) En lisière du pittoresque Borough Market, une adresse colorée et vivante pour se restaurer à l'heure espagnole. Au menu, une large sélection de tapas chaudes ou froides, de 3,50£

RESTAURANTS

à 12£ : sardines de Galice grillées et tomates cerises, chorizo au cidre, thon frit avec olives et anchois, foies de volaille sautés aux câpres, tortilla aux épinards... En dessert, *turrón* (5£) ou pudding (2,95£). Attention, il est impossible de réserver et parfois difficile d'obtenir une table (inscrivez-vous auprès du serveur). *M° London Bridge ou Borough 18-20 Southwark St SE1 Tél. 020 7357 8880 www.brindisa.com Service 12h-15h et 17h30-23h Fermé dim.*

🍴 prix moyens

Kwan Thai (plan 14) À l'entrée de la Hay's Galleria, un dock magistralement restauré. Les soirs d'été, la terrasse se prête à des dîners complices bercés par le clapotis de la Tamise, avec pour chandelles les buildings illuminés de la City. La salle s'avère plus classique, mais la cuisine vaut le détour : toutes les spécialités thaïes, du *toong tong* (un feuilleté aux crevettes, poulet et coriandre fraîche) au *gluay tod* (bananes frites), en passant par les incontournables soupes, *noodles* et currys. Nous vous conseillons le *Kwan Thai platter*, une sélection d'entrées en forme de tour d'horizon (14,75£ pour 2 pers.). À la carte, entrées env. 6£, plats 10-14£, desserts 5£. *Quick lunch menu* à 7,95£ (en salle) ; le soir, premier menu à 21£. *M° London Bridge The Riverfront Hay's Galleria SE1 Tél. 020 7403 7373 www.kwanthairestaurant.co.uk Ouvert lun.-ven. 12h-15h et 18h-22h30, sam. 18h-22h30*

Butlers Wharf Chop House (plan 14) Au pied de Butlers Wharf, l'un des restaurants ayant appartenu à Terence Conran et décorés par lui. La salle, toute de bois revêtue, évoque un *club-house* d'aviron. L'été, les tables alignées sur le quai offrent une vue magnifique sur Tower Bridge. Dans l'assiette, des classiques britanniques remis au goût du jour : terrine au cidre et à l'*Old Spot* de Gloucester (entrées env. 6-8,50£) ; côte de bœuf grillée et pudding du Yorkshire (plats 10,50-17£) ; en dessert (6-6,50£), *Welsh rarebit* (toast au fromage) ou *lemon curd* et glace au miel. Menus à 22£ et 26£ à midi. Carte spéciale au bar (3 plats 12£). *Set lunch menu* le week-end 10-12£. *M° London Bridge ou Tower Hill Butlers Wharf Building 36E Shad Thames SE1 (entrée sur les quais) Tél. 020 7403 3403 www.danddlondon.com Ouvert lun.-sam. 12h-15h et 18h-23h, dim. 12h-15h (petit déjeuner lun.-ven. 8h-11h30, sam.-dim. 8h-11h)*

🍴 prix élevés

☺**Roast (plan 14)** Quel cadre ! Depuis 2005, ce restaurant de Borough Market prend ses aises au 1er étage du Floral Hall, un ancien marché aux fleurs tropicales, dont les verrières offrent des vues uniques sur les charpentes métalliques des halles environnantes, les demeures en brique de Stoney Street et les trains à destination de London Bridge Station ! Le chef, Lawrence Keogh, l'un des chantres de la nouvelle gastronomie britannique, accommode à merveille les produits régionaux. Entrées env. 8,50-9,50£ (noix de saint-jacques grillées aux artichauts et noisettes), plats env. 18-20£ (canard rôti aux framboises du Kent, foie de veau aux oignons aigre-doux et bacon), desserts 5,50-7,50£.

GAMME DE PRIX RESTAURANTS	
Très petits prix	moins de 7£
Petits prix	de 7 à 15£
Prix moyens	de 15 à 30£
Prix élevés	de 30 à 50£
Prix très élevés	plus de 50£

Menus à 22£ (2 plats) ou 26£ (3 plats) le dimanche midi. *English breakfast* solide et fameux (complet 12,50£). Réservation conseillée. *M° London Bridge* Borough Market, Stoney Street SE1 Tél. 020 7940 1300 www. roast-restaurant.com *Ouvert breakfast : lun.-ven. 7h-9h30, sam. 8h-11h30 ; lunch : lun.-jeu. 12h-14h30, ven. 12h-15h, sam.-dim. 12h-15h30 ; tea : lun.-jeu. 15h-17h, ven. 15h30-16h ; dîner : lun.-ven. 17h30-22h30, sam. 18h-22h30 ; menus au bar : lun.-sam. 15h-22h30*

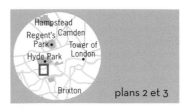

plans 2 et 3

Knightsbridge et South Kensington

Difficile de faire un dîner convenable pour moins de 20£ dans les quartiers chics de South Kensington et de Knightsbridge. À midi, néanmoins, les prix d'un *set lunch menu* sont générale- ment plus doux.

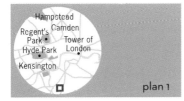

plan 1

Brixton

À ceux qui se trouveraient encore à Brixton à l'heure du déjeuner, après le marché, ou avant une sortie dans l'un des clubs du quartier, signalons deux adresses bon marché.

 petits prix

Asmara (plan 1) Un restaurant de spé- cialités érythréennes. *M° Brixton* 386 Coldharbour Lane SW9 Tél. 020 7737 4144 *Ouvert tlj. 17h30-0h*

New Fujiyama (plan 1) Ce japonais sert des *noodles* dans un décor funky. *M° Brixton* 7 Vining St SW9 Tél. 020 7737 2369 *Ouvert lun.-jeu. 12h-16h et 17h-23h, ven. 12h-16h et 17h-0h, sam. 12h-0h, dim. 12h-23h*

 petits prix

☺ **Anglesea Arms (plan 3)** L'un des derniers *free public houses* (microbras- series) de Londres. Aussi, nul besoin de vanter la qualité des *ales* : excellente, *of course*. Ce pub sert aussi des plats simples, 100% *British*, de 8,95£ à 16£. Rien d'exceptionnel, mais très correct. *M° South Kensington* 15 Selwood Ter- race SW7 Tél. 020 7373 7960 *Service tlj. 12h-15h et 18h30-22h*

Daquise (plan 3) Cette cantine polonaise cinquantenaire est l'une des valeurs sûres et bon marché du quartier – donc souvent bondée. Essayez les blinis au saumon fumé et la spécialité maison : les galettes de pomme de terre. Avec, pour les accompagner, une bonne bière ou, pour les plus stoïques, une vodka... polonaise ! Service diligent et sans manières. En semaine, *set lunch menu* à 9,50£. Comptez 10-15£ pour un dîner copieux. *M° South Kensington* 20 Thurloe St SW7 Tél. 020 7589 6117 *Ouvert tlj. 12h-23h*

Al Bustan (plan 3) Une agréable petite table libanaise. Le chef maîtrise

RESTAURANTS

tous les classiques du pays du Cèdre : houmous, *soujouk* (petites saucisses grillées), *kefta* (boulettes de viande), *shawarma* (viande d'agneau marinée), etc. Et pour finir en beauté, laissez-vous tenter par une pâtisserie au miel et un café parfumé à la cardamome. Pour 10£, le *lunch* servi du lundi au samedi est une affaire. Le soir, tablez plutôt sur 20£. *M° South Kensington 68 Old Brompton Rd SW7 Tél. 020 7584 5805 Ouvert 12h-23h*

🍴 prix moyens

☺ **Pasha (plan 3)** Un restaurant marocain qui fait oublier la grisaille londonienne ! Le décor chatoyant conjugue design occidental et traditions artisanales du royaume chérifien. Les serveuses, souvent francophones, jouent le jeu en portant à la taille un foulard dont les sequins rythment leurs déplacements, et les danseuses du ventre sont étourdissantes ! Que ce soit la *harira* (soupe), la pastilla, le tajine de mouton aux pruneaux ou le couscous royal, la cuisine est à l'image des lieux : enthousiasmante. Plusieurs formules pour le déjeuner : menu à 15£ (3 plats) et menu snack-thé à 10£. Le soir, comptez plutôt 50-60£ (avec le vin) et 30-40£ (sans vin). Enfin, dans le "*kemia lounge*", ouvert de 12h à 1h30, on peut commander des assiettes légères, un thé à la menthe et des pâtisseries, et des cocktails. *M° Gloucester Road 1 Gloucester Rd SW7 Tél. 020 7589 7969 www. pasha-restaurant.co.uk Ouvert jeu.-sam. 12h-1h, dim.-mer. 12h-0h*

GAMME DE PRIX RESTAURANTS	
Très petits prix	moins de 7£
Petits prix	de 7 à 15£
Prix moyens	de 15 à 30£
Prix élevés	de 30 à 50£
Prix très élevés	plus de 50£

Mr Chow (plan 3) En 1968, l'acteur, peintre et décorateur Michael Chow fit sensation en ouvrant un restaurant de spécialités pékinoises au cadre design. L'établissement s'efforce de maintenir sa réputation avec des plats *"from the sea, from the land, from the air"*, tels que le canard croustillant et les surprenantes nouilles de Mr Chow. L'élégance du décor et la sophistication des mets invitent à un tête-à-tête. *Lunch* à 23£ (2 plats). À la carte, comptez 25-30£. Réservation conseillée, surtout le week-end. *M° Knightsbridge 151 Knightsbridge SW1 Bus 9, 10 et 52 (arrêt Knightsbridge Station) Tél. 020 7589 7347 Ouvert 12h30-15h et 19h-0h Fermé lun. midi*

🍴 prix élevés

☺ **Amaya (plan 3)** L'un des meilleurs restaurants indiens de Londres… et sans doute le plus glamour. Le cadre, contemporain, est plutôt réjouissant : grande salle sous verrière, avec chaises en cuir, tables en bois de rose et statuettes en terre cuite, et bar éclairé à la bougie donnant, comme au spectacle, sur les *tandoor* (fours en terre), grils et fourneaux de la cuisine. Le concept repose, on l'aura compris, sur les marinades grillées – légumes, viandes, fruits de mer, etc. – que l'on peut picorer à plusieurs et faire suivre d'un *byriani* (plat de riz garni) ou accompagner d'une soupe ou d'une salade. La carte est d'une richesse un peu déroutante. Aussi, le *set lunch menu* s'avère-t-il un choix judicieux en semaine : soupe de légumes, lotte au safran, poulet mariné, riz safrané, épinards et patates douces. *Spicy* mais succulent ! Desserts originaux et bonne carte des vins de 17£ à 35£. Le personnel est aux petits soins, mais sait rester discret. Menus (poisson, *lunch*, découverte, végétarien) entre 17£ et 38,50£. À la carte, prévoyez 40£ à midi et 60£ le soir. Réservation conseillée. *M° Knightsbridge 15 Halkin Arcade (Motcomb St) SW1 Tél. 020 7823 1166 www.realindianfood.com Ouvert lun.-sam. 12h30-14h15 et 18h30-23h30, dim. 12h45-14h45 et 18h30-22h30*

Fifth Floor (plan 2) Après avoir écumé les rayons parfumerie et mode de Harvey Nichols, les *shopping addicts* pourront reprendre des forces au café-brasserie, au bar à sushis ou au restaurant du 5e étage. La première option n'est pas la moins intéressante, tant au niveau des prix (*lunch* 15-25£)

So British !

Cuisine anglaise traditionnelle

Nouvelle cuisine anglaise

RESTAURANTS

que de la variété des plats : thon grillé et salade niçoise, pennes aux échalotes et tomates cerises... Plus classe et plus cher au restaurant : *lunch* à 19,50£ et 24,50£, menu du soir entre 19,50£ et 30£. *M° Knightsbridge 109-125 Knightsbridge SW1 Tél. 020 7823 1839 Café-brasserie ouvert lun.-sam. 8h-23h et dim. 11h-18h ; lunch au restaurant : lun.-jeu. 12h-15h ven. et sam. jusqu'à 16h, dim. jusqu'à 17h ; dîner : lun.-sam. 18h-23h*

☺ **Bibendum Restaurant et Oyster Bar (plan 3)** Des vitraux aux assiettes et aux cendriers, le bonhomme Michelin est omniprésent. Normal, nous sommes dans l'ancien siège londonien du constructeur automobile : un détonnant bâtiment Art déco (1905-1911), réhabilité avec talent par le designer Terence Conran dans les années 1980. À l'étage, le Bibendum Restaurant propose une cuisine européenne de qualité : *ceviche* d'huîtres, feuilleté d'aubergines aux champignons, poulet de Bresse à l'estragon, haddock & chips... Set lunch à 29,50£ (3 plats). À la carte, comptez 40-50£. Réservation indispensable. Au rez-de-chaussée, l'Oyster Bar est une option plus décontractée pour un repas léger : huîtres, fruits de mer, terrines et salades (13-30£). *M° South Kensington 81 Fulham Rd SW3 www.bibendum.co.uk Service au restaurant (tél. 020 7581 5817) : tlj. 12h-14h30 (12h30-15h le week-end) et 19h-23h (jusqu'à 22h30 le dim.) À l'Oyster Bar (tél. 020 7589 1480) : tlj. 12h-22h30 (22h le dim.)*

Cambio de Tercio (plan 3) L'une des meilleures tables espagnoles de Londres, avec des présentations alléchantes et des cuissons parfaites : calamars frits à l'ail et aux olives, terrine de foie gras au moscatel d'Alicante, toast de *sobrasada* au fromage de chèvre et sucre de canne caramélisé... Monumentale

Les gastronomiques

Des lieux où la cuisine devient un art. L'addition sera à la hauteur (vertigineuse), mais il faudra avoir réservé longtemps d'avance !

carte des vins (à partir de 19,50£ la bouteille). À la carte, prévoyez env. 30£. Réservation conseillée. *M° South Kensington 163 Old Brompton Rd SW5 Tél. 020 7244 8970 www.cambiodetercio.co.uk Ouvert tlj. 12h-15h et 18h30-19h30 (tapas), 12h-14h30 et 19h-23h30 (restaurant)*

Zuma (plan 3) Un établissement japonais assez prisé, si l'on en juge par l'affluence, plutôt bon chic bon genre. Le design sophistiqué et très zen en rajoute encore, avec son côté restaurant et son coin bar face aux cuisines. Mais tout cela se paie... Sélection de six pièces de sushis et de sashimis à 16,80£, neuf pièces à 21£ (sans le riz). Autrement, comptez 30£ minimum pour un repas léger, et facilement plus. Carte encyclopédique de saké et de vins à des prix indécents. Point noir (hormis les prix), un personnel assez obséquieux. Réservation conseillée. *M° Knightsbridge 5 Raphael St SW7 Tél. 020 7584 1010 Bar ouvert tlj. 12h-*

22h45 (22h15 le dim.) *Restaurant ouvert lun.-ven. 12h-14h30 et 18h-0h, sam.-dim. 12h30-15h et 18h-0h*

🍴 prix très élevés

Foliage (plan 2) Le restaurant du Mandarin Oriental Hotel. La vue sur Hyde Park est exquise, comme la cuisine de saison, d'inspiration européenne : artichauts, confit de pomme de terre, truffe noire et œufs de caille ; coquilles saint-jacques, choux-fleurs, cèpes et cerises ; soufflé au calvados, caramel au beurre salé. *Set lunch menu* (4 plats) à partir de 29£. Comptez 60£ et plus (à la carte) le soir. Réservation impérative. *M° Knightsbridge 66 Knightsbridge SW1 Tél. 020 7201 3723 www.mandarinoriental.com Ouvert tlj. 12h-14h30 et 19h-22h30*

Marcus Wareing @ the Berkeley (plan 2) Le restaurant de l'hôtel Berkeley, tenu par Marcus Wareing, brillant disciple de Gordon Ramsay. D'excellents classiques d'inspiration française (terrine de foie gras aux légumes de printemps et raisin au sauterne ; turbot braisé, asperges sauvages et œufs de caille pochés ; cochon de lait du Norfolk, endives braisées et purée de pommes) dans un décor glamour, inspiré de celui du château Pétrus. *Set lunch* (entrée, plat et dessert) 35£, à la carte (3 plats) 75£, menu dégustation (8 plats) 90£. *M° Hyde Park Corner ou Knightsbridge Wilton Place SW1 Tél. 020 7235 1200 www.marcus-wareing. com Ouvert lun.-ven. 12h-14h30 et 18h-23h, sam. 18h-22h45*

GAMME DE PRIX RESTAURANTS	
Très petits prix	moins de 7£
Petits prix	de 7 à 15£
Prix moyens	de 15 à 30£
Prix élevés	de 30 à 50£
Prix très élevés	plus de 50£

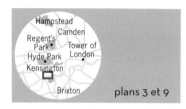

plans 3 et 9

Chelsea

Bohème et tendance depuis presque toujours, le quartier reçoit dans ses restaurants très chers une clientèle plutôt mondaine. Mais pour une pause entre deux courses autour de King's Road, gastropubs et cafés feront l'affaire.

🍴 petits prix

The Market Place (plan 3) Pour un déjeuner estival en terrasse au cœur du Chelsea Farmers' Market. Des plats simples, mais variés (soupe du jour, salades, burgers, steak de thon) et bon marché : de 8£ à 12£. *M° Sloane Square 125 Sydney St (Chelsea Farmers' Market) SW3 Bus 49 et 211 (arrêt Chelsea Old Town Hall) Tél. 020 7352 5600 Ouvert avril-sept. : tlj. 9h30-17h (18h30 le sam.-dim.) ; oct.-mars : tlj. 9h30-17h*

🍴 prix moyens

☺ **Pig's Ear (plan 3)** L'archétype du gastropub de quartier, authentique et convivial... donc bruyant. Commandez au bar pour ne rien perdre de l'ambiance souvent festive ou montez au restaurant, à l'étage, pour plus de calme. Les plats changent quotidiennement, mais sont toujours bien ficelés : soupe de poisson, pâté de lapin, bavette à l'échalote, filet de flétan... Et pour les téméraires, les oreilles de porc grillées – l'enseigne de la maison. Comptez de 15£ à 25£ selon votre faim. Vins abordables. *M° Sloane*

RESTAURANTS

RESTAURANTS

Square 35 *Old Church St SW3 Bus 11, 22, 45, 319, 345 Tél. 020 7532 2908 www. turningearth.co.uk/thepigsear Ouvert tlj. 12h30-22h15 (21h30 le dim.)*

Cross Keys (plan 3) Une bonne table dans le Chelsea des artistes, avec un coin bar et un jardin d'hiver pleins de charme. À midi, les cuistots œuvrent selon l'inspiration du jour : des soupes, des tartes aux légumes ou au fromage, des pâtes fraîches... *Set menu* 27-30£ (17£ et 20£ le dim.). Plats plus élaborés le soir : 22-30£ à la carte. Réservation conseillée le week-end. *M° Sloane Square 1 Lawrence St SW3 Tél. 020 7349 9111 www.thexkeys.co.uk Ouvert lun.-ven. 11h-15h et 18h-0h, sam. 11h-16h et 18h-0h, dim. 11h-16h et 18h-23h Attention, lunch à partir de midi*

☺ **Ebury (plan 9)** Une cuisine de saison bien travaillée et un cadre contemporain séduisant – beaucoup de bois, des formes simples et pures... ce gastropub est l'une des meilleures tables de Chelsea ! Au rdc, un bar brasserie souvent bondé et à l'étage, un restaurant plus tranquille ouvert seulement le soir. Des assiettes de poisson mariné et de fruits de mer à moins de 10£ et des plats de bistrot français (épaule d'agneau, pommes sarladaises et tapenade). Une sélection de fromages français et des desserts simples, mais excellents (fondant au chocolat, tarte à l'ananas façon Tatin...). Comptez 20-30£ à midi. Menus 15-20£. *Pre-theatre menu* à 16,50£ pour 2 pers. et à 19,50£ pour 3 pers. *M° Sloane Square Pimlico Rd*

GAMME DE PRIX RESTAURANTS	
Très petits prix	moins de 7£
Petits prix	de 7 à 15£
Prix moyens	de 15 à 30£
Prix élevés	de 30 à 50£
Prix très élevés	plus de 50£

SW1 Tél. 020 7730 6784 www.theebury. co.uk Ouvert tlj. 12h-15h30 (16h le dim.) et 18h-22h30 (22h le dim.)

🍴 prix élevés

☺ **Daphne's (plan 3)** Pour sa délicieuse cuisine italienne contemporaine, élaborée avec des produits de saison et servie dans un cadre évocateur : murs ocre rose et oliviers en pot. Que ce soit dans la première salle, souvent bondée et bruyante, ou sous la verrière de l'arrière-salle, plus paisible, vous vous régalerez d'un risotto de poisson au gorgonzola, d'un filet de thon aux poivrons grillés ou d'une épaule d'agneau au four. À midi, formules à 16,75£ (2 plats) et 18,75£ (3 plats). À la carte, comptez 25-40£. Vins italiens à partir de 14,75£. *M° Sloane Square 112 Draycott Avenue SW3 Tél. 020 7589 4257 www.daphnes-restaurant.co.uk Ouvert lun.-sam. 12h-15h et 17h30-23h30, dim. 12h-16h et 17h30-22h30*

🍴 prix très élevés

Rasoi Vineet Bhatia (plan 3) Seule une enseigne discrète indique que la maison abrite l'un des meilleurs restaurants indiens de Grande-Bretagne. Son patron, Vineet Bhatia, a su revisiter la tradition avec brio, ce qui lui vaut de figurer parmi les chefs les plus distingués de Londres. Le cadre est élégant et intime (une salle de 24 couverts et deux salons particuliers à l'étage) et la carte souvent renouvelée, mais toujours inventive : saumon fumé façon tandoori, homard au gingembre et piment saupoudré de cacao, samoussas au marbré de chocolat... Menus à 21£ (2 plats), 26£ (3 plats) et 36£ (5 plats) à midi ; le soir, menu à 45£ (2 plats) et 55£ (3 plats). Menu gourmet (7 plats) à 75£. Réservation recommandée. *M° Sloane Square 10 Lincoln St SW3*

Tél. 020 7225 1881 www.rasoirestaurant.co.uk Ouvert lun.-ven. 12h-14h30 et 18h-23h, sam. 18h-23h

Gordon Ramsay (plan 3) Le restaurant gastronomique le plus couru de Chelsea, dirigé par le très médiatique Gordon Ramsay, a ses trois étoiles au Michelin. Pas de carte ni de prix affichés à l'entrée, mais un portier tiré à quatre épingles qui veille au respect du *dress code* : "smart". Dans un cadre un peu glacé, à dominantes de blanc et de crème, des préparations sophistiquées, mais légères : cuisses de grenouilles marinées et cannelloni aux champignons sauvages et chèvre frais ; saint-jacques de l'île de Skye poêlées, carpaccio de poulpe et boudin noir en tempura ; pigeon d'Anjou rôti au four, foie gras, chou braisé et raifort en purée ; parfait au citron vert et sorbet au melon, coulis au miel et chocolat. Entrée, plat et dessert : de 45£ (*set lunch menu*) à 90£ (à la carte) ; menu Prestige de 7 plats à 120£. Carte des vins dispendieuse. Réservez longtemps d'avance. *Mº Sloane Square 68-69 Royal Hospital Rd SW3 Tél. 020 7352 4441 www.gordonramsay.com Ouvert lun.-ven. 12h-14h30 et 18h30-23h*

plans 2 et 3

Kensington et Notting Hill

Les restaurants de Kensington attirent une clientèle aisée de *business people* et d'élégantes adeptes du lèche-vitrines, et, proximité du

Victoria & Albert Museum et du Natural History Museum oblige, une foule de touristes en goguette. Les établissements de Notting Hill, haut lieu bobo, sont plutôt branchés – les plus attrayants étant situés au nord de Notting Hill Gate. Dans la section chinoise de Queensway, à Bayswater, le Royal China sert de bons *dim-sum*. Si vous logez dans le sud-ouest de Londres, vous trouverez des adresses à la mode sur Fulham Road. Dans le quartier de Hammersmith, plus à l'ouest, l'offre va de la cantine indienne à la table étoilée – le célèbre River Café ! West Kensington, enfin, abrite des snacks bien connus des *backpackers*.

🍴 très petits prix

☺ **Churchill Arms Thai Kitchen (plan 2)** À voir ! Un lieu aussi insolite qu'irrésistible. Cette "cuisine thaïe" qui croule sous la verdure se cache au fond d'un authentique pub de Kensington. Le soir, le plus difficile est encore d'y trouver une table. Heureusement, la patronne gère efficacement le service et l'attente de ses clients : 15-20min maxi, ce qui laisse le temps de savourer une Guinness tout en choisissant parmi les currys plus ou moins épicés et les copieux plats de riz ou de nouilles, au porc, au poulet ou aux crevettes. Rien de très élaboré, mais pas de quoi se ruiner, tout est à 6,50£. *Mº Notting Hill Gate ou High Street Kensington 119 Kensington Church St W8 Tél. 020 7792 1246 Service tlj. 12h-22h (21h30 le dim.)*

🍴 petits prix

Electric Brasserie (plan 2) La brasserie branchée de Portobello Road, celle de l'Electric Cinema. Avec une clientèle aussi cosmopolite que le quartier : quinquas dans le vent, jeunes bobos et Jamaïcains du coin. L'endroit ne désemplit pas, le service va à toute vitesse et le volume des conversations rivalise avec celui de la sono ! Préférez le bar au restaurant et commandez des choses simples comme les sandwiches, gargantuesques, ou les moules marinières (8-12£). La note sera moins salée et vous éviterez les déceptions. Réservation conseillée. M° *Ladbroke Grove* 191 *Portobello Rd W11 Tél.* 020 7908 9696 *www. the-electric.co.uk Service lun.-mer. 8h-0h, jeu.-sam. 8h-1h, dim. 8h-23h*

Food@The Muse (plan 2) Un concept assez inattendu : un restaurant dans une galerie d'art tenue par des artistes. Bonne cuisine d'inspiration continentale : salade de crevettes roses et pamplemousse au gingembre et cacahuètes grillées, risotto au jambon fumé et asperges, onglet à l'échalote, filet de saumon et ses légumes de printemps... Comptez 9,50-15£ le plat. M° *Ladbroke Grove* 269 *Portobello Rd W11 Tél.* 020 7792 8588 *Ouvert mar.-sam. 11h-23h, dim. 10h-18h*

Wódka (plan 3) L'une des meilleures ambassades londoniennes de l'Europe de l'Est et du Nord. Des spécialités polonaises comme la soupe de betteraves, le canard au chou rouge et aux pommes et le *bigos* (la choucroute locale), mais pas seulement : un carpaccio de saumon à la danoise, une salade d'aubergines à la moldave, un poulet à la Kiev, des poires pochées sauce chocolat... Pour accompagner le tout, le chef a prévu un large choix de vodkas. Formule midi en semaine à 13,50£ (2 plats) et 18£ (3 plats). À la carte, comptez plutôt 30-40£ pour un dîner (menus à 24£ et 28£). M° *High Street Kensington* 12 *St. Alban's Grove W8 Tél.* 020 7937 6513 *www.wodka. co.uk Ouvert lun.-ven. 12h-15h et 18h-23h, dim. 18h-23h Fermé sam.*

Greek Affair (plan 2) L'enseigne en dit déjà beaucoup sur cette petite affaire familiale, où l'on mange fort bien et pour pas trop cher. Tous les classiques de la cuisine grecque : houmous, tarama, purée d'aubergine, tzatziki, feuilles de vigne farcies, une délicieuse moussaka à la viande, au poisson ou végétarienne et des assiettes de mezze. L'établissement n'a pas la licence requise pour servir de l'alcool, mais vous pouvez apporter votre bouteille ! Le petit plus estival : la terrasse sur le toit. Comptez 15-25£ le repas. M° *Notting Hill Gate* 1 *Hilgate St W8 Tél.* 020 7792 5226 *Ouvert lun.-ven. 12h-15h et 18h-23h, sam.-dim. 12h-23h*

prix élevés

E&O (plan 2) Ce "panasiatique" à la carte et au cadre raffinés est devenu un classique du Notting Hill branché : des *dim-sum* – essayez les raviolis à la châtaigne d'eau et aux dattes –, des salades d'inspiration thaïe (canard, melon d'eau et noix de cajou par exemple), des curries, des grillades, des sushis, des sashimis, des makis et des tempuras... Comptez 45£. Et un petit bar à cocktails pour patienter ou prolonger la soirée. Réservation indispensable. *M° Ladbroke Grove 14 Blenheim Crescent W11 Tél. 020 7229 5454 www.eando.co.uk Service lun.-ven. 12h-15h et 18h-23h, sam. 12h-16h et 18h-23h, dim. 12h-16h et 18h-22h30*

☺ **Zaika (plan 3)** Un temple de la cuisine indienne contemporaine installé sous les hauts plafonds à caissons d'une ancienne banque. La carte mêle classiques – curry de gigot d'agneau (*roganjosh*), poulet *makkhani* (*butter chicken*) et créations : homard tandoori, foie gras *masala*, etc. Entrée 6£ (midi)-9,50£ (soir), plat 10-21£ et dessert 3,50£-6,50£. Formule midi à 19,50£ (4 plats). Le soir, un menu *Jugalbandi* de 6 plats à 39£ sans le vin (66£ avec) et un menu gourmand de 9 plats à 58£ sans le vin (89£ avec). À la carte, comptez 28-40£. *M° High Street Kensington 1 Kensington High St W8 Tél. 020 7795 6533 www.zaika-restaurant.co.uk Ouvert tlj. 12h-14h45 et 18h-22h45 (21h45 le dim.)*

Notting Hill Brasserie (plan 2) La brasserie chic de Notting Hill, QG de la bourgeoisie locale, emballée par la sobre élégance du cadre et son ambiance de piano-bar. Le top du top étant d'assister à un *jazz lunch* le dimanche (menus à 25£ et 30£). En semaine, comptez 17,50£-22,50£

le déjeuner et 40-47£ le dîner à la carte. Pour ces prix, attendez-vous à une cuisine de qualité : huîtres irlandaises, risotto aux champignons sauvages et velouté de cèpes, pigeon rôti, chateaubriand en croûte de sel, tarte Tatin, fondant au chocolat... Concert de jazz et de blues tous les soirs et le dim. midi. *M° Notting Hill Gate 92 Kensington Park Rd W11 Tél. 020 7229 4481 Ouvert tlj. 12h-15h et 19h-23h (22h30 dim.)*

The Ark (plan 2) Un décor et un éclairage intimistes, des recettes italiennes joliment exécutées et présentées (pâtes blanc et noir au crabe, côtelettes d'agneau au romarin et caponata), et une belle sélection de vins (à partir de 15£). Si la salle, tout en longueur, était un peu moins bruyante, ce serait l'endroit rêvé pour un dîner en amoureux. Service soigné. À la carte, comptez 30-40£. *M° Notting Hill Gate 122 Palace Gardens Terrace W8 Tél. 020 7229 4024 Ouvert lun.-sam. 12h-15h et 18h30-23h, dim. 18h-22h30/23h*

Bayswater

🍴 **petits prix**

Royal China (plan 2) Cette cantine chinoise possède une carte monumentale, mais elle est surtout réputée pour ses *dim-sum* (mets salés ou sucrés, cuits à la vapeur), servis de 12h à 16h45. Une chose est sûre : il y en a pour tous les goûts ! Le soir, comptez de 10 à 40£ selon votre appétit et vos moyens. Pour une dizaine de livres sterling, le poulet à la mangue façon thaïe accompagné d'un riz aux œufs frits vous rassasiera. Vaste salle où règne un beau brouhaha. *M° Bayswater 13 Queensway W2 Tél. 020 7221 2535 Ouvert lun.-sam. 12h-23h (23h30 le ven.-sam.), dim. 11h-22h*

RESTAURANTS

GAMME DE PRIX RESTAURANTS	
Très petits prix	moins de 7£
Petits prix	de 7 à 15£
Prix moyens	de 15 à 30£
Prix élevés	de 30 à 50£
Prix très élevés	plus de 50£

RESTAURANTS

À l'ouest

 très petits prix

Best Mangal (plan 3) Pour ses bons kebabs à emporter (5£). Également tout un choix de spécialités turques, notamment de grillades, servies en salle, mais dont la qualité ne justifie pas vraiment les prix. M° *West Kensington* 66 *et* 104 *North End Rd W14 Tél.* 020 7610 1050 *Ouvert tlj.* 12h-0h *(1h ven.-sam.)*

 petits prix

☺ **Sagar (plan 3)** La carte le proclame fièrement : les critiques de *Time out* considèrent ce modeste établissement comme "l'un des meilleurs restaurants végétariens du sud de l'Inde à Londres". Après essai, on ne peut que leur donner raison. On se régale au Sagar ! Et sans se ruiner : 3,50£ le plat. Si vous êtes affamé, commandez un *Radjani Thali* (13,95£), un festival de couleurs et de saveurs. M° *Hammersmith* 157 *King St W6 Tél.* 020 8741 8563 *Ouvert lun.-jeu.* 12h-14h45 *et* 17h30-22h45, *ven.-sam.* 12h-14h45 *et* 17h30-23h30, *dim.* 12h-22h45

 prix moyens

The Gate (plan 3) Ce végétarien installé dans un ancien atelier d'artistes est sans doute le meilleur de Londres. Les chefs se cassent la toque à concocter des plats variés, souvent exotiques et toujours savoureux : salade d'oranges et fraises, galette aux *risotto alla contadina*, curry antillais, tarte aux fruits de la Passion... Belle terrasse en été. Comptez 18-23£ (3 plats). 25£ à la carte M° *Hammersmith* 51 *Queen Caroline St W6 Tél.* 020 8748 6932 *Ouvert lun.-ven.* 12h-14h45 *et* 18h-22h45, *sam.* 18h-22h45

Encore plus à l'ouest, au bord de l'eau

 prix très élevés

☺ **River Café (plan 3)** Sûrement l'un des meilleurs restaurants italiens de la capitale, l'un des plus célèbres en tout cas, d'autant que Jamie Oliver y a fait ses classes : une vaste salle design avec vue sur la Tamise, une carte inventive et régulièrement renouvelée, des plats irréprochables, d'une fausse simplicité... Si le temps le permet, en réservant un peu d'avance, vous pourrez profiter d'une des tables dressées en terrasse. Longue carte des vins. Comptez 50-60£ et 60-80£ avec vin. M° *Hammersmith* Rainville Rd (Thames Wharf) W6 Tél. 020 7386 4200 www.rivercafe.co.uk Service lun.-ven. 12h30-14h15 et 19h-23h (23h30 ven.), sam. 12h30-14h30 et 19h-23h20 Fermé dim.

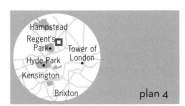

plan 4

Camden

Animation garantie dans les petits établissements voisins du marché – d'ailleurs, les gens du quartier se réfugient dans les gastropubs un peu à l'écart de High Street... Si les puces ont vidé votre porte-monnaie, optez plutôt pour un restaurant grec !

 petits prix

☺ **Haché (plan 4)** Cet américain sert d'excellents hamburgers de bœuf, de poulet, de thon, végétariens, etc., de 6,50£ à 12,50£ selon leur sophistication. De plus, le cadre est charmant, jusqu'à la rose sur la table. Aux beaux jours, petit bout de terrasse pour ceux qui arrivent de bonne heure. *M° Camden Town 24 Inverness St NW1 Tél. 020 7485 9100 www.hacheburgers.com Service : tlj. 12h-22h30 (22h le dim.) Une seconde adresse à Chelsea 329-331 Fulham Road SW10 Tél. 020 7823 3515 Mêmes horaires*

Bar Gansa (plan 4) Cette adresse aux couleurs (jaune, rouge et noir) de la péninsule Ibérique séduit davantage par son animation souvent électrique que par sa cuisine, honnête mais pas extraordinaire. En semaine, l'assiette de tapas constitue un déjeuner bon marché : 5£ (tortilla, calmars frits, *patatas bravas*, etc.). Le cuistot prépare aussi quelques sandwiches copieux (même prix), et des brunchs sont servis de 12h à 16h (env. 10£, 2 plats). Les plats à la carte, plus coûteux, sont moins intéressants. Soirée flamenco le lundi à 21h. *M° Camden Town 2 Inverness St NW1 Tél. 020 7267 8909 Ouvert mar.-jeu. et dim. 10h-23h30, ven.-sam. 10h-0h30*

prix moyens

☺ **Cottons (plan 4)** À deux pas de Stable Market, un excellent restaurant antillais au cadre chaleureux. À la carte, entrées de 4,75£ à 5,50£ (brochettes de gambas, ananas et oignons ; accras de morue et chutney de mangue), plats autour de 12£ (curry de cabri, coq-au-rhum, vivaneau en matelote, etc.) et desserts autour de 4,50£. Sinon, menus à 18,50£ (2 plats) et 21,50£ (3 plats). L'assiette de différents poissons grillés, garnie de bananes plantains et d'un riz à la noix de coco, est aussi généreuse que délicieuse !

Vous pouvez entamer ou poursuivre ce voyage exotique au bar Jamaica : 250 rhums et cocktails à perdre la tête (6,50-7,50£). Les vendredis et samedis, un DJ s'empare des platines à 21h. *M° Chalk Farm 55 Chalk Farm Rd NW1 Tél. 020 7485 8388 www.cottons-restaurant.co.uk Service lun.-jeu. 18h-23h, ven. 18h-23h30, sam. 12h-16h et 18h-1h, dim. 12h-23h Bar ouvert lun.-jeu. 17h-23h30, ven. 17h-1h, sam. 13h-1h, dim. 13h-23h*

Lansdowne (plan 4) Un bon gastropub de quartier derrière le marché de Camden : soupe à l'oignon, gaspacho, sardines grillées, entrecôte béarnaise, pizzas, etc. Si vous aimez l'animation, installez-vous au rez-de-chaussée et commandez au bar, sinon, optez pour le restaurant de l'étage. Dans les deux cas, vu l'affluence, vous attendrez sans doute un peu. D'excellentes bières et un vaste choix de vins à 3,90-5,90£ le verre et 14-75£ la bouteille. 18-25£ le repas. *M° Chalk Farm 90 Gloucester Avenue NW1 Tél. 020 7483 0409 www.thelansdownepub.co.uk Ouvert tlj. 12h-15h et 18h-22h Breakfast sam.-dim. 9h30-11h30*

RESTAURANTS

GEOINDEX

La Garde royale, reine de l'indémodable !

POUR RETROUVER
NOS ÉTABLISSEMENTS

INDEX DES ADRESSES

POUR RETROUVER NOS ÉTABLISSEMENTS

SHOPPING

So British, ou l'élégance du quartier St. James's.

POUR RETROUVER NOS ÉTABLISSEMENTS

Publiez, échangez, partagez
vos plus belles photos

www.geo.fr

Les bons plans des voyageurs sont sur mon**voyageur**.com

CONSULTEZ les avis des voyageurs sur des milliers d'adresses dans le monde (hébergements, restaurants, patrimoine, loisirs…)

CHOISISSEZ votre prochaine destination de voyage en fonction de vos critères personnels (budget, période de l'année, centres d'intérêts…)

PARTAGEZ toutes vos découvertes, vos émotions et vos expériences avec la communauté des voyageurs.

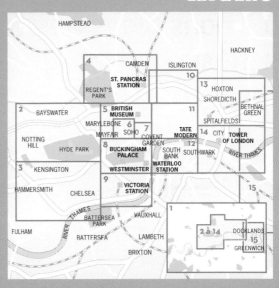

LONDRES

1

CRICKLEWOOD

HAMPSTEAD HEATH

HAMPSTEAD

WEMBLEY PARK

WILLESDEN

KENTISH TOWN

SOUTH HAMPSTEAD

HARLESDEN

PRIMROSE HILL

KILBURN

REGENT'S PARK

PARK ROYAL

KENSAL GREEN

MARYLEBONE

MAIDA VALE

WORMWOOD SCRUBS

PADDINGTON STATION

ACTON

PADDINGTON

NOTTING HILL

KENSINGTON PALACE

SERPENTINE

KENSINGTON

HYDE PARK

HOLLAND PARK

GUNNERSBURY PARK

GUNNERSBURY

KNIGHTSBRIDGE

HAMMERSMITH

NATURAL HISTORY MUSEUM

CHISWICK

EARL'S COURT

CHELSEA

R. THAMES

BARNES

FULHAM

BATTERSEA PARK

KEW GARDENS

R. THAMES

BATTERSEA

RICHMOND

EAST SHEEN

PUTNEY

WANDSWORTH

ROEHAMPTON

RIVER WANDLE

RICHMOND PARK

EARLSFIELD

WIMBLEDON COMMON

WIMBLEDON PARK

A

B

CAFÉS, BARS, PUBS ET PAUSES GOURMANDES
(n° 1 à 3)
Brixton Bar & Grill ___ **1** C3
Dogstar ___ **2** C3
Mango Landin' ___ **3** C3

RESTAURANTS
(n° 20 et 21)
Asmara ___ **20** C3
New Fujiyama ___ **21** C3

DARTMOUTH PARK

STOKE NEWINGTOON

HACKNEY MARSHES

CAMDEN TOWN

ISLINGTON

HACKNEY

KING'S CROSS STATION

BETHNAL GREEN

BOW

EUSTON STATION

ST PANCRAS INTERNATIONAL

FINSBURY

MILE END

BRITISH MUSEUM

ST LUKE'S

BLOOMSBURY

THE CITY

LIVERPOOL STATION

STEPNEY

SOHO

COVENT GARDEN

SHOREDITCH

MAYFAIR

NATIONAL GALLERY

TATE MODERN

TOWER OF LONDON

WAPPING

POPLAR

ST JAMES'S

GREEN PARK

CT JAMES'S PARK

WATERLOO STATION

TOWER BRIDGE

R. THAMES

ROTHERHITHE

BUCKINGHAM PALACE

BOROUGH

ISLE OF DOGS

WESTMINSTER

SOUTHWARK PARK

MILLWALL

VICTORIA STATION

TATE BRITAIN

LAMBETH

NEWINGTON

BERMONDSEY

DEPTFORD

KENNINGTON PARK

GREENWICH PARK

CAMBERWELL

PECKHAM

CLAPHAM

1 2

20 21

3 BRIXTON

PECKHAM RYE COMMON

LEWISHAM

CLAPHAM COMMON

HERNE HILL

DULWICH PARK

CATFORD

N

3 km

BALHAM

C

TULSE HILL

DULWICH

D

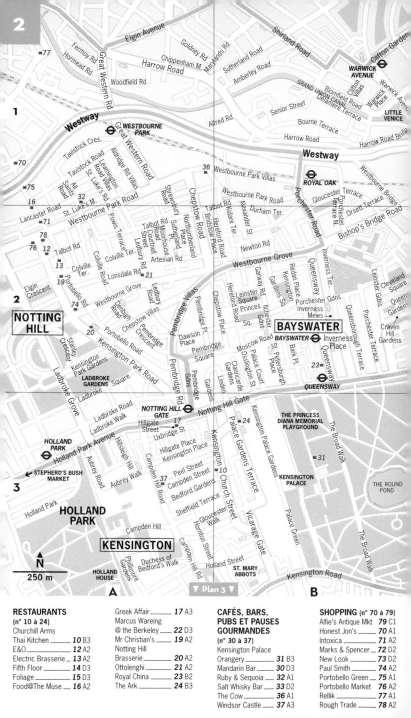

2

Elgin Avenue
Goldney Rd
Shirland Road
Fermoy Rd
Hormead Rd
■77
Great Western Rd
Chippenham M.
Marylands Rd.
Sutherland Road
Amberley Road
WARWICK AVENUE
Clifton Gardens
Harrow Road
Woodfield Rd
Warwick Avem.
Warwick Place
Blomfield Road
Clifton Villas
Delamere Terrace
GRAND UNION CANAL
Warwick Av.
LITTLE VENICE

1

Westway
WESTBOURNE PARK
Great Western Road
Alfred Rd
Senior Street
Bourne Terrace
Harrow Road
Westway
Harrow Road Bridge
Westbourne Bridge

Tavistock Cres.
Tavistock Road
Leamington
Aldridge Rd Villas
St. Luke's Road Villas
St. Luke's Road
Salts Road
■70
■75
Lancaster Road
16
■71
St. Luke's M.
32
Westbourne Park Road
36 Westbourne Park Villas
ROYAL OAK
Shrewsbury Road
Chepstow Road
Westbourne Park Road
Talbot Rd
Gloucester Terrace
Porchester Terrace N.
Porchester Terrace
Orsett Terrace
Bishop's Bridge Road
Porchester Road
Kidare St.
Alexander St.
Durham Ter.
Newton Rd
78
76
12
Talbot Rd
13
Powis Terrace
Talbot Rd
Colville Road
Colville Ter.
Sutherland
Courtnell
Moorhouse
Ledbury Road
Artesian Rd
Colville Road
Lonsdale Rd
■21
Westbourne Grove
Garway Rd
Redan Place
Kensington Gardens Sq.
Queensway
Inverness Ter.
Leinster Gdns
Cleveland Square
Queens Gardens
Elgin Crescent
74
Portobello Rd
Westbourne Grove
Ledbury Road
Denbigh Road
Chepstow Villas
Pembridge Villas
Hereford Road
Leinster Square
Ichester Gdns
Princes Sq.
Porchester Gdns
Inverness Mews →
Porchester Terrace
Craven Hill Gardens

NOTTING HILL

2

20
Portobello Road
Kensington Park Road
Pembridge Crescent
Pembridge Road
Dawson Place
Pembridge Square
Moscow Road
Palace Court
Clanricarde Gardens
St. Petersburgh Place
Ossington St.
Bark Pl.
BAYSWATER
BAYSWATER
Inverness Place
23
Queensway
Queensborough Terrace

Stanley Crescent
Kensington Park Gardens
LADBROKE GARDENS
Ladbroke Square
Ladbroke Grove
Pembridge Gdns
Linden Gardens
QUEENSWAY

3

HOLLAND PARK
Holland Park Avenue
Ladbroke Road
Ladbroke Walk
Hillsleigh Road
NOTTING HILL GATE
Notting Hill Gate
17
Hillgate Street
Uxbridge St
Hillgate Place
Kensington Place
24
Kensington Palace Gardens
THE PRINCESS DIANA MEMORIAL PLAYGROUND
The Broad Walk
← STEPHERD'S BUSH MARKET
Aubrey Road
Campden Hill Road
Peel Street
37
Campden Street
Bedford Gardens
10
31
Palace Gardens Terrace
Kensington Church Street
KENSINGTON PALACE
THE ROUND POND

Holland Park
HOLLAND PARK
Aubrey Walk
Sheffield Terrace
Gloucester Walk
Vicarage Gate
Palace Green
The Broad Walk

Campden Hill
KENSINGTON

N
250 m
Phillimore Gardens
Duchess of Bedford's Walk
HOLLAND HOUSE
Campden Hill Road
Hornton Street
Holland Street
ST. MARY ABBOTS
Kensington Road

▼ Plan 3 ▼

A   **B**

RESTAURANTS
(nº 10 à 24)
Churchill Arms
Thai Kitchen _____ **10** B3
E&O _____ **12** A2
Electric Brasserie _ **13** A2
Fifth Floor _____ **14** D3
Foliage _____ **15** D3
Food@The Muse _ **16** A2

Greek Affair _____ **17** A3
Marcus Wareing
@ the Berkeley _ **22** D3
Mr Christian's _____ **19** A2
Notting Hill
Brasserie _____ **20** A2
Ottolenghi _____ **21** A2
Royal China _____ **23** B2
The Ark _____ **24** B3

CAFÉS, BARS, PUBS ET PAUSES GOURMANDES
(nº 30 à 37)
Kensington Palace
Orangery _____ **31** B3
Mandarin Bar _____ **30** D3
Ruby & Sequoia _ **32** A1
Salt Whisky Bar _ **33** D2
The Cow _____ **36** A1
Windsor Castle _ **37** A3

SHOPPING (nº 70 à 79)
Alfie's Antique Mkt **79** C1
Honest Jon's _____ **70** A1
Intoxica _____ **71** A2
Marks & Spencer _ **72** D2
New Look _____ **73** D2
Paul Smith _____ **74** A2
Portobello Green _ **75** A1
Portobello Market _ **76** A2
Rellik _____ **77** A1
Rough Trade _____ **78** A2

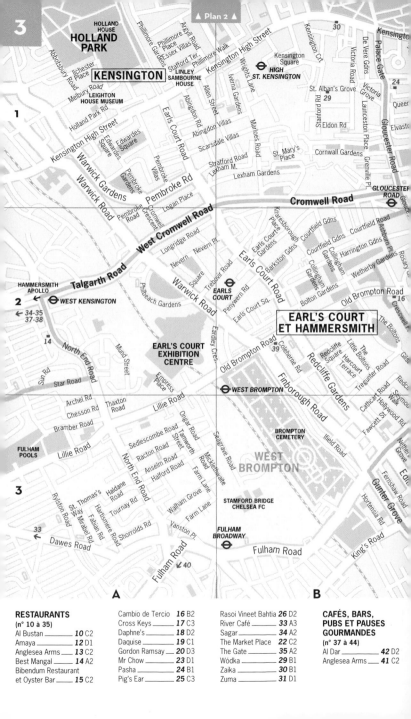

HOLLAND HOUSE
HOLLAND PARK

KENSINGTON

LEIGHTON HOUSE MUSEUM

LINLEY SAMBOURNE HOUSE

HIGH ST. KENSINGTON

Kensington Square

St. Alban's Grove

Cornwall Gardens

St. Mary's Place

Lexham Gardens

Cromwell Road

GLOUCESTER ROAD

West Cromwell Road

HAMMERSMITH APOLLO

Talgarth Road

WEST KENSINGTON

← 34-35 37-38

EARLS COURT

Old Brompton Road

EARL'S COURT ET HAMMERSMITH

EARL'S COURT EXHIBITION CENTRE

WEST BROMPTON

BROMPTON CEMETERY

WEST BROMPTON

FULHAM POOLS

STAMFORD BRIDGE CHELSEA FC

FULHAM BROADWAY

Fulham Road

← 40

← 33

A **B**

RESTAURANTS
(n° 10 à 35)

Al Bustan _____ **10** C2
Amaya _____ **12** D1
Anglesea Arms _____ **13** C2
Best Mangal _____ **14** A2
Bibendum Restaurant et Oyster Bar _____ **15** C2

Cambio de Tercio _____ **16** B2
Cross Keys _____ **17** C3
Daphne's _____ **18** D2
Daquise _____ **19** C1
Gordon Ramsay _____ **20** D3
Mr Chow _____ **23** D1
Pasha _____ **24** B1
Pig's Ear _____ **25** C3

Rasoi Vineet Bahtia _____ **26** D2
River Café _____ **33** A3
Sagar _____ **34** A2
The Market Place _____ **22** C2
The Gate _____ **35** A2
Wódka _____ **29** B1
Zaika _____ **30** B1
Zuma _____ **31** D1

CAFÉS, BARS, PUBS ET PAUSES GOURMANDES
(n° 37 à 44)

Al Dar _____ **42** D2
Anglesea Arms _____ **41** C2

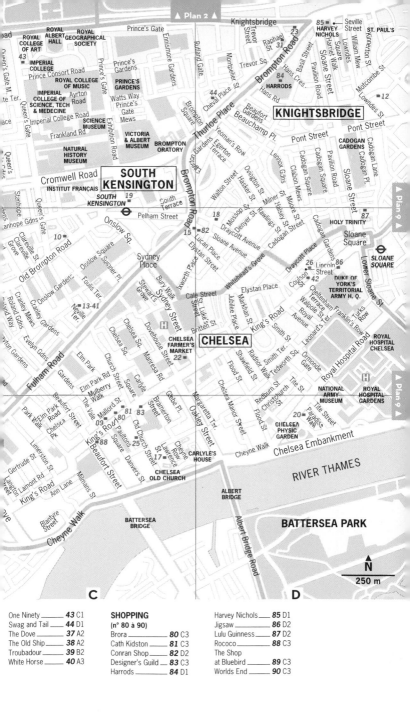

4

HAMPSTEAD

43-47
50-51-52
41
2
40
44
Hartland Rd
Chalk Farm Road
Hawley Road
Castlehaven Rd
Canal
STABLES
MARKET
64
5
CAMDEN
LOCK
61
CANAL
MARKET
Kentish Town Road
King Henry's Road
Oppidans Road
Primrose Hill Road
Ainger Road
Regent's Park Road
Gloucester Avenue
Chalcot Road
Princess Road

1

65
Jamestown Rd
62-63
60
CAMDEN
TOWN
10
Oval Road
Gloucester Crescent
Inverness St.

PRIMROSE
HILL

Fitzroy Road
Kingstown St.
Regent's Park Road
Gloucester Avenue
4
Camd
42
Parkway

PRIMROSE HILL

Arlington Rd
Ainslie

JEWISH
MUSEUM

St. Edmunds Ter.
Prince Albert Road
Delancey Street
Albert Street
Mornington Terrace

49
ST. JOHN'S
WOOD

Outer Circle
LONDON ZOO

Park Village East

2

Outer Circle
Albany Street
Cumberland Terrace
Redhill Street
Augu

Broad Walk Road

REGENT'S PARK

Chester Terrace
Outer Circle
Albany Street

OPEN AIR
THEATRE
Inner Circle
Chester Road
Rob
Clarence
Gardens

3

BOATING
LAKE
Outer Circle
53

Inner Circle
46
Longford

Park Road
York Bridge
Outer Circle

Rossmore Rd
LITTLE
VENICE

▼ Plan 5 ▼

A   **B**

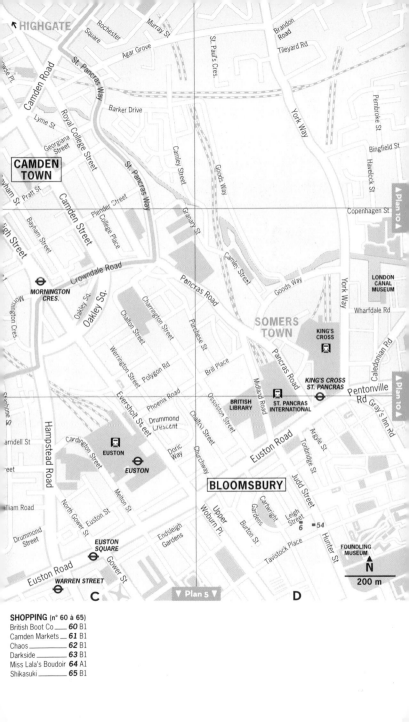

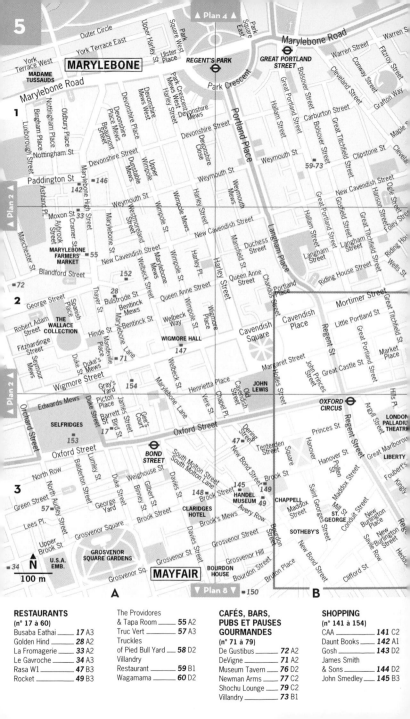

5

MARYLEBONE

MAYFAIR

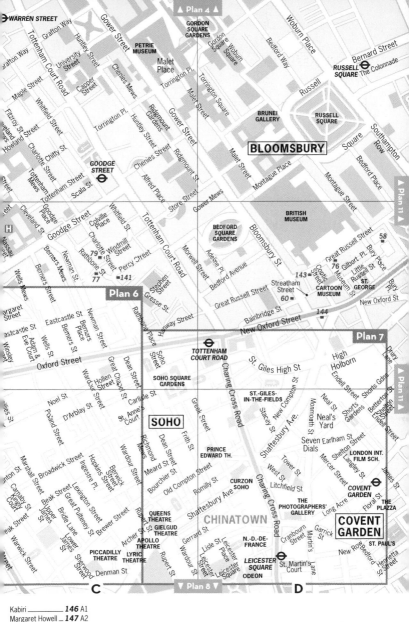

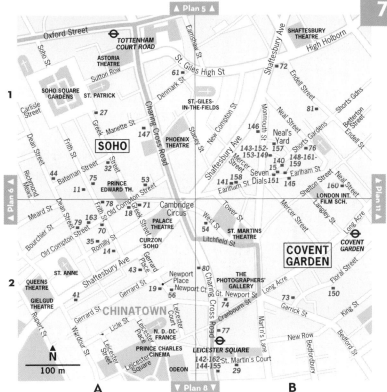

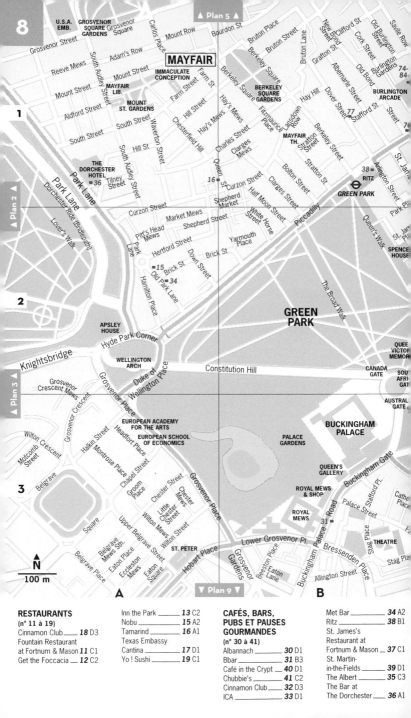

8

U.S.A. EMB.
GROSVENOR SQUARE GARDENS
Grosvenor Square
Carlos Place
Mount Row
Bourdon St
Bruton Place
Bruton Street
New Bond Street
Clifford St
Old Burlington
Savile Row
Grosvenor Street
Adam's Row
Reeve Mews
South Audley Street
Mount Street
Berkeley Square
Berkeley Street
Grafton Street
Cork Street
Old Burlington Street
74-84-
Mount Street
MAYFAIR LIB.
IMMACULATE CONCEPTION
Farm St.
MAYFAIR
Hay's Mews
BERKELEY SQUARE GARDENS
Albemarle Street
Old Bond Street
BURLINGTON GARDENS
BURLINGTON ARCADE

1

Aldford Street
MOUNT ST. GARDENS
Hill Street
Farm Street
Hay Hill
Dover Street
South Street
South Street
Waverton Street
Chesterfield Hill
Charles Street
Fitzmaurice Place
Lansdown Row
Berkeley Street
77
Stafford St
7
South Street
Hill St.
Clarges Mews
MAYFAIR TH.
Stratton Street
Stratton St.

THE DORCHESTER HOTEL
36
Tilney Street
Queen St.
Curzon Street
Bolton Street
38
Arlington Street
St.
RITZ
GREEN PARK

Park Lane
Dorchester Ride (Bridleway)
Lover's Walk
16
Curzon Street
Half Moon Street
White Horse Street
Piccadilly
Queen's Walk
St. Ja

Curzon Street
Market Mews
Shepherd Market
Shepherd Street
Park Lane

2

Pitt's Head Mews
Hertford Street
Brick St.
Down Street
Yarmouth Place
15
Brick St.
Old Park Lane
34
Hamilton Place

GREEN PARK

The Broad Walk

QUEE VICTOR MEMOR

APSLEY HOUSE
Hyde Park Corner
WELLINGTON ARCH
Duke of Wellington Place
Constitution Hill
CANADA GATE
SOU AFRI GAT

Knightsbridge

3

Grosvenor Crescent Mews
Grosvenor Crescent
Grosvenor Place
AUSTRAL GATE

Wilton Crescent
Motcomb Street
Halkin Street
Montrose Place
Headfort Place
EUROPEAN ACADEMY FOR THE ARTS
EUROPEAN SCHOOL OF ECONOMICS
PALACE GARDENS
BUCKINGHAM PALACE

Belgrave
Belgrave Square
Belgrave Mews Sth.
Upper Belgrave Street
Chapel Street
Groom Place
Chester Street
Little Chester Mews
Chester Mews
Wilton Mews
Grosvenor Place
ST. PETER
QUEEN'S GALLERY
ROYAL MEWS & SHOP
Buckingham Gate
Stafford Pl.

Belgrave Place
Eaton Place
Belgrave Mews
Wilton Street
ROYAL MEWS
31
Palace Street
Cathe Place
THEATRE

Eccleston Mews
Eaton Square
Hobart Place
St. Peter
Lower Grosvenor Pl.
Grosvenor Gardens
Beeston Place
Eaton Lane
Buckingham Palace Road
Bressenden Place
Allington Street
Stag Pla

N
100 m

A   **B**

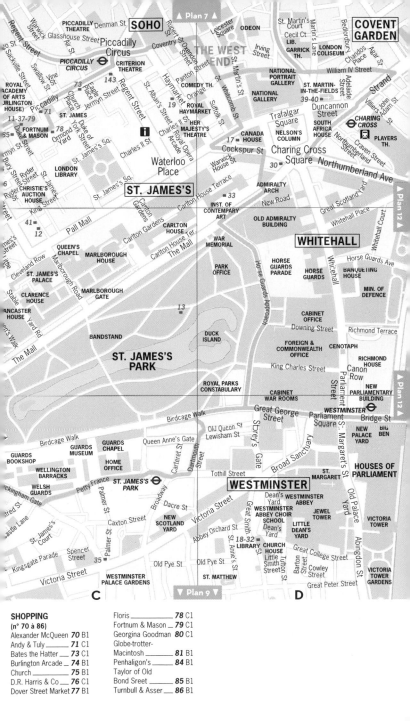

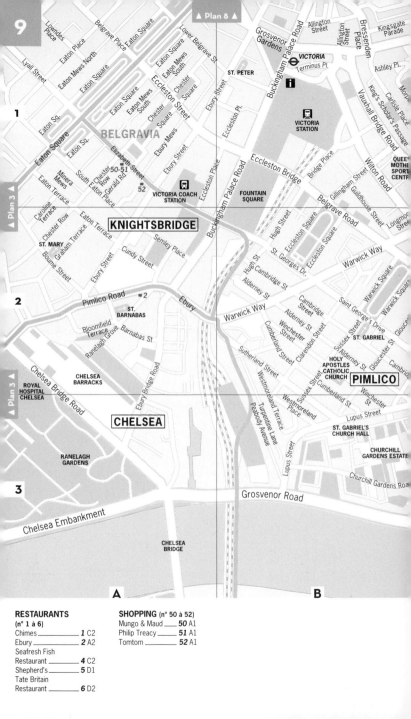

RESTAURANTS
(n° 1 à 6)
Chimes —————— **1** C2
Ebury —————————— **2** A2
Seafresh Fish
Restaurant ————— **4** C2
Shepherd's ————— **5** D1
Tate Britain
Restaurant ————— **6** D2

SHOPPING (n° 50 à 52)
Mungo & Maud ——— **50** A1
Philip Treacy ———— **51** A1
Tomtom —————— **52** A1

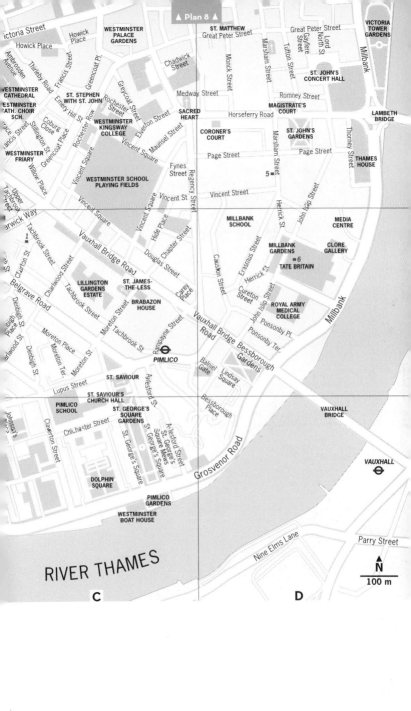

Victoria Street

Howick Place

WESTMINSTER PALACE GARDENS

ST. MATTHEW

Great Peter Street

Great Peter Street

VICTORIA TOWER GARDENS

Howick Place

Ambrosden Avenue

Thirleby Road

Francis Street

Greencoat Pl.

Chadwick Street

Monck Street

Marsham Street

Gayfere Street

Lord North St.

Tufton Street

Millbank

WESTMINSTER CATHEDRAL

ST. STEPHEN WITH ST. JOHN

Emery Hill St.

Greycoat Street

Rochester Row

Medway Street

ST. JOHN'S CONCERT HALL

WESTMINSTER R.C. ATH. CHOIR SCH.

Coburg Close

Elverton Street

Maunsel Street

SACRED HEART

Romney Street

Horseferry Road

MAGISTRATE'S COURT

LAMBETH BRIDGE

Francis Street

Stillington St.

Greencoat Place

WESTMINSTER KINGSWAY COLLEGE

Vincent Square

CORONER'S COURT

Page Street

Marsham Street

ST. JOHN'S GARDENS

Page Street

Thorney Street

THAMES HOUSE

WESTMINSTER FRIARY

Willow Place

Vincent Square

WESTMINSTER SCHOOL PLAYING FIELDS

Fynes Street

Regency Street

Vincent Street

5 ■

Vincent Street

Warwick Way

Upper Tachbrook Street

Vincent Square

Hide Place

Chapter Street

Vincent St

MILLBANK SCHOOL

Herrick St.

John Islip Street

MEDIA CENTRE

Tachbrook Street

1 ■

Vauxhall Bridge Road

Douglas Street

MILLBANK GARDENS

■ 6

CLORE GALLERY

Curton Street

Charlwood Street

Tachbrook Street

LILLINGTON GARDENS ESTATE

ST. JAMES-THE-LESS

Carey Place

Causton Street

Erasmus Street

Herrick St.

TATE BRITAIN

Belgrave Road

Moreton Street

BRABAZON HOUSE

Cureton Street

ROYAL ARMY MEDICAL COLLEGE

Millbank

Denbigh Place

Moreton Place

Moreton Tachbrook St

Rampayne Street

Vauxhall Bridge Road

John Ponsonby Pl.

Ponsonby Ter.

Charlwood Street

Denbigh St

Moreton Ter.

Moreton Street

PIMLICO

Bessborough Gardens

Johnson's

Lupus Street

ST. SAVIOUR

Aylesford St

Daniel Gate

Lindsay Square

ST. SAVIOUR'S CHURCH HALL

Bessborough Place

PIMLICO SCHOOL

ST. GEORGE'S SQUARE GARDENS

Aylesford Street

VAUXHALL BRIDGE

Claverton Street

Chichester Street

St. George's Square Mews

St. George's Square

Grosvenor Road

VAUXHALL

DOLPHIN SQUARE

St. George's Square

PIMLICO GARDENS

WESTMINSTER BOAT HOUSE

Parry Street

Nine Elms Lane

RIVER THAMES

C

D

N

100 m

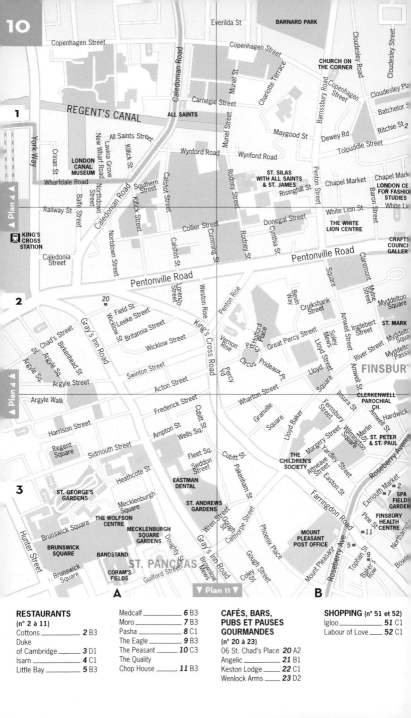

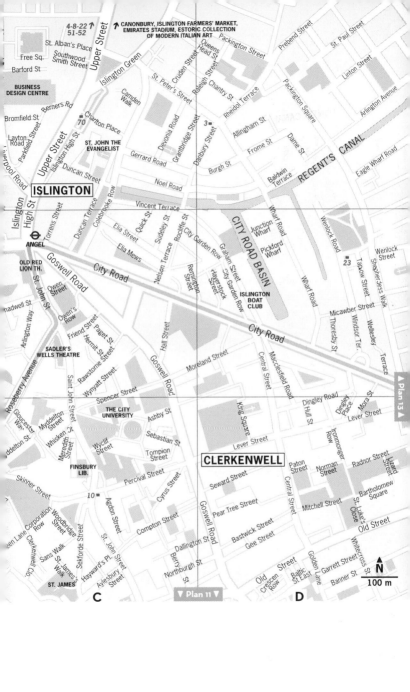

4-8-22 ↑
51-52 ↑

St. Alban's Place
Free Sq.
Southwood
Barford St   Smith Street

BUSINESS
DESIGN CENTRE
Berners Rd
Bromfield St
Layton
Road
Parkfield Street

Upper Street

↑ CANONBURY, ISLINGTON FARMERS' MARKET,
EMIRATES STADIUM, ESTORIC COLLECTION
OF MODERN ITALIAN ART

Islington Green

Camden
Walk

Charton Place
70
ST. JOHN THE
EVANGELIST

Upper Street

Islington High St.
Islington Duncan Street

ISLINGTON

Liverpool Road

Islington High St.

⊖
ANGEL

OLD RED
LION TH.

St. John St.

Owen
Street

Owen's
Row

Torrens Street

Gerrard Road

Noel Road

Duncan Terrace

Colebrooke Row

Vincent Terrace

Elia Street

Elia Mews

Goswell Road

City Road

Nelson Terrace
Quick St
Sudeley St
Radcliffe St
City Garden Row
Graham Street

Remington
Street

City Garden Row

Haverstock
Street

St. Peter's Street
Cruden Street
Raleigh Street
Chantry St

Rheidol Terrace

Devonia Road

Grantbridge Street

Danbury Street

Burgh St

Queens
Head St
Packington Street

Allingham St

Frome St

Baldwin
Terrace

CITY ROAD BASIN

Junction
Wharf

Pickford
Wharf

Wharf Road

ISLINGTON
BOAT
CLUB

Prebend Street

St. Paul Street

Linton Street

Arlington Avenue

REGENT'S CANAL

Eagle Wharf Road

Wenlock Road

Wharf Road

Packington Square

Dame St

3

Rosebery Avenue

Arlington Way

Friend Street
Hermit St
Paget St
Rawstorne Street

SADLER'S
WELLS THEATRE

Saint John Street

Myddelton Street
Meredith
Street
Whiskin St

Gloucester
Way

FINSBURY
LIB.

Skinner Street

Corporation
Row

Green Lane
Clerkenwell Cl.

Sans Walk
St. James's
Walk

ST. JAMES

Hayward's Pl.
Aylesbury
Street

St. John Street

Sekforde Street

Woodbridge
Street

10

Aldon Street

Wynatt Street

Spencer Street

THE CITY
UNIVERSITY

Wyclif
Street

Tompion
Street

Sebastian St

Ashby St

Goswell Road

Moreland Street

Hall Street

Percival Street

Cyrus Street

Compton Street

Dallington St
Berry St
Northburgh St

King Square

Lever Street

CLERKENWELL

Seward Street

Pear Tree Street

Bastwick Street

Gee Street

Goswell Road

Central Street

Macclesfield Road

Hull St

Dingley Road

Dingley
Place

Lever Street

Paton
Street

Norman
Street

Mitchell Street

Central Street

Baltic
St. East

Old
Crescent
Row

Golden Lane

Garrett Street

St. Luke's
Close

Bartholomew
Square

Old Street

Banner St

Whitecross St

City Road

Micawber Street

Thoresby St

Windsor Ter

Wellesley
Terrace

Tarlow Street

Shepperdess Walk

Mora St
Lever Street

Ironmonger
Row

Radnor Street

Lizard
Street

23

Wenlock
Street

N
100 m

▲ Plan 13 ▲

▼ Plan 11 ▼

C

D

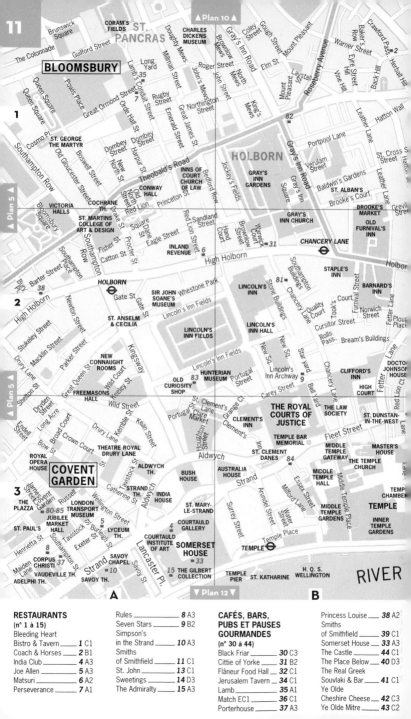

RESTAURANTS

(n° 1 à 15)

Bleeding Heart		
Bistro & Tavern	**1**	C1
Coach & Horses	**2**	B1
India Club	**4**	A3
Joe Allen	**5**	A3
Matsuri	**6**	A2
Perseverance	**7**	A1

Rules	**8**	A3
Seven Stars	**9**	B2
Simpson's in the Strand	**10**	A3
Smiths of Smithfield	**11**	C1
St. John	**13**	C1
Sweetings	**14**	D3
The Admiralty	**15**	A3

CAFÉS, BARS, PUBS ET PAUSES GOURMANDES

(n° 30 à 44)

Black Friar	**30**	C3
Cittie of Yorke	**31**	B2
Flâneur Food Hall	**32**	C1
Jerusalem Tavern	**34**	C1
Lamb	**35**	A1
Match EC1	**36**	C1
Porterhouse	**37**	A3

Princess Louise	**38**	A2
Smiths of Smithfield	**39**	C1
Somerset House	**33**	A3
The Castle	**44**	C1
The Place Below	**40**	D3
The Real Greek Souvlaki & Bar	**41**	C1
Ye Olde Cheshire Cheese	**42**	C3
Ye Olde Mitre	**43**	C2

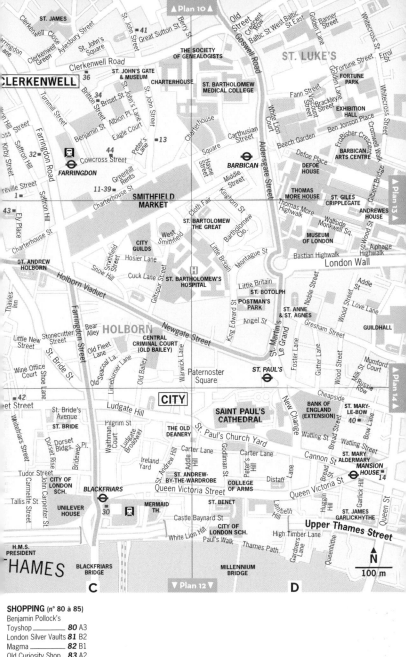

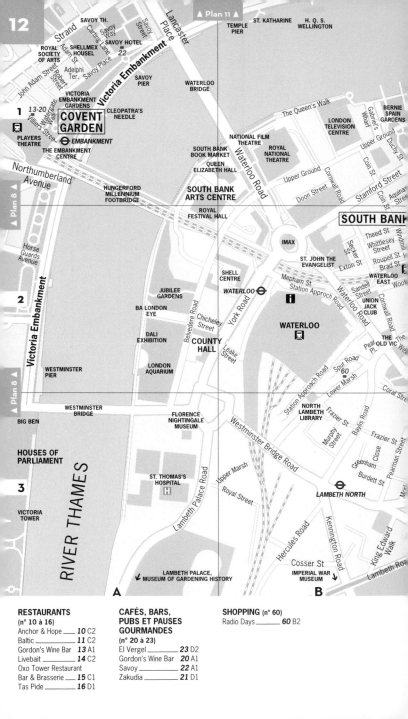

RESTAURANTS
(n° 10 à 16)
Anchor & Hope _____ **10** C2
Baltic _____ **11** C2
Gordon's Wine Bar **13** A1
Livebait _____ **14** C2
Oxo Tower Restaurant
Bar & Brasserie ____ **15** C1
Tas Pide _____ **16** D1

**CAFÉS, BARS,
PUBS ET PAUSES
GOURMANDES**
(n° 20 à 23)
El Vergel _____ **23** D2
Gordon's Wine Bar **20** A1
Savoy _____ **22** A1
Zakudia _____ **21** D1

SHOPPING (n° 60)
Radio Days _____ **60** B2

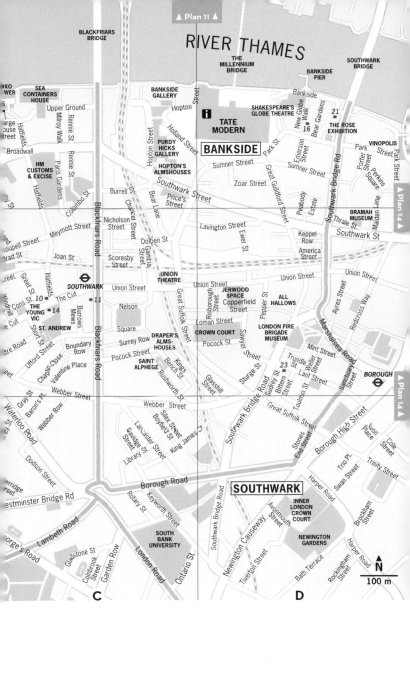

RIVER THAMES

BLACKFRIARS
BRIDGE

THE
MILLENNIUM
BRIDGE

SOUTHWARK
BRIDGE

BANKSIDE
PIER

XO
WER

SEA
CONTAINERS
HOUSE

Upper Ground

BANKSIDE
GALLERY

Bankside

arge
ouse
treet

Rennie St

Milroy Walk

Hopton Street

Hopton

SHAKESPEARE'S
GLOBE THEATRE

New Globe Walk

16

21

Bear Gardens

THE ROSE
EXHIBITION

Broadwall

Rennie St

PURDY
HICKS
GALLERY

Holland Street

TATE
MODERN

VINOPOLIS

HM
CUSTOMS
& EXCISE

Paris Gardens

Hatfields

Colombo St

HOPTON'S
ALMSHOUSES

BANKSIDE

Emerson Street

Park St

Park
Street

Porter Street

Perkins
Square

Maiden Lane

Park Street

Southwark Street

Burrell St

Bear Lane

Price's
Street

Sumner Street

Sumner Street

Peabody
Estate

Southwark Bridge Rd

BRAMAH
MUSEUM

Zoar Street

Great Guildford Street

Thrale St

Southwark St

hy St

Meymott Street

Nicholson
Street

Charcol Street

Lavington Street

Ewer St

Keppel
Row

oupell Street

brad St

Joan St

Dolben St

Gambia Street

America
Street

reel

Great St

Hatfields

SOUTHWARK

Union Street

Scoresby
Street

UNION
THEATRE

Union Street

JERWOOD
SPACE
Copperfield
Street

Union Street

Union Street

Great St

Cons St

The Cut

10

11

Nelson

Risborough Street

Pepper St

ALL
HALLOWS

Ayres Street

Redcross Way

Windmill
e Cut

THE
YOUNG
VIC

14

ST. ANDREW

Square

Loman Street

CROWN COURT

Great Suffolk Street

Sawyer
Street

LONDON FIRE
BRIGADE
MUSEUM

Marshalsea Road

tre Road

Short St

Boundary
Row

DRAPER'S
ALMS-
HOUSES

Surrey Row

Pocock St

Mint Street

BOROUGH

Ufford Street

Chaplin Close

Valentine Place

Pocock Street

SAINT
ALPHEGE

King's
Bench
Street

Rushworth Street

Glasshill
Street

Sturge St

Trundle St

23

Weller St

Sudrey St

Lant Street

Bittern St

Sanctuary St

Gray St

Baron's Pl.

Webber Row

Webber Street

Webber Street

Silex Street

Boyfild St

King James St

Great Suffolk Street

Toulmin St

Waterloo Road

Dodson Street

erridge

Lancaster
Street

Gaudge
Street

Library St

Southwark Bridge Road

Stones
End Street

Borough High Street

Avon
Place

Cole
Street

estminster Bridge Rd

Lambeth Road

Borough Road

Rotary St

Keyworth Street

SOUTHWARK

SOUTH
BANK
UNIVERSITY

Southwark Bridge Road

Newington Causeway

INNER
LONDON
CROWN
COURT

Harper Road

Trio Pl.

Swan Street

Trinity Street

Brockham Street

rge's Road

Gladstone Street

Colibrook Street

Garden Row

London Road

Ontario St

Avonmouth Street

Tiverton Street

NEWINGTON
GARDENS

Bath Terrace

Rockingham Street

Harper Road

N

100 m

C

D

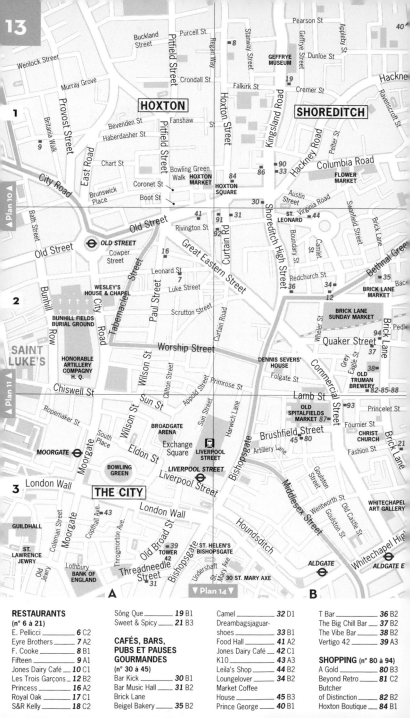

Wenlock Street

Murray Grove

Provost Street

Britannia Walk

9

City Road

East Road

Pitfield Road

Brunswick Place

Bath Street

Buckland Street

Purcell St.

Pitfield Street

Crondall St.

Regan Way

Stanway Street

8

Pearson St.

Geffrye Street

Appleby St.

GEFFRYE MUSEUM

Dunloe St.

Hackne

Falkirk St.

19

Cremer St.

Kingsland Road

Hackney Road

Pelter St.

Ravenscroft S

▲ Plan 10 ▲

1

HOXTON

Bevenden St.

Haberdasher St.

Pitfield Street

Chart St.

Fanshaw

Hoxton Street

SHOREDITCH

Bowling Green Walk

Coronet St.

Boot St.

HOXTON MARKET

84

HOXTON SQUARE

Columbia Road

90

33

86

FLOWER MARKET

Austin Street

Virginia Road

Swanfield Street

Brick Lane

Old Street

Old Street

OLD STREET

Cowper Street

Tabernacle Street

City Road

Bunhill Row

Leonard St.

Paul Street

16

Luke Street

7

Scrutton Street

Rivington St.

Great Eastern Street

Curtain Road

41

91

92

31

Shoreditch High Street

30

ST. LEONARD

44

Boundary St.

Camlet St.

Redchurch St.

36

34

12

Bethnal Gree

35

Bac

BRICK LANE MARKET

2

WESLEY'S HOUSE & CHAPEL

BUNHILL FIELDS BURIAL GROUND

HONORABLE ARTILLERY COMPAGNY H.Q.

Worship Street

Wilson St.

Clifton Street

Curtain Road

BRICK LANE SUNDAY MARKET

Wheler St.

Quaker Street

Grey Eagle St.

94

37

Brick Lane

Pedl

SAINT LUKE'S

▲ Plan 11 ▲

Chiswell St.

Ropemaker St.

Sun St.

Wilson St.

Appold Street

Primrose St.

Sun St.

Harwich Lane

DENNIS SEVERS' HOUSE

Folgate St.

Lamb St.

Commercial Street

OLD TRUMAN BREWERY

38

82-85-88

93

Princelet St.

3

MOORGATE

Moorgate

South Place

Eldon St.

BROADGATE ARENA

Exchange Square

BOWLING GREEN

LIVERPOOL STREET

LIVERPOOL STREET

Bishopsgate

Liverpool Street

Artillery Lane

Brushfield Street

OLD SPITALFIELDS MARKET

45

80

87

Fournier St.

CHRIST CHURCH

Fashion St.

Brick Lane

21

London Wall

THE CITY

GUILDHALL

ST. LAWRENCE JEWRY

Coleman Street

Moorgate

Old Jewry

Lothbury

BANK OF ENGLAND

Copthall Ave.

43

Throgmorton Ave.

Coleman Street

London Wall

Old Broad St.

Threadneedle Street

39

TOWER 42

31

Bishopsgate

Undershaft

ST. HELEN'S BISHOPSGATE

St. Mary Axe

30 ST. MARY AXE

Houndsditch

Middlesex Street

Wentworth St.

Goulston Street

Old Castle St.

Goulston Street

WHITECHAPEL ART GALLERY

ALDGATE

ALDGATE E

Whitechapel Hig

▼ Plan 14 ▼

A

B

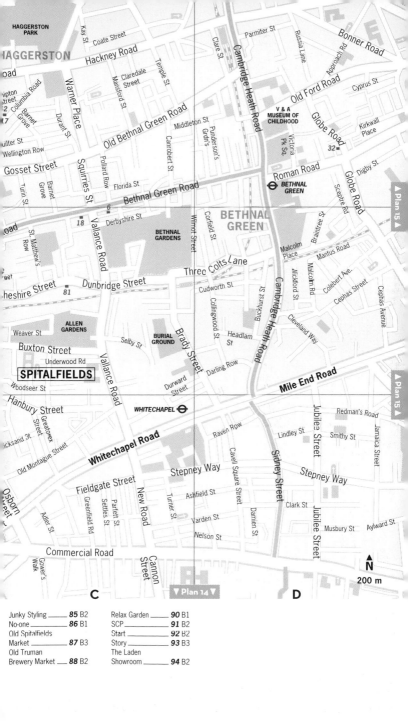

N

200 m

C

D

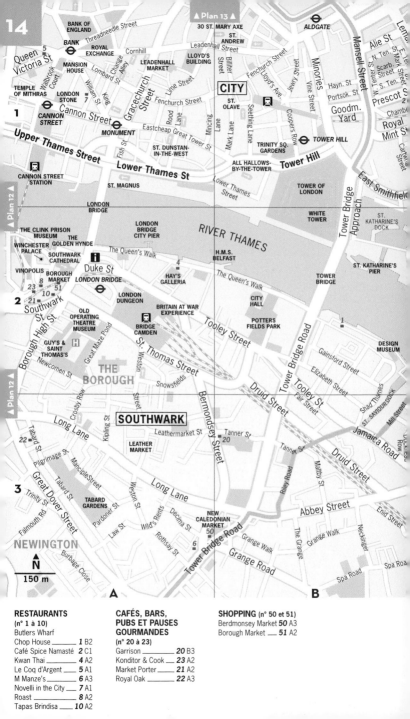

14

▲ Plan 13 ▲

RESTAURANTS
(n° 1 à 10)
Butlers Wharf
Chop House _____ **1** B2
Café Spice Namasté **2** C1
Kwan Thai _____ **4** A2
Le Coq d'Argent _ **5** A1
M Manze's _____ **6** A3
Novelli in the City _ **7** A1
Roast _____ **8** A2
Tapas Brindisa _ **10** A2

**CAFÉS, BARS,
PUBS ET PAUSES
GOURMANDES**
(n° 20 à 23)
Garrison _____ **20** B3
Konditor & Cook _ **23** A2
Market Porter ____ **21** A2
Royal Oak _____ **22** A3

SHOPPING (n° 50 et 51)
Berdmonsey Market **50** A3
Borough Market __ **51** A2

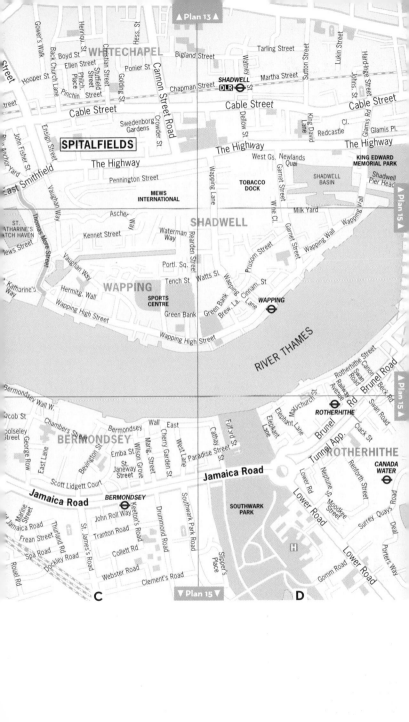

Gower's Walk

Henriqu. St

Back Church Lane

Boyd St

WHITECHAPEL

Ellen Street

Christian Street

Stutfield Street

Ponier St

Hooper Street

Pinchin Street

Philch. Place

Golding St

Street

Cannon Street Road

Bigland Street

Tarling Street

Lukin Street

Watney

Martha Street

Sutton Street

Hardinge Street

Johns. St

Chapman Street

SHADWELL DLR Ⓓ

Cable Street

Cable Street

Cable Street

Cable Street

Swedenborg Gardens

Crowder St

Dellow St

King David Lane

Redcastle

Cl.

Glamis Pl.

Glamis Rd

SPITALFIELDS

John Fisher St

Ensign Street

The Highway

West Gs.

Newlands Quai

The Highway

The Highway

The Highway

East Smithfield

Pennington Street

Wapping Lane

TOBACCO DOCK

Garnet Street

SHADWELL BASIN

KING EDWARD MEMORIAL PARK

Shadwell Pier Head

Vaughan Way

MEWS INTERNATIONAL

Wne Cl.

Milk Yard

Wapping Wall

ST. KATHARINE'S HATCH HAVEN

Thomas More Street

Ascher Way

Kennet Street

Waterman Way

SHADWELL

Prusom Street

Garnet Street

Wapping Wall

Mews Street

Katharine's Way

Vaughan Way

Hermitg. Wall

Rearden Street

Portl. Sq.

WAPPING

Tench St

Watts St

Green Bank

Wapping Lane

Cinnam. St

Brew. La.

WAPPING Ⓓ

Wapping High Street

SPORTS CENTRE

Green Bank

Wapping High Street

Wapping High Street

RIVER THAMES

Rotherhithe Street

Swan Rd

Brunel Road

Beck Rd

Bermondsey Wall W.

Jacob St

Wall

East

Maychurch St

Railway Avenue

Swan Road

ROTHERHITHE Ⓓ

Chambers Street

Bermondsey

Marig. St

Elephant Lane

Brunel

Oack Rd

Wolseley Street

George Row

East Lane

Bevington St

BERMONDSEY

Emba St

Cherry Garden St

West Lane

Paradise Street

Cathay St

Fulford St

Lower Rd

Tunnel App.

ROTHERHITHE

Renforth Street

CANADA WATER Ⓓ

Wilson Grove

Janeway Street

Scott Lidgett Court

Jamaica Road

BERMONDSEY Ⓓ

Jamaica Road

Neptune St

Moodke Street

Surrey Quays Ⓓ

Peoy Rd

Deal

Marine Street

John Roll Way

Keeton's Road

Southwark Park Road

SOUTHWARK PARK

Lower Road

Jamaica Road

Thurland Road

St. James's Road

Tranton Road

Drummond Road

Frean Street

Spa Road

Dockley Road

Collett Rd.

Webster Road

Clement's Road

Slipper's Place

H

Gorm Road

Lower Road

Porters Way

Rouel Rd

C

D

Roman Rd

MEATH GARDENS

BETHNAL GREEN

Grove Rd

BOW

DLR **BOW CHURCH**

MILD END PARK

Mile End Road

MILE END

BOW ROAD

Campbell Road

BROMLEY-BY-BOW

BETHNAL GARDENS

Cambridge Heath Rd

BETHNAL GREEN

Globe Rd

MILE END

MILE END

TOWER HAMLETS CEMETERY

Devoni's Road

Violet Rd

Morris Road

Northern Approach

STEPNEY GREEN

White Horse Rd

Mile End Road

MILD END PARK

Bow Common Lane

BROMLEY

Upper North St

Chrisp St

Abbott Rd

WHITECHAPEL

Jubilee Street

Stepney Green

Ben Jonson Rd

St. Paul's Way

Burdett Road

BARTLETT PARK

East India Dock Road

STEPNEY

Cavell St./St.

Stepney Way

STEPNEY GREEN

Salmon Lane

Limehouse Road

WEST FERRY **DLR**

POPLAR

Cotton St

East India Dock Road

Stepney Way

RATCLIFFE

DLR **LIMEHOUSE**

DLR

Poplar High St

Aspen Way

SHADWELL DLR **DLR**

Cable Street

Limehouse Link

Tunnel

MUSEUM IN DOCKLANDS

Aspen Way

SHADWELL

The Highway

TOBACCO DOCK

KING EDWARD MEMORIAL PARK

Rotherhithe Street

WEST INDIA QUAY **DLR**

BILLINGSGATE FISH MARKET

Preston's Road

THE O2 ARENA

Wapping Wall

West India Ave.

CANARY WHARF

BLACKWALL

WAPPING

Salter Road

ECOLOGICAL PARK

INDIA DOCKS

Wapping High St

ROTHERHITHE

Brunel Rd

RUSSIA DOCK WOODLAND

Marsh Wall

ISLE OF DOGS

DLR **SOUTH QUAY**

Manchester Road

BERMONDSEY

Jamaica Rd

CANADA WATER

Salter Road

Westferry Road

CROSSHARBOUR **DLR**

CUBITT TOWN

SOUTHWARK PARK

Lower Road

ROTHERHITHE

Reddriff Rd

GREENLAND DOCK

SOUTH DOCK

DOCKLANDS SAILING CENTRE

MILWALL

MILLWALL

MUDCHUTE FARM

Raymouth Road

SURREY QUAYS

Plough Way

MUDCHUTE

DLR

MUDCHUTE PARK

Rotherhithe New Rd

Westferry Road

ISLAND GARDENS

Rotherhithe New Rd

Evelyn Street

Grove Street

PEPYS PARK

RIVER THAMES

DLR **ISLAND GARDENS**

Trundleys Rd

DEPTFORD PARK

Ferry Street

Idlerton Road

Surrey Canal Road

Sanford St

GREENWICH FOOT TUNNEL

GREENWICH PIER

TRINITY COLLEGE OF MUSIC

OLD ROYAL NAVAL COLLEGE

Evelyn Street

DEPTFORD

Deptford Church St

CUTTY SARK

NATIONAL MARITIME MUSEUM

Edward Street

Creek Road

GREENWICH

Norman Road

QUEEN'S HOUSE

OLD ROYAL OBSERVATORY

Old Kent Road

Cross Road

FORDHAM PARK

NEW CROSS GATE

NEW CROSS

Deptford Church St

Greenwich High Rd

Greenwich South St

Royal Hill

Croom's Hill

GREENWICH PARK

PECKHAM

Kender St.

Pomeroy Street

Queen's Rd

New Cross Road

Lewisham Way

Florence Road

Blackheath Road

Brookmill Road

RANGER'S HOUSE

Shooter's Hill

N

500m

NEW CROSS GATE

A

B

◄ Plan 14 ▲

◄ Plan 14 ▲

INDEX DES RUES

Pour chaque référence, en gras le numéro du plan, puis le renvoi au carroyage.

CAHIER CARTOGRAPHIQUE

Légende des cartes et des plans

═══ Autoroute	ℹ Office de tourisme
▨ Zone urbaine	▤ Gare ferroviaire
▨ Espace vert	⊖ Station de métro
✝✝✝ Cimetière	**DLR** Docklands Light Rail
⊏⊐⊐ Voie ferrée	Ⓗ Hôpital

CAHIER CARTOGRAPHIQUE

CAHIER CARTOGRAPHIQUE

CAHIER CARTOGRAPHIQUE

TITRES DÉJÀ PARUS

GEOGUIDE France

- Alsace
- Bordelais
Landes
- Bretagne
Nord
- Bretagne Sud
- Charente-
Maritime
Vendée
- Châteaux
de la Loire
- Corse
- Côte d'Azur
- Guadeloupe
- Languedoc-
Roussillon

- Martinique
- Normandie
- Paris
- Pays basque
- Périgord
Quercy
Agenais
- Provence
- Pyrénées
- Réunion
- Sortir à Paris
- Tahiti
Polynésie
française

GEOGUIDE Étranger

- Andalousie
- Argentine
- Belgique
- Crète
- Croatie
- Cuba
- Égypte
- Espagne,
côte est
- Grèce
continentale
- Îles grecques
et Athènes
- Irlande
- Italie du Nord
- Italie du Sud

- Londres
- Maroc
- Maurice
- Mexique
- Pays basque
- Portugal
- Québec
- Rome
- Shopping
à Londres
- Sicile
- Toscane
Ombrie
- Tunisie
- Venise

● AUTEURS
GEOPRATIQUE Virginia Rigot-Muller.
À LA CARTE Trois jours à Londres **Virginia Rigot-Muller.**
SHOPPING Isabelle Vatan (sauf Portobello Market, Camden Markets : **Karim Bourtel** ; Borough Market :
Laurent Vaultier).
GEOPLUS Petite géographie Virginia Rigot-Muller **Bons plans shopping** Lisa Ritchie.
CAFÉS, BARS, PUBS Antoine Besse.
PAUSES GOURMANDES Virginia Rigot-Muller (Café in the Crypt, Chubbie's, Gaby's, Pâtisserie Valérie,
Bar Italia, Abeno Too, Ray's Jazz & Café at Foyles, Food for Thought, Rock & Sole Plaice , Somerset House,
Ritz, St. James's Restaurant at Fortnum & Mason, The Parlour at Sketch, Maison Bertaux, Savoy) **Karim
Bourtel** (De Gustibus, Garden Café Pâtisserie Deux Amis, Villandry, Kensington Palace Orangery,
Louis Pâtisserie, Al Dar, Ottolenghi, Mr Christian's, Brew House Kenwood) **Laurent Vaultier**
(Flâneur Food Hall, K10, The Real Greek Souvlaki & Bar, The Place Below, Brick Lane Beigel Bakery,
Market Coffee House, Lella's Shop, Jones Dairy Café, Food Hall, Konditor & Cook, El Vergel).
RESTAURANTS Virginia Rigot-Muller Trafalgar Square et Westminster, St. James's, Mayfair, Soho,
Covent Garden et Holborn **Karim Bourtel** Knightsbridge and South Kensington, Chelsea, Kensington et Notting
Hill, Marylebone, Camden, Bloomsbury, Islington **Laurent Vaultier** La City, L'East End, South Bank,
Bankside et Southwark, Brixton.
● CRÉDITS PHOTOGRAPHIQUES Couverture et 3 : © Ingrid Rasmussen/Gettyimages. 4 : © Nick Wheeler/
Corbis. 8 : © J. Woodhouse/Masterfile. 27 : © Sylvain Grandadam/Eyedea. 40 : © Loïc Maisant/hemis.fr.
65 : © Hélène le Tac/Cartoville/Gallimard. 75 : © Hélène le Tac/Cartoville/Gallimard. 86 : © Foodfolio/Age Fotostock.
106 : © Travel Ink/Gettyimages. 122 : © Felipe Rodriguez Fernandez/Gettyimages. 166 : © Z. Milich/Masterfile.
170 : © John Frumm/hemis.fr.
● CARTOGRAPHIE INFOGRAPHIQUE Édigraphie.
● REMERCIEMENTS Special thanks to Lisa Ritchie (correspondante "shopping"), Phil Harriss
(correspondant "restauration"), Tom Lamont (correspondant "cafés, bars et pubs") and many thanks to Guy
Dimond ! Merci aussi à Kirill Ivanitski, Peinda Barry et Sarah Diemu-Trémolières.
● GALLIMARD LOISIRS 5, rue Sébastien-Bottin 75328 Paris Cedex 07.
Tél. 01 49 54 42 00 contact@geo-guide.fr www.geo-guide.fr
● PRISMA PRESSE Régie publicitaire Prisma Presse 6, rue Daru 75379 Paris Cedex 08.
Responsable de clientèle Evelyne Allain-Tholy. Tél. 01 44 15 32 77 Fax 01 44 15 31 44.

© Gallimard Loisirs, 2010. **Premier dépôt légal** janvier 2009.
Dépôt légal avril 2010. **Numéro d'édition** 170387. **ISBN** 978-2-74-242675-1.
Photogravure ARG (Gentilly). **Impression** LEGO (Italie).

MAYOR OF LONDON